COMMENTAIRE
SUR LE
CANTIQUE DES CANTIQUES

SOURCES CHRÉTIENNES

N° 430

APPONIUS

COMMENTAIRE
SUR LE
CANTIQUE DES CANTIQUES

Tome III

TEXTE, TRADUCTION, NOTES ET INDEX

LIVRES IX-XII

PAR

Bernard de VREGILLE, s.j. et Louis NEYRAND, s.j.

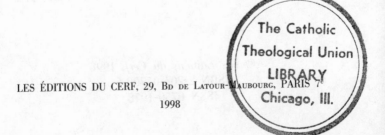
LES ÉDITIONS DU CERF, 29, Bd de Latour-Maubourg, PARIS 7e
1998

*La publication de cet ouvrage a été préparée avec le concours
de l'Institut des « Sources Chrétiennes »
(UPRES A 5035 du Centre National de la Recherche Scientifique)*

© *Les Éditions du Cerf,* 1998
ISBN 2-204-05709-6
ISSN 0750-1978

ABRÉVIATIONS ET SIGLES

CCL	*Corpus Christianorum. Series Latina*
CCM	*Corpus Christianorum. Continuatio Mediaevalis.*
CLA	*Codices Latini Antiquiores*
CPL	*Clavis Patrum Latinorum*
CSEL	*Corpus Scriptorum Ecclesiasticorum Latinorum*
GCS	*Die Griechischen Christlichen Schriftsteller*
PL	*Patrologia Latina*
SC	*Sources Chrétiennes*
TLL	*Thesaurus Linguae Latinae*
Vg	*Vulgata*
VL	*Vetus Latina*

Rappel des sigles
des principaux manuscrits et des éditions anciennes

S	Sélestat, *Bibl. Humaniste Municip.*, 77
R	Rome, *Bibl. Nazion. Vittorio Emanuele, Sessorianus 12 (1572)*
A	Milan, *Bibl. Ambrosiana, D 37 sup.*
M	Épinal, *Bibl. Municip.*, 78
J	Ensemble des mss du Pseudo-Jérôme *(Veri amoris)*
B	Boulogne-sur-Mer, *Bibl. Municip.*, 74 *(82) (Burginda)*
f	Édition Faber, 1538
m	Édition Mai, 1841
b	Édition Bottino-Martini, 1843

L'astérisque (*) joint à un mot indique une modification par rapport au texte édité dans *CCL* 19 (cf. Introduction, p. 26).

TEXTE ET TRADUCTION

INCIPIT LIBER IX

1. Sexaginta svnt reginae et octoginta concvbi-
nae, et | advlescentvlarvm non est nvmervs. Vna est
colvmba mea, | perfecta mea. Vnica est matri svae,
electa est genetrici | svae. Vidervnt eam filiae et
5 beatissimam praedicavervnt, | reginae et concvbinae
et lavdavervnt eam. |

2. Licet omnis scriptura diuinitus inspirata [a] sacris mys-
teriis | sit inuoluta, tamen praesens locus tanta nube
contectus est ut, | nisi ipse Sermo Dei Patris omnipotentis,
qui haec scribenda | dictauit, deprecatus adfuerit, et ipse
10 nobis illuminare dignetur | quod ipse sacramenti caligine   B
contexit, hebes erit sensus noster | et sermo. Obsecranda
ergo est Christi redemptoris nostri insupe|rabilis pietas, ut
nobis elinguibus primo in loco aperire dignetur | quid sibi
sexagenarius numerus et *octogenarius* uelit; deinde | quae

---

2 a. Cf. II Tim. 3,16

---

1. Ici, comme plus bas (l. 296-297), a été adopté le texte : *Vnica
est matri suae, electa est genetrici suae,* là où *Vg* donne : *... matris
suae, ... genetrici suae.* Les hésitations des mss entre le génitif et le
datif sont nombreuses pour ces deux mots, si fréquemment répétés
dans le Commentaire. Il est pourtant des cas où le double datif est
attesté sans variantes (XI, 94; XII, 175-176.776); d'autres cas où le
datif dans les appositions à ces deux mots est bien attesté : *plebi, illi
uirtuti, genti* (IX, 299.302.319), etc. Le double datif se lit d'ailleurs
dans *VL.* — La leçon *unica* ne semble attestée nulle part ailleurs.

2. Cet exorde d'une exceptionnelle gravité et ferveur indique assez
que pour Apponius nous touchons au sommet et à la clef de toute
la révélation du *Cantique.* Le style s'apparente à celui de l'exorde du
premier livre (surtout I, 17-33); il se retrouvera à l'épilogue de tout
le Commentaire (XII, 1291-1328.1410-1417). En une phrase se trouve

LIVRE IX

L'unique et parfaite colombe

1. « Il y a soixante reines et quatre-vingts concubines et des adolescentes sans nombre. Unique est ma
colombe, ma parfaite. Elle est l'unique pour sa mère,
l'élue pour celle qui l'a mise au monde[1]. Les filles
l'ont vue et l'ont proclamée la plus heureuse. Reines
et concubines l'ont aussi louée. »

**Prière
pour l'intelligence**
2. Bien que toute écriture divine-
ment inspirée[a] soit enveloppée de
mystères sacrés, cependant le présent
passage est recouvert d'une obscurité si épaisse que, à
moins que le Verbe même du Dieu et Père tout-puissant
qui a dicté et fait écrire ces paroles n'accorde à nos prières
de se rendre présent, et ne daigne éclairer lui-même pour
nous ce qu'il a lui-même recouvert des ténèbres du
mystère, notre intelligence et notre discours demeureront
stupides[2]. Il faut donc supplier la bonté insurpassable
du Christ notre rédempteur pour qu'il daigne nous découvrir, à nous qui restons sans parole, d'abord ce que
signifient le nombre de *soixante* et celui de *quatre-vingts* ;

---

résumée toute la démarche de l'exégèse spirituelle : le Verbe de Dieu,
qui a dicté sa révélation à l'écrivain sacré sous le voile des « mystères »,
peut seul lever ce voile, et il s'y prête avec amour envers celui qui
l'en prie humblement. — H. König, *Apponius*, p. 153, n. 2, rapproche
de ce passage Origène, *Traité des Principes*, II, 9, 4 (*SC* 252,
p. 360-362 ; cf. *SC* 253, p. 216), belle prière pour l'intelllligence, mais
à propos de la justice de Dieu.

sint *reginae*, quae *concubinae*; uel quae sint *filiae*, aut quae
15 | *adulescentulae* quae numero carent; uel quis earum rex et
domi|nus cognoscatur; necnon quae sit illa *unica matri* et
electa | *genetrici suae* tantis laudibus eleuata. |

3. Vigilanter ergo intendat diligens lector numeri ratio-
nem | minime posse liquere, nisi eorum sententiis fuerit
20 terminatum | qui omnia numero, pondere et mensura
constare[a] adserere sunt | conati. Non igitur uideatur sanc-
tae religioni contrarium, si in | paucis praedictorum sequa-
mur sententiam qui, a creatore sus|ceptam sapientiam sibi
et non donanti deputando, stulti sunt | reputati[b], qui Dei
25 prouidentia si qua bona nobis dixerunt, et, ut | dictum est
ab antiquis, «sibi uixerunt». In quibus si quidpiam | nos-
trae religioni aptum reperiatur, id ut aurum de luto collec-
|tum, uelut pretiosissima gemma de stercore, ad dominic-
cum | thesaurum reportatur. |

4. Inter quos geometrica et arithmetica uel dialectica
30 ars | certis in causis non est ab Ecclesia repudianda, quibus
et obscu|ra per numeri rationem monstrantur et occulta
falsitas ueri | similibus declaratur. Nam primum iudicium
Salomonis, ubi dua|bus mulieribus altercantibus, necato

---

3 a. Cf. Sag. 11,21   b. Cf. Rom. 1,22

---

1. Noter ce plan annonçant le commentaire des §§ 14-32, que
précédera tout un exposé sur l'utilité des données géométriques et
arithmétiques pour l'exégèse.

2. Origène reconnaît, lui aussi, l'utilité des sciences profanes,
spécialement de l'arithmétique, de la géométrie et de la dialectique,
pour l'intelligence de l'Écriture : cf. *Hom. sur la Gen.*, XI, 2 (*SC 7 bis*,
p. 282-284 et références).

3. « *sibi uixerunt* » : cette expression des « anciens » se retrouve en
effet chez Térence, *Adelphoe*, 865 : *sibi uixit*; chez Horace, *Epist.*
I, 18, 107 : *mihi uiuam*; chez Ovide, *Trist.*, III, 4, 5 : *Viue tibi*; etc.
Paul prendra le contre-pied de cette attitude égoïste : *Nemo nostrum
sibi uiuit... Domino uiuimus* (*Rom.* 14,7-8).

4. Tirer de la science terrestre des vérités conformes à la religion
— telles de l'or du milieu de la boue —, ce n'est pas les « porter »,

puis qui sont les *reines*, qui sont les *concubines*, et qui
sont les *filles* ou qui sont les *adolescentes sans nombre*;
et qui il faut reconnaître comme leur roi et seigneur; et
encore qui est *l'unique pour sa mère* et *l'élue pour celle
qui l'a mise au monde*, elle qu'exaltent de telles louanges[1].

**La science
des nombres
dans la Bible**

3. Que le lecteur diligent remarque
donc avec soin que la signification
d'un nombre ne peut être élucidée à
moins de se déterminer d'après l'opi-
nion de ceux qui se sont efforcés de soutenir que tout
est fondé sur le nombre, le poids et la mesure[a][2]. Qu'on
ne croie donc pas contraire à la sainte religion le fait
que nous suivions sur quelques points l'opinion de ces
gens qui, en s'attribuant à eux-mêmes, et non à celui
qui la leur donnait, la sagesse qu'ils avaient reçue du
créateur, ont été jugés fous[b]. A la fois ils ont dit pour
nous, grâce à la divine providence, ce qu'ils ont pu dire
de bien, et ils ont « vécu pour eux », suivant l'expression
des anciens[3]. Si donc l'on trouve chez eux quelque vérité
qui s'accorde à notre religion, il faut la retirer, comme
l'or de la boue ou comme une pierre très précieuse du
fumier, pour la reporter au trésor du Seigneur[4].

4. Chez eux, dans certains cas, l'Église ne doit pas
rejeter la géométrie, l'arithmétique ou la dialectique :
grâce à elles sont manifestées, par la signification des
nombres, des réalités obscures, et l'erreur cachée sous
les apparences du vrai se trouve dévoilée. Ainsi, c'est la
dialectique qui rend concluant le premier jugement de
Salomon, par lequel, alors que deux femmes se disputaient

mais les « reporter » au trésor du Seigneur, d'où elles ne peuvent que
venir. Usant d'une image analogue à celle de « l'or tiré de la boue »,
mais dans une perspective bien plus large − celle même de l'incarnation −, Apponius avait évoqué (I, 61-64) l'artisan repêchant sans honte
son anneau précieux tombé dans les ordures ; il s'agissait, non de le
« mettre », mais de le « remettre » à sa main *(inuentum rursum suae
dexterae reddere)*.

filio unius sine teste, interi|tum minando uiuenti, reperit
35 ueritatem ª, — et ubi Ioab magister | militum Dauid pro
Absalon filio eius instruit mulierem, cuius | sermonibus
lacrimosis ad pietatis indulgentiam inclinaretur | Dauid
rex ᵇ, — et pene omnes Domini nostri Iesu Christi alterca-
|tiones cum Iudaeis, dialectica conclusione probantur : in
loco illo | quam maxime, ubi de baptismo Iohannis ᶜ et de
40 adultera lapidan|da ᵈ uel de censu Caesari reddendo ᵉ inter-
rogatur. |

5. Disciplina autem geometricae et arithmeticae artis
mensu|ra et numero omnem creaturam docet constare ª.
De quibus, quia | omnis sapientia a Domino Deo est ᵇ, ali-
quanta uidentur diuinis | litteris interserta, secundum illud
45 prophetae : *Verbum quod man|dauit in mille generationes* ᶜ ;
uel illud Apostoli, quod hortatur | auditores suos *compre-
hendere* de mysterio crucis *quae sit altitu|do, longitudo, lati-
tudo et profundum* ᵈ ; et illud : *Habeo*, inquit, | *quinque uerba
quae loquar uobis in ecclesia* ᵉ. Et multa his similia | inue-
niuntur in libris diuinis, quae per numerum declarant
50 my|steria. Sunt autem apud supradictos alii diuisibiles
numeri, alii | indiuisibiles ; alii inter multas diuisiones
secantur, alii in unam. |

6. Nec illud uacuum opinandum est, quod in aedifica-
tione | arcae iubet Deus ad Noe numero uel mensura eius

B*

B*

---

4 a. Cf. III Rois 3,16-27   b. Cf. II Sam. 14,1-22   c. Cf.
Matth. 21,23-27   d. Cf. Jn 8,1-11   e. Cf. Matth. 22,15-22
5 a. Cf. Sag. 11,21   b. Sir. 1,1   c. Ps. 104,8.   d. Éph.
3,18   e. I Cor. 14,19

---

1. *de mysterio crucis :* ORIGÈNE, le premier, comme le relève
H. KÖNIG, *Apponius,* p. 44*, a vu dans « la hauteur, la longueur, la
largeur, la profondeur » évoquées par *Éph.* 3,18, une allusion à la
croix : *Apostolus... cum de mysterio crucis sacratius loqueretur... (Hom.
sur la Genèse,* II, 5 : *SC* 7 *bis,* p. 98). — Ajoutons que JÉRÔME s'en
est souvenu dans son *Commentaire de l'Épître aux Éphésiens,* inspiré
vraisemblablement sur ce point par celui, perdu, d'ORIGÈNE : *In Ep. ad*

parce que le fils de l'une avait péri sans témoin, le roi
découvre la vérité en menaçant de faire périr l'enfant
vivant[a]; de même le passage où Joab, chef des armées
de David, fait la leçon à une femme pour que ses paroles
éplorées inclinent le roi David à l'indulgence paternelle
en faveur de son fils Absalon[b]; de même aussi presque
toutes les discussions de notre Seigneur Jésus Christ avec
les Juifs sont tranchées par une conclusion dialectique,
spécialement les passages où il est interrogé sur le
baptême de Jean[c], sur la lapidation de la femme adultère[d]
ou sur le tribut à rendre à César[e].

5. Quant à la géométrie et à l'arithmétique, elles
enseignent que toute la création est fondée sur la mesure
et le nombre[a]. Et puisque toute sagesse vient du Seigneur
Dieu[b], quelques-uns de ces nombres et mesures sont
insérés, nous le voyons, dans les écritures divines. Ainsi
ce passage du prophète : « La parole qu'il a promulguée
pour mille générations[c] »; ou bien celui de l'Apôtre où
il exhorte ses auditeurs, à propos du mystère de la croix[1],
à « comprendre quelle en est la hauteur, la longueur, la
largeur et la profondeur[d] »; et encore : « J'ai, dit-il, cinq
mots à vous dire dans l'assemblée[e]. » Et on trouve dans
les livres divins beaucoup de passages semblables qui,
au moyen de nombres, révèlent des mystères[2]. D'après
ces gens-là, il y a des nombres divisibles et d'autres
indivisibles, des nombres qui admettent de nombreuses
divisions et d'autres une seule.

6. Et il ne faut pas non plus croire inutile que, pour
la construction de l'arche, Dieu ordonne à Noé de l'édifier

Eph., II, 3 (*PL* 26, 491A-B) : *Haec uniuersa et in cruce Domini nostri
Iesu Christi intellegi queunt.* — Augustin s'étend à plusieurs reprises
sur ce thème : cf. *Tract. in Ioh.*, 118, 5 (*CCL* 36, p. 657); *Ep.* 147,
34 (*CSEL* 44, p. 307-308)

2. *et multa his similia inueniuntur* : cf. l. 57 (*Et multa his similia
curiosus lector inueniet*); cf. aussi VII, 345; VIII, 94 (*et multa similia
inuenies*); XII, 1090. On lit chez Origène, dans ce même contexte : *et
multa his similia inuenies* (*Hom. sur la Genèse*, II, 5 : *SC* 7 bis, p. 102).

crescere | structuram ᵃ. Similiter et in Hiezechiele pro-
55 pheta, ubi figuram | constructionis Hierusalem uel templi
iubetur describere ᵇ, nume|ro et mensura legimus omnia,
licet in figura, esse patrata. Et | multa his similia curiosus
lector inueniet in libris diuinis. Pri|mum uero, ut dictum
est, iudicium Salomonis, dum adulescens | adhuc regnare
60 coepisset, de duabus mulieribus altercantibus de | filio
interfecto unius, dialectica argumentatione occulta ueritas
| populis demonstratur ᶜ. Disciplina autem artis geometri-
cae et | arithmeticae, altera numero, altera agit mensuris ;
et ita esse | cognatae probantur ut una sine altera stare non
possit ; et hae | mensura et numero ᵈ omne quod est docent
65 constare. Et sunt | apud eos, ut dictum est, numeri diuisi-
biles et indiuisibiles. |

7. Sunt scilicet qui in duas partes secati aequas partes
osten|dunt, ut duo, quatuor, sex uel octo, sedecim, uiginti,
quadragin|ta, sexaginta, octoginta. Indiuisibiles uero sunt
apud eos tres, | quinque, septem, nouem, uel omnes qui
70 diuisionem omnino | nullam recipiunt. Et sunt certi

---

6 a. Gen. 6,15 ; cf. Sag. 11,21   b. Cf. Éz. 40-43   c. Cf.
III Rois 3,16-27   d. Cf. Sag. 11,21

---

1. En VI, 221-223, Apponius notait déjà que « la règle de l'Église »,
dans bien des cas, ne rejette pas cette science (arithmétique ou
géométrique), parce que beaucoup de mystères sont renfermés par
l'Esprit saint dans les écritures divines sous forme numérique.

2. Ayant à rendre compte du sens mystique des nombres 60 et 80
— celui des reines et celui des concubines —, Apponius fixe toute son
attention sur les divisions dont ces nombres sont ou ne sont pas
susceptibles (selon les règles qu'il emprunte aux savants, dit-il, mais,
nous le constatons, sans toute la rigueur voulue). Déjà, l. 50-51, il a
énoncé ce point de vue.

3. *uel omnes qui diuisionem omnino nullam recipiunt* : un des très
rares cas où le ms. S, suivi ici, donne un texte tout différent de celui
de R, reproduit par les éditeurs (qui ignoraient S). R écrit : *uel omnes
qui diuisi iterum secati in partes separes sunt* (cf. CCL 19, Note
critique, p. 475). — Le texte de S va de soi : il s'agit bien, comme
pour les exemples donnés (3, 5, 7, 9), des nombres qui n'admettent
aucune division (par 2), autrement dit de nos nombres « impairs ». —

suivant un plan comportant nombres et mesures[a]. De même, chez le prophète Ézéchiel, là où il reçoit l'ordre de décrire le plan de Jérusalem et du Temple[b], nous lisons que tout a été réalisé selon le nombre et la mesure, bien que ce soit en figure. Et le lecteur curieux trouvera dans les livres divins beaucoup de passages analogues. Ainsi, nous l'avons dit, le premier jugement de Salomon : lorsque, encore jeune homme, il commençait à régner, c'est par un raisonnement dialectique qu'à propos des deux femmes qui se disputaient au sujet du fils de l'une d'entre elles, qui était mort, la vérité cachée est manifestée aux peuples[c]. Quant à la science de la géométrie et à celle de l'arithmétique[1], l'une utilise le nombre, l'autre les mesures ; elles manifestent une telle parenté que l'une sans l'autre ne peut subsister, et elles enseignent que tout ce qui existe est fondé sur le nombre et la mesure[d]. Et, comme nous l'avons dit, il y a, d'après ces gens-là, des nombres divisibles et des nombres indivisibles[2].

Nombres divisibles et nombres indivisibles   7. Or il y en a qui, divisés en deux parties, présentent des parties égales, comme deux, quatre, six et huit, seize, vingt, quarante, soixante, quatre-vingts. En revanche, indivisibles sont d'après eux trois, cinq, sept, neuf, et tous les nombres qui n'admettent absolument aucune division[3]. Il y a aussi certains nombres

---

Le texte de *R* n'est pas facile à traduire littéralement. Doit-on comprendre : « tous ceux qui, divisés une seconde fois, se trouvent partagés en parties impaires » (ce qui correspondrait aux nombres *pariter impares* du *De arithmetica* de Boëce, I, 10 (*PL* 63, 1087D-1088B) ? Mais le mot rare *separes* n'est pas l'équivalent de *impares* ; il est l'équivalent de *dispares*, « différents » (cf. Ernout-Meillet, *Dict. étymol.*, p. 481). Ces *partes separes* doivent être le contraire des *aequae partes* de la l. 66 ; autrement dit, ces nombres pourraient se diviser, mais non en parties égales. Si bien qu'il nous paraît difficile de reconnaître dans l'énoncé peu clair de *R* les nombres *pariter impares*, comme le propose H. König, *Apponius*, p. 156, n. 7, fin. H. König va d'ailleurs plus loin, lorsqu'elle juge bon d'incorporer à sa traduction la leçon de *R*,

numeri qui unam diuisionem | recipiunt, ut sexagenarius.   B
Sunt qui tres, ut quadragenarius. | Sunt qui septem, ut
octogenarius. Sed longum est per singulos | currere; suffi-
ciat autem hos numeros tangere qui in hoc Cantico |
habentur in manibus, in quibus Spiritus sanctus ore Salo-
75 monis | mysteria signat. |

8. *Sexagenarius* ergo, ut diximus, numerus apud eos non
reci|pit amplius quam unam diuisionem; *octogenarius* uero
septem | sectiones, ut deni octies demonstrentur. Millena-
rius autem | numerus apud eos solidus indiuisusque, ut
80 unus, subsistit : qui | unius deitatis tenet figuram; a quo
sexagenarius numerus gene|ratur, qui *reginarum* nobilita-
tem ostendit. De quo duo indiuisi|biles nascuntur numeri,
noui et ueteris testamenti signantes | imaginem, in quibus
cohaerentes animae in toto corde *reginae* | efficiuntur, in
85 quarum medio rex Christus consistit. Et sicut | ipse rex et
dominus dicitur a regendo et dominando caelorum | uirtu-
tibus, angelis, hominibus uel omni creaturae, ita et perfec-

---

artificiellement jointe à celle de *S* : « Unteilbar aber sind bei ihnen
drei, fünf, sieben, neun, *und alle*, die gar kein Teilung erfahren, <*oder
alle*, die nach abermaliger Teilung in *ungerade* Teile zerfallen>. » Nous
voyons mal quelle serait la genèse de ce texte confluent. Mais comment
expliquer la différence entre texte de *S* et texte de *R* ? Par une glose
marginale ancienne qui se serait substituée au texte ? — De toute
façon, il est difficile de faire cadrer les énoncés d'Apponius avec ceux
de l'arithmétique antique, disons celle de Nicomaque de Gaza traduite
et adaptée par Apulée (perdue) et reprise par Boëce (*PL* 63, 1079-1186;
cf. Courcelle, *Les lettres grecques en Occident*, p. 261-262), ou celle
de Martianus Capella (*De nuptiis Philologiae et Mercurii*, VII, §§ 745-
749 : éd. J. Willis, Teubner 1983, p. 269-273), utilisant une traduction
latine des *Elementa* d'Euclide (Courcelle, *op. cit.*, p. 199). La difficulté
vient spécialement de ce qu'Apponius ne raisonne pas sur la distinction
classique entre nombres *pares* et *impares*, mais entre nombres *diuisibles*
et *indiuisibles* (l. 50-51.64-65), ce qui rend ses énoncés peu rigoureux.
Il n'a employé qu'une fois l'adjectif *impar* (VI, 217-218), jamais
l'adjectif *par*.

1. 60 : 2 = 30 : si l'on poursuivait la division (par 2), on aboutirait
à 15, nombre « indivisible ». Au contraire, 80 : 2 = 40 (1 division);
40 : 2 = 20 (division possible avec chaque moitié de 40, soit 2 divi-

qui admettent une seule division, comme soixante ;
d'autres qui en admettent trois, comme quarante. D'autres
en admettent sept, comme quatre-vingts. Mais il serait
trop long de les passer en revue un par un. Qu'il suffise
de traiter de ces nombres que nous avons sous la main
dans le Cantique, nombres par lesquels l'Esprit saint, par
la bouche de Salomon, signifie des mystères.

Qui sont les soixante reines ?

8. Donc le nombre de *soixante*,
comme nous l'avons dit, n'admet
d'après eux pas plus d'une division ;
celui de *quatre-vingts* en admet sept,
pour aboutir à huit fois dix[1]. Quant au nombre de mille,
il demeure d'après eux solide et sans division comme le
nombre un[2] : il est la figure de l'unique divinité. C'est
de lui qu'est engendré le nombre de *soixante*, qui manifeste la noblesse des *reines*. De celui-ci naissent deux
nombres indivisibles, qui sont l'image du nouveau et de
l'ancien testament[3] : adhérant à eux de tout leur cœur,
les âmes deviennent *reines*, et au milieu d'elles se tient
le roi, le Christ. Et de même qu'il est appelé, lui, roi et
seigneur, du fait qu'il règne et domine sur les vertus des
cieux, les anges, les hommes et toute la création, de même

sions) ; $20 : 2 = 10$ (division possible avec chaque quart de 40, soit
4 divisions), ce qui fait $1 + 2 + 4 = 7$ divisions :

(cf. ci-dessous, l. 164-168).

2. Sur les propriétés du nombre *mille*, et spécialement sur le sens
de *solidus*, voir la note à VI, 213.

3. Apponius s'explique plus loin, l. 100-107, sur ce rapport du
nombre 30 avec chacun des deux testaments.

|tae animae, quae in se ueram illam nobilitatem, in qua
creatae | sunt, imaginis et similitudinis eius[a] reformaue-
runt, *reginae* di|cuntur uel coniuges, pro eo quod regnent
90 uitiis, regnent peccato, | uel regendus eis populus Christo
credentium sit commissus in | terris. |

9. Quae ita unus cum eo spiritus[a] fiunt, ut eis dicatur :
Quicum|que uos receperit, me recipit[b], et : *Qui uos spernit,
me spernit*[b], et : | *Quibus dimiseritis peccata, dimissa erunt;*
95 *et quorum detinueri|tis, detenta erunt*[d]. Quae adhaerendo
Verbo Dei[e] concipiunt et | pariunt reges. De quibus ipse
rex adsumptus homo, ore Dauid | praedixit ad Patrem :
*Narrabo nomen tuum fratribus meis; in | medio ecclesiae
laudabo te*[f], id est in medio sacrato hoc numero | *sexagena-
rio reginarum.* |

100 **10.** Qui numerus per patriarchas et prophetas usque ad
trice|narium in doctrina ueteris testamenti peruenit, id est
per legem | naturae ante diluuium, per circumcisionem et
<per> legem mo|saicam, quae promisit regem salutis.
Qui ostensus est in nouo | testamento per baptismum, per
105 paenitentiam et per martyrium, | id est tricenarium nume-
rum signatum : quia quod figurabatur in | ueteri testa-
mento per prophetas, in nouo ostensum est per | aposto-
los. |

11. Nam sicut tricesimo anno, secundum Lucam euange-
ge|listam, rex noster Christus ad fluuium Iordanem bapti-
110 zandus | aduenit, et aperti sunt caeli adueniente Spiritu
sancto super | eum, et uoce paterna quae suum Filium
Verbum firmauit osten|sus est mundi redemptor[a], ita Hie-

---

8 a. Cf. Gen. 1,26-27
9 a. Cf. I Cor. 6,17   b. Matth. 10,40   c. Lc 10,16   d. Jn
20,23   e. Cf. I Cor. 6,17   f. Ps. 21,23; Hébr. 2,12
11 a. Cf. Lc 3,21-23

---

1. Apponius avait dit à la ligne 83 que le nombre 60 n'admet
qu'une division en deux parties de 30, figurant le nouveau et l'ancien
testament. Il découvre en chacune des parties trois éléments évoquant

aussi les âmes parfaites qui ont restauré en elles-mêmes la vraie noblesse dans laquelle elles ont été créées, celle de son image et de sa ressemblance[a], sont appelées *reines* ou *épouses*, parce qu'elles règnent sur les vices, parce qu'elles règnent sur le péché, ou parce que le peuple de ceux qui croient au Christ leur est confié à régir sur la terre.

9. Elles deviennent si bien un seul esprit avec lui[a] qu'il leur est dit : « Qui vous reçoit me reçoit[b] », et : « Qui vous méprise me méprise[c] », et : « Ceux à qui vous remettrez leurs péchés, ils leur seront remis, et ceux à qui vous les retiendrez, ils leur seront retenus[d]. » Étant unies au Verbe de Dieu[e], elles conçoivent et enfantent des rois. A leur sujet, le roi lui-même, l'homme assumé, a d'avance, par la bouche de David, déclaré au Père : « J'annoncerai ton nom à mes frères ; je te louerai au milieu de l'assemblée[f] », c'est-à-dire au milieu de ce nombre sacré des *soixante reines*.

10. Ce nombre (de *soixante*) est, par les patriarches et les prophètes, parvenu jusqu'à trente dans l'enseignement de l'ancien testament, à savoir par la loi naturelle avant le déluge, par la circoncision et par la loi mosaïque qui a promis le roi sauveur. Et ce nombre s'est manifesté dans le nouveau testament par le baptême, la pénitence et le martyre, c'est-à-dire par une désignation du nombre trente, car ce qui était figuré dans l'ancien testament par les prophètes a été manifesté dans le nouveau par les apôtres[1].

11. D'ailleurs, c'est dans sa trentième année, selon l'évangile de Luc, que notre roi, le Christ, est venu au fleuve du Jourdain pour y être baptisé, et que les cieux se sont ouverts tandis que l'Esprit saint descendait sur lui, et que, par la voix du Père confirmant qu'il était le Verbe son Fils, il fut manifesté comme le rédempteur du monde[a]. Et de même, le prophète Ézéchiel, qui déjà le

---

pour lui le nombre 30 : loi naturelle, circoncision et loi mosaïque pour l'ancien testament ; baptême, pénitence et martyre pour le nouveau.

zechiel propheta, eius porten|dens imaginem, super
fluuium Chobar in terra Babylonis, aeta|tis suae anno tri-
115 cesimo, primo mense, id est martio, quarta | decima die
mensis [b], quod apud Hebraeos est quarta decima luna, |
sicut Christus passus est, apparuisse sibi uisionem Dei et
caelos | apertos pronuntiat, et quatuor animalia effigie
hominis, leonis, | uituli et aquilae, plena oculis corpore
toto, et rotam in rota | insertam [c]. |

120   **12.** Quae uisio proculdubio salutis nostrae mysteria,
quae | celebrata sunt per Christum in Iordane uel celebran-
tur cotidie, | nouo in ueteri testamento et ueteri in nouo
currente in modum | rotarum, et quatuor animalia in euan-
geliorum figura, in omni | corporis sui compage animabus
125 credentium luminis sui uisum | ostendentia. Credimus,
intellegimus et tenemus Christum in | ueritate per suum
aduentum in terram hanc confusionis — quod | est Babylo-
nis — et extremae captiuitatis uenisse. Qui, expugnato |
principe aeriae potestatis [a], liberatas de eius manibus ani-
mas | amore imaginis suae et ad necem diaboli, *reginas* sibi
130 et coniu|ges per profectum iustitiae facere est dignatus :

---

11 b. Ex. 12,18   c. Cf. Éz. 1,1-3.10.16.18
12 a. Cf. Éph. 2,2

---

1. *in tricesimo anno* en *Éz.* 1,1 est compris par Apponius comme
indiquant l'âge du prophète lors de cette révélation. C'est ainsi que
le comprenait Origène, *Hom. sur Ézéchiel*, I, 4 (*SC* 352, p. 58). Saint
Jérôme, *In Ez.*, I, 1, 1 (*CCL* 75, p. 6), rejette cette interprétation, dont
il dit qu'elle est commune *(ut plerique estimant).* Lui-même voit
pourtant dans ce nombre d'années la préfiguration de l'âge de Jésus
à son baptême, comme Origène (I, 4 : *SC* 352, p. 62), et comme
Apponius. — Ézéchiel dit : « le quatrième mois, le cinquième jour du
mois ». La date erronée donnée par Apponius : « le premier mois, le
quatorzième jour du mois », est en réalité celle de la Pâque (*Ex.*
12,18). Rien d'étonnant donc à ce que pour lui cette date cadre avec
celle de la passion du Christ. — Remarquer également que pour lui,
le « premier mois », c'est mars, suivant l'ancien calendrier romain ; il
semble l'identifier au premier mois hébraïque, nisan, qui, comme le
rappelle saint Jérôme, « souvent occupe une partie du mois de mars,
parfois commence en avril » (*In Aggeum*, II, 19 : *CCL* 76 A, p. 742).

préfigurait, déclare que sur le bord du fleuve Chobar, dans la terre de Babylone, c'est dans la trentième année de son âge[1], le premier mois, c'est-à-dire en mars, le quatorzième jour du mois[b] — ce qui chez les Hébreux signifie le quatorzième jour de la lune, comme ce fut le cas pour la passion du Christ — qu'il eut la vision de Dieu et vit les cieux ouverts et quatre animaux à l'image d'un homme, d'un lion, d'un jeune taureau et d'un aigle, remplis d'yeux sur tout leur corps, et aussi une roue insérée dans une roue[c].

12. Cette vision représente sans aucun doute les mystères de notre salut qui ont été réalisés par le Christ au Jourdain et qui se réalisent chaque jour, le nouveau testament tournant dans l'ancien et l'ancien dans le nouveau à la manière de roues[2]; et les quatre animaux sont la figure des évangiles lorsqu'ils accordent aux âmes croyantes de voir leur lumière dans tout l'assemblage de leur corps. Nous croyons, nous comprenons et nous affirmons que, dans la réalité, c'est le Christ qui, par son avènement, est venu dans notre terre de confusion — tel est le sens de « Babylone »[3] — et d'extrême captivité. En effet, après avoir vaincu le prince de l'empire de l'air[a], il a daigné faire des âmes qu'il avait délivrées de ses mains, pour l'amour de son image et pour la ruine du diable, ses *reines* et ses épouses par leur progrès dans la justice. Il s'agit, bien sûr, de celles qui conservent

---

2. *nouo in ueteri testamento et ueteri in nouo currente in modum rotarum* : « La roue dans la roue » d'*Éz.* 1,16 *(quasi sit rota in medio rotae)* est déjà pour S. AMBROISE figure du N.T. présent dans l'Ancien : *rota intra rotam currebat..., nouum testamentum in ueteri testamento* (*Expos. Ps. 118*, 4, 28 : *CSEL* 62, p. 81, l. 18-19). S. JÉRÔME y fait également allusion : *Rota quoque in rota, uel duorum iunctura testamentorum, uel...* (*In Hiez.*, I, 1, 15-18 : *CCL* 75, p. 20, l. 487). S. GRÉGOIRE LE GRAND précise : *Quid est hoc..., nisi quod in Testamenti ueteris littera Testamentum nouum latuit per allegoriam... Rota intra rotam est Testamentum nouum... intra Testamentum uetus, quia quod designauit Testamentum uetus, hoc Testamentum nouum exhibuit...* (*In Hiez.*, I, Hom. 6, 12.15 [*CCL* 142, p. 73-75 ; cf. *SC* 327, p. 212 et 216]).

3. *Hebr. Nom.*, 3, 18 : *Babylon uel Babel, confusio.*

illas dumtaxat [|] quae Trinitatis coaeternae fidem ueram,
ita ut in ueteri et nouo [|] testamento suscipiunt, imma-
culate custodiunt. [|]

13. Quae propterea sacrato numero, qui unam recipit
diuisio[|]nem, calculantur, quia semel diuisae per unum
135 indiuisibilem | Deum, mundi huius contagionibus ultra se
non reddunt terrenis [|] operibus mortuis ^a, ut iterum necesse
sit diuidi uel secerni. In quo [|] *sexagenario* numero ita
omnium perfectarum animarum calcu[|]lum designatur, **B**
sicut in multitudine fidelium in toto mundo [|] dispersa una
140 Ecclesia dicitur. Quarum amore tanto flammatur | Sermo
diuinus ut eas ad summum gradum honoris summamque [|]
celsitudinem perpetuae caritatis *reginas* faceret suique
regni [|] consortes. [|]

14. Nihil enim ita Deo coniungit, nisi cum operibus ius-
titiae [|] recte sentiendo de Deo — sicut ait idem Salomon :
145 *Sentite de Deo | in bonitate, et in simplicitate cordis quaerite
eum* ^a —, et nihil ita inimicum exsecrabilemque constituit,
nisi peruerse sentiendo de [|] Deo. Quaecumque ergo anima
in omnibus Christi exercitata [|] mandatis uixerit *et sic
docuerit homines*, haec secundum Christi [|] sententiam
magna uocabitur in regno caelorum ^b. Et quae magnae
150 | uocantur in regno caelorum, necesse est ut coniunctae
magno [|] regi Christo, participes regni eius, *reginae* appel-
lentur uel coniu[|]ges. De quibus intellegimus in hoc carmine

**XCVIII
(VI, 7)**

dictum : SEXAGINTA [|] SVNT REGINAE. [|]

15. Illae uero quae non fecerint omnia prius Dei prae-
155 cepta, | *et sic docuerint alios homines rectam fidem tenentes,
pro eo quod recte docent, [|] uocabuntur quidem in regni consor-
tio, sed, quasi *concubinae*, [|] minimae uocabuntur. De quibus
ipse rex Christus euidenter [|] perdocuit dicendo : *Quicumque*

13 a. Cf. Hébr. 9,14
14 Sag. 1,1   b. Matth. 5,19

dans toute sa pureté la vraie foi en la Trinité coéternelle,
telle qu'elles la reçoivent dans l'ancien et le nouveau testament.

13. Ainsi, elles sont désignées par un nombre sacré
qui admet une seule division, pour cette raison qu'une
fois séparées par le Dieu unique et indivisible, elles ne
s'adonnent plus aux contagions de ce monde par des
œuvres terrestres et mortes[a]; aussi n'est-il pas nécessaire
de les diviser et de les séparer à nouveau. Par ce nombre
de *soixante* est désigné le total de toutes les âmes
parfaites, de même que l'Église est déclarée une en la
multitude des fidèles dispersés dans le monde entier. Et
le Verbe divin est enflammé d'un si grand amour pour
elles qu'il les a élevées au plus haut degré d'honneur et
au rang suprême de la charité éternelle, les faisant *reines*
et les associant à son règne.

14. Rien en effet n'unit autant à Dieu que de penser
avec rectitude au sujet de Dieu, sans omettre les œuvres
de justice — comme le dit le même Salomon : « Ayez sur
le Seigneur de bonnes pensées, et cherchez-le dans la
simplicité du cœur[a] » —, et rien ne rend aussi ennemi
et détestable que de penser faussement au sujet de Dieu.
Toute âme donc qui aura vécu dans la pratique de tous
les commandements du Christ et aura ainsi enseigné les
hommes sera, selon la parole du Christ, « tenue pour
grande dans le royaume des cieux[b] ». Et les âmes qui
sont tenues pour grandes dans le royaume des cieux sont
nécessairement, puisque unies au grand roi, le Christ,
associées à son règne et appelées *reines* et épouses. C'est
d'elles, nous le comprenons, qu'il a été dit dans ce
poème : « IL Y A SOIXANTE REINES. »

XCVIII
(VI, 7)

15. Mais celles qui n'ont pas d'abord pratiqué tous les
commandements de Dieu, et qui, dans ces conditions,
ont enseigné les autres hommes en gardant la foi droite,
seront sans doute, par suite de la rectitude de leur
enseignement, appelées à partager le règne, mais, telles
des *concubines*, elles seront déclarées les plus petites.
C'est d'elles que le roi lui-même, le Christ, a enseigné

fecerit prius, et sic docuerit homi|nes, *hic magnus uocabitur in*
160 *regno caelorum; et quicumque non* | *fecerit prius, et sic
docuerit, minimus uocabitur in regno caelor*|um [a]. Quem
minimum gradum in *concubinarum* uocabulo uel | nobili-

XCIX
(VI, 7)

tate signauit : ut ait praesenti loco : Octoginta svnt
con|cvbinae. |

16. Qui *octogenarius* numerus apud supradictos arithme-
165 ticos, | qui mensuris agunt, uel geometras, qui numero,
diuisiones reci|pit septem ut octies dena membra designet.
Diuiditur enim | aequis partibus in quadraginta : inde bis
in uiginti ; et deinde | secatur in denos ; et remanent bis in
uiginti et semel in denos. | Quem denarium numerum
170 indiuisibilem ponunt, quia per duo | iota in latino se inui-
cem complectentes signatur per calculum : | quem si diui-

15 a. Matth. 5,19

1. Apponius cite *Matth.* 5,9 sous la forme : *Quicumque fecerit prius,
et sic docuerit homines, hic magnus uocabitur...*, *et quicumque non
fecerit prius et sic docuerit, hic minimus uocabitur...* (cf. I, 836-837 :
qui fecerit prius et sic docuerit homines bona, magnus uocabitur...). Le
mot *prius* est souligné par le commentaire. − Nous disions dans *CCL*
19 que cette addition insistante de *prius* ne paraissait attestée nulle
part ailleurs. H. König, *Apponius*, p. 48, n. 81, a relevé au chapitre
92 de la *Regula Magistri*, à propos de l'exemple que doit donner
l'abbé, la citation : *Quicumque prius fecerit praecepta mea et sic
docuerit, hic maximus uocabitur...* (*SC* 106, p. 412, où les éditeurs
n'ont pas cru devoir souligner *prius* et *mea*). Moins significatif est le
second exemple donné, tiré du *De induratione cordis Pharaonis*, 50
(Plinval, *Essai*, p. 199), où le mot *prius* précède la citation, qui ne
le comporte pas : *(apostoli)...quaecumque docuerunt, omnia prius fecisse
docentur, testante Domino in Euangelio : Quicumque fecerit, inquit, et
sic docuerit homines, hic magnus uocabitur.* − J. B. Bauer, *Apponiana*,
p. 528, cite deux passages de Rufin traduisant Origène où le mot *prius*
figure également, sinon dans le verset *Matth.* 5,19, du moins dans son
contexte immédiat. Il pense que ces textes d'Origène auront influencé
les auteurs postérieurs. − Noter qu'Apponius interprète la seconde

en toute clarté : « Quiconque, dit-il, aura pratiqué d'abord, et aura dans ces conditions enseigné les hommes, sera déclaré grand dans le royaume des cieux ; et quiconque n'aura pas pratiqué d'abord et aura, dans ces conditions, enseigné, sera déclaré le plus petit dans le royaume des cieux [a1]. » C'est ce degré le plus petit qui est désigné par le nom et par le rang de *concubines*, comme le dit le présent passage : « Il y a quatre-vingts concubines. »

XCIX
(VI, 7)

Qui sont les quatre-vingts concubines ?

16. Ce nombre de *quatre-vingts* — d'après ceux dont nous avons parlé, les arithméticiens qui utilisent les mesures ou les géomètres qui utilisent le nombre — admet sept divisions qui font apparaître huit groupes de dix. Il se divise en effet en parties égales de quarante. Ensuite (quarante) se divise en deux parties de vingt ; puis en groupes de dix. Et il reste deux divisions en vingt, puis une en dix[2]. Ce nombre dix, ils le posent comme indivisible, parce que dans le calcul, chez les Latins, il est figuré par deux I qui se croisent :

partie de ce verset *Matth.* 5, 9 de façon très curieuse : alors qu'il s'agit dans le texte de celui qui ne pratique pas les commandements et enseigne aux autres à faire de même, Apponius envisage le cas d'un homme qui ne pratique pas les préceptes, mais qui pourtant « dans ces conditions » *(sic)* enseigne à les pratiquer : celui-là est admis aussi dans le royaume, « par suite de la rectitude de son enseignement » (l. 155), non comme *magnus*, mais comme *minimus*. Cette interprétation originale a été reprise équivalemment par Bède : *In Cant.*, IV, 6, 7 (*CCL* 119 B, p. 307-308).

2. *et remanent bis in viginti et semel in denos.* Que veut dire Apponius ? Il a dit plus haut que le nombre 40 admet 3 divisions (l. 71). Dès lors, le nombre 80 admet 7 divisions (l. 164), une pour arriver à 40, plus 2 fois 3 divisions à partir de 40. C'est ce qu'il reprend ici. Il faut sans doute comprendre : « Le nombre 80 se divise en parties égales de 40. Ensuite 40 se divise en 2 parties de 20, puis en groupes de 10. Et il reste — pour l'autre groupe de 40 — 2 divisions en 20, puis une en groupes de 10 *(denos).* »

dere aequis uolueris partibus, non quinque, sed | unum
contra ueritatem numeri ostendes. |

17. Qui *octogenarius* numerus octies in decem diuisus
octo | beatitudines germinat quae in Mattheo euangelista [a]
175 denumeran|tur : quae octo septiformi Spiritu diuisiones
interserto recipere | comprobantur, de quo beatus Paulus
ait : *Operatur haec omnia | unus atque idem Spiritus* — diui-
siones donationum —, *diuidens se | unicuique ut uult* [b]. De
quibus beatitudinibus quaecumque anima, | auidius quae-
rendo, amplius potuerit possidere uel omnes, digne
180 | pro meritis magna in regno caelorum uocabitur [c] uel
regina. Quae | autem unam aut aliquid paruum adepta fue-
rit, uocabitur et | ipsa, ut dictum est, in regni consortio,
sed minima a supradictis, | *concubinae* uocabulo uel digni-
tate, non tamen *reginarum*. De | quibus octo beatitudini-
185 bus et septiformi spiritu qui super Do|minum Christum ab
Esaia propheta requiescere [d] est praedictus | et in omni
baptizato, in hoc ipso Salomone intellegitur designari, | et
hanc ipsam intellegentiam *octogenarii* numeri declarari ubi
| ait : *Da partes octo, necnon et septem* [e]. |

18. Quae *concubinae*, per hoc quod credunt coaeterna
190 Trinita|te de manu inimici sancto lauacro humanum

---

17 a. Cf. Matth. 5,2-11   b. I Cor. 12,11   c. Matth. 5,19
d. Cf. Is. 11,2-3   e. Eccl. 11,2

---

1. Nous sommes bien loin d'un raisonnement mathématique. L'image
remplace ici le raisonnement : puisque le chiffre X est représenté par
deux I embrassés (cf. VI, 21), si on le divise en deux parties égales,
on aboutit, non à cinq, mais à un (I) !
2. *diuidens se* : l'adjonction de *se* à *diuidens*, qui transforme les
dons de l'Esprit en don de l'Esprit lui-même, vient sans doute de ce
que la citation est faite par cœur (cf. *ut uult* au lieu de *prout uult*).
En X, 465-471, la longue citation de *I Cor.* 12,7-11 se termine bien
par *diuidens singulis prout uult*. – Nous n'avons rencontré la leçon
diuidens se qu'à titre de variante très ancienne chez Hilaire de
Poitiers, *De Trinitate*, VIII, 31 (*CCL* 62 A, p. 343). H. König cite ici
(p. 167, n. 29) un Pseudo-Hilaire tardif, édité par A. Mai, *Nova*

si donc on veut le diviser en deux parties égales, on fait apparaître, non pas cinq, mais un, ce qui est contraire à la vérité du nombre[1].

17. Ce nombre de *quatre-vingts*, divisé en huit fois dix, donne naissance aux huit béatitudes qui sont énumérées chez l'évangéliste Matthieu[a] : elles se partagent clairement en huit, et entre elles s'insère l'Esprit septiforme. C'est de lui que l'apôtre Paul déclare : « C'est l'unique et même Esprit qui opère tout cela — le partage des dons —, se partageant à chacun comme il veut[b2]. » Ces béatitudes, toute âme qui, par une recherche plus avide, pourra les posséder en plus grand nombre, ou même toutes, sera tenue à juste titre, vu ses mérites, pour grande dans le royaume des cieux[c] et pour *reine*. Mais celle qui en aura acquis une seule, ou un petit peu, sera appelée elle aussi, on l'a dit, à partager le royaume, mais comme la plus petite en comparaison des précédentes, avec le nom et le rang de *concubine*, et non pas ceux de *reine*. Ces huit béatitudes, ainsi que l'Esprit septiforme qui, selon la prédiction du prophète Isaïe, devait reposer sur le Christ Seigneur[d] et en tout baptisé, on doit comprendre qu'il en est fait mention chez le même Salomon, et qu'il nous explique le sens même du nombre *quatre-vingts* lorsqu'il dit : « Donne des parts à huit, et aussi à sept[e3]. »

18. Ces *concubines*, parce qu'elles croient que c'est la Trinité coéternelle qui rachète le genre humain de la main de l'ennemi par le moyen du saint baptême, et

---

Bibl. Patrum, I, 1, p. 484-489, qui dit (p. 486) : *sanctus ita Spiritus infundens se prout uult.*

3. Apponius — qui intervertit, à dessein, les chiffres 7 et 8 de *Eccl.* 11,2 — leur attribue une valeur prophétique, alors que leur sens est parfaitement clair dans le contexte : « Donne une part à sept ou à huit, car tu ne sais pas le malheur qui peut venir sur la terre. » Un saint Ambroise et un saint Jérôme y cherchaient d'ailleurs un sens tout aussi symbolique, à partir des 7 jours du livre de la Genèse et du 8e jour, celui de la résurrection (AMBROISE, *Ep.* 31 [44] : *CSEL* 82, 1, p. 217-220 ; JÉRÔME, *In Eccl.*, XI, 2 : *CCL* 72, p. 344-345).

redimi genus, et | septiformi Spiritu signari ut possit ad
beatitudinem peruenire — | in quo nos dixit signari aposto-
lus Paulus [a] —, cohaerent Domino | suo, et de Verbo eius
aliquando concipiunt, et pariunt filios per | doctrinam, per
195   hoc quod Christum induunt in sacrosancto bap|tismate [b] et
corpus eius et sanguinem suo corpori iungunt; sed | ali-
quando appropinquando seruandoque praecepta eius, non-
|numquam prolongando minime seruantes, *concubinarum*
uoca|bulo, ut ancillae et minimae appellantur : non sicut
illae animae | quibus dicitur : *Sedebitis et uos, cum sederit*
200   *Filius hominis | super sedem maiestatis suae, super duode-*
cim thronos, iudicantes | duodecim tribus Israhel [c]; quae
utique secundum nobilitatem | magnos probantur per doc-
trinam et uitae exemplum filios gene|rare. |

C **19.** ADVLESCENTVLARVM autem CARENTIVM NVMERO,
(VI, 7) opinor illa|rum induci personam animarum quas imperi-
tiae uel neglegen|tiae aetas de Verbo Dei, licet ei iungantur
per baptismum, conci|pere prohibet. Quae adhuc sub pae-
dagogorum et procuratorum [a], |id est angelorum et docto-
rum, cura uel arbitrio gubernantur, | quousque rudimenta
210   credulitatis infantiae neglegentiaeque iu|uentutis dese-
rentes, in mensuram fidei, in perfectionem aetatis | plenitu-
dinis Christi [b] perueniant, quae dignae sint, uel potissime |
sexagenario reginarum, aut *octogenario concubinarum* cal-
culo | copulari. Quas immatura aetas non sinit parere filios
per doctri|nam et exemplum, sicut *reginae* uel *concubinae*
parere possunt. |

---

18 a. Cf. Éph. 1,16; 4,30   b. Cf. Gal. 3,27   c. Matth. 19,28
19 a. Cf. Gal. 4,2; 3,25   b. Cf. Éph. 4,13

---

1. Les baptisés qui en sont encore aux rudiments de la foi demeurent
confiés à « des pédagogues et des tuteurs » *(sub paedagogorum et
procuratorum... cura)*. ORIGÈNE déjà s'était souvenu à ce sujet des
expressions de saint Paul aux Galates (3,25; 4,2) : *Comm. sur le Cant.*,
I, 6, 4 *(SC* 375, p. 252); elles sont traduites par RUFIN : *institutione
tutorum curatorumque et paedagogi*; c'est des « docteurs » qu'il s'agit.
Même référence à saint Paul dans *Hom. sur les Juges*, 6, 2 : *SC* 389,
p. 156, mais cette fois c'est des anges qu'il s'agit; Rufin traduit : *sub*

que c'est l'Esprit septiforme qui le marque de son sceau
pour qu'il puisse parvenir à la béatitude — cet Esprit
dont l'apôtre Paul a déclaré que nous sommes marqués
de son sceau[a] — sont unies à leur Seigneur, et parfois
elles conçoivent de son Verbe et enfantent des fils par
leur enseignement, du fait qu'elles revêtent le Christ dans
le très saint baptême[b] et unissent son corps et son sang
à leur propre corps. Mais, parce que tantôt elles se
rapprochent et gardent ses commandements, tantôt elles
s'éloignent en ne les gardant pas, elles sont appelées du
nom de *concubines*, parce qu'elles sont les servantes et les
moindres. Elles ne sont pas comme ces âmes auxquelles il
est déclaré : « Lorsque le Fils de l'homme siégera sur
son trône de majesté, vous siégerez vous aussi sur douze
trônes, jugeant les douze tribus d'Israël[c]. » Ces dernières
engendrent, par leur doctrine et l'exemple de leur vie,
des fils d'une grande noblesse.

**Qui sont
les adolescentes ?**

19. « ET DES ADOLESCENTES SANS   C
NOMBRE. » Je pense que le texte met   (VI, 7)
en scène les âmes à qui leur âge,
plein d'inexpérience ou de négligence, ne permet pas de
concevoir du Verbe de Dieu, bien qu'elles lui soient
unies par le baptême. Elles sont encore confiées à la
conduite et à l'autorité des pédagogues et des tuteurs[a],
c'est-à-dire des anges et des docteurs[1], jusqu'à ce qu'elles
quittent les imperfections de la croyance propres à
l'enfance et celles propres à la négligence de la jeunesse,
et qu'elles parviennent à la pleine mesure de la foi, à
la perfection de la plénitude de l'âge du Christ[b]. Elles
seront dignes alors d'être associées, soit, de préférence, au
nombre des *soixante reines*, soit à celui des *quatre-vingts
concubines*. L'immaturité de leur âge ne leur permet pas
en effet d'enfanter des fils par la doctrine et l'exemple,
comme le peuvent les *reines* et les *concubines*.

---

procuratoribus et actoribus (= *Vg*). — Apponius voit à la fois dans ces
paedagogi et procuratores les anges et les docteurs.

215   **20.** In quibus *adulescentulis* et illas intellegi animas necesse | est quae dexteram et sinistram ignorant, quales erant Nineui|tae, centum uiginti milia hominum [a], Ionae praedicatione saluata. | Quae animae redemptionis myste-rio sola credulitatis responsio|ne renascendo sacrantur.

220 Quae solo uerbo sacerdotis quocumque | ductae fuerint sequuntur. Quibus magister gentium Paulus, | quasi infan-tibus et corporalem laetitiam diligentibus, diem fes|tum neomeniae et sabbatorum epulas indulget, dicendo : *Nemo | uos iudicet in die festo aut neomeniae aut sabbatorum* [b], et : *Vnus|quisque suam uxorem et unaquaeque suum uirum*

225 *habeat, propter | incontinentiam fornicationis* [c]; et quibus scribunt apostoli Antio|chiae, dicentes : *Non uobis amplius pondus imponimus, nisi ut | abstineatis uos ab immolato ido-lis, a sanguine uel suffocato, et | fornicatione* [d]. |

     21. Sunt ergo significati praesenti uersiculo tres ordines

230 meri|torum in Ecclesia secundum hoc aenigma : doctores uidelicet, | immaculate uiuentes ; docibiles, qui doctorum uitam imitantur, | et sermonem doctrinae magno desiderio student intellegere, et | diiudicare sanam uel minus sanam doctrinam ; tertius uero ordo | est *adulescentularum*, quibus

235 sola credulitas in unum Deum | subuenit ad salutem : quae non sunt dignae adhuc sacrato nume|ro copulari. Quae omnes licet habeant regem Verbum Patris, qui | in princi-

---

20 a. Jonas 4,11   b. Col. 2,16   c. I Cor. 7,2   d. Act. 15,28-29

---

1. Ces âmes « simples », à qui suffit pour le moment la *sola credulitas in unum Deum*, les *rudimenta credulitatis infantiae* (l. 209), la *sola credulitatis responsio*, introduisant au baptême (l. 218), ont déjà été évoquées en II, 439 : *simpliciores... quibus credulitas sufficit ore tradita sacerdotum* ; III, 56 : *quibus credulitas sola suffragatur* ; VIII, 1032 : *sola in eis credulitas fidei... laudatur* ; 1054 : *in quibus... noui et ueteris testamenti credulitas uix tenuiter apparet* ; *quibus sufficit nouum et uetus credere testamentum* (la promesse et la venue du Christ). Le « matin » qui annonce le « midi » (*Cant.* 1,6), c'est l'*initium credulitatis* (II, 247) ; les fleurs et les premiers fruits de la vigne sont ceux de la *credulitas* (IV, 439.450.635 ; X, 517 ; XI, 69) ; au dernier

20. Au nombre de ces *adolescentes*, il est nécessaire de compter aussi ces âmes qui ne distinguent pas leur droite de leur gauche, tels les Ninivites, ces cent vingt mille hommes[a] sauvés par la prédication de Jonas. Ces âmes-là sont consacrées par le mystère de la rédemption en renaissant par la seule réponse de leur foi. A la seule parole du prêtre, elles suivent partout où elles sont menées. A elles Paul, le docteur des nations, concède, comme à des enfants et à des gens épris de joie temporelle, la fête de la nouvelle lune et les banquets des sabbats, en disant : « Que personne ne vous condamne à propos de la fête, soit de la nouvelle lune, soit des sabbats[b] », et : « Que chaque homme ait son épouse et que chaque femme ait son mari, en raison du péril d'impudicité[c]. » A elles encore, à Antioche, les apôtres écrivent : « Nous ne vous imposons pas d'autres charges que de vous abstenir des viandes immolées aux idoles, du sang, des chairs étouffées et de l'impudicité[d]. »

Trois ordres de mérites dans l'Église　　**21.** Ainsi, par le présent verset, sous cette figure, sont désignés trois ordres de mérites dans l'Église : les docteurs, qui mènent une vie pure ; les disciples, qui imitent la vie des docteurs et qui s'efforcent, avec un grand désir, de comprendre la parole de leur enseignement et de distinguer la saine doctrine de celle qui l'est moins ; quant au troisième ordre, c'est celui des *adolescentes* auxquelles seule la croyance en un seul Dieu procure le salut[1] et qui ne sont pas encore dignes d'être associées en un nombre sacré. Bien que toutes aient pour roi le Verbe du Père, qui était au

---

jour, la « petite sœur » (*Cant.* 8,8), arrivant sur le tard au baptême et ne possédant que les *rudimenta fidei*, aura besoin de secours *quibus... eius credulitas debeat exornari* (XII, 457-459). − Cette insistance à comprendre le mot *credulitas* comme désignant le premier stade de la foi, et non comme étant un simple équivalent de *fides*, paraît originale chez Apponius (voir cependant I, 10 ; VII, 809).

pio erat apud Patrem [a], et semper in Patre Deus [b], tamen |
distat dignitas meritorum. |

22. Qui rex noster Dominus Deus inter milia milium
240 anima|rum laetificantium et glorificantium se, quas ad lau-
dem suam | creauit — de quibus dixit per Esaiam : *Popu-*
lum istum ad laudem | *meam creaui : gloriam meam narra-*
bit [a] —, *unam* immaculatam, | *unam perfectam columbam* in
tota congerie reperit animarum, | quae regina reginarum et
245 domina esset omnium dominorum [b]. | Quae fixa in gradu
plasmationis suae per arbitrii libertatem | stans, portas
mentis suae numquam patefaceret hosti diabolo. | Quae
dotem uoluntatis a creatore susceptam in ipsius uoluntatis
| operibus dilatando, regestorium cordis impleuit, et ple-
num cum | magna uigilantia semper clausum habuit et
250 signatum, ne haberet | princeps mundi ubi aliquid suum
ingereret [c] persuadendo. Quae | omnium praesentium
rerum contemneret pompam ; quae omnibus | corporalium
delectationum numquam accommodaret consensum ; |
quae futuris bonis indeclinabiliter aciem mentis dirigeret.
Quae | omne desiderium suum in nullis omnino saeculi lau-
255 dibus, in | nullis perituris rebus, in nullis mundialibus
actionibus, nisi in | sola Verbi Dei glutinatione poneret
semper. |

---

21 a. Cf. Jn 1,1-2   b. Cf. Jn 14,10-11
22 a. Is. 43,21   b. Cf. Apoc. 17,14   c. Cf. Jn 14,30

---

1. Sur cette doctrine de la création des âmes, en particulier de
l'âme du Christ, non pas opérée dès l'origine, mais envisagée dès
l'origine (*praescita cognoscitur*, IX, 258 ; *praeuidens*, 295 ; *in praescien-*
tiam, 321), voir ci-dessous l. 302-305.310-311. Cf. Introd., p. 90.

2. Ici commencent les développements les plus riches et les plus
originaux du commentaire d'Apponius. Après avoir noté les mérites
des différentes âmes, il chante à présent la beauté unique de l'âme
du Christ, épouse par excellence du Verbe de Dieu, celle dont il
célébrera le triomphe au livre XII. — Dès le début, il avait appliqué
les titres de *columba, perfecta, immaculata* à l'Église, en tant qu'unie

commencement auprès du Père[a] et qui est toujours Dieu dans le Père[b], pourtant la dignité de leurs mérites est différente.

L'Âme unique, reine des reines...   **22.** Ce Seigneur Dieu, notre roi, parmi les milliers de milliers d'âmes qui le réjouissent et le glorifient, âmes qu'il a créées[1] pour sa louange et dont il a dit par la bouche d'Isaïe : « J'ai créé ce peuple pour ma louange : il racontera ma gloire[a] », a trouvé dans toute la masse des âmes *l'unique colombe* immaculée, *l'unique parfaite*, qui serait la reine des reines et la maîtresse de tous les maîtres[b][2]. Celle qui, s'étant maintenue immuablement par son libre arbitre au rang où elle a été créée, n'ouvrirait jamais les portes de son cœur au diable ennemi. Celle qui, faisant fructifier dans les œuvres voulues par le créateur le don de la volonté qu'elle a reçu de lui, a rempli le trésor[3] de son cœur et l'a toujours, une fois rempli, gardé avec grande vigilance fermé et scellé, pour que le prince de ce monde ne trouve pas où faire pénétrer par la persuasion rien qui lui appartienne[c]. Celle qui mépriserait l'apparat de toutes les réalités présentes. Celle qui n'accorderait jamais son assentiment à aucune des jouissances corporelles. Celle qui, indéfectiblement, fixerait le regard de son esprit sur les biens futurs. Celle qui ne placerait ses désirs dans aucune sorte de louanges mondaines, dans aucune des réalités périssables, dans aucune des actions profanes, mais les placerait tous et toujours dans la seule adhésion au Verbe de Dieu.

au Christ (*in Christi persona*, I, 91 ; *in Christo*, I, 132-134). Ceux d'*electa* et d'*unica* apparaissent maintenant, et ils s'appliquent exclusivement à l'âme du Christ.

3. Du mot *regestorium* (trésor, coffre), les dictionnaires ne signalent qu'un exemple chez Grégoire de Tours (*Hist. Franc.*, VI, 11). Les continuateurs de Du Cange y ont joint la citation du présent passage d'Apponius. – Cf. *regessit* (VI, 207).

23. Quae sola in terris, omnibus animabus humilior *per-fec̔tior*que praescita cognoscitur, sicut unus Deus in caelo super | omnes uirtutes dominationum, thronorum, sedium, 260 angelorum | uel omnium potestatum Dominus et creator noster probatur. | Quae ut caput omnium animarum sanctarum, Verbo Dei non | adoptiue aut ad tempus sed corporaliter[a] unita, manente materia | unum cum eo effecta, deuitans omnia peccatorum opera, carens | omni malitia, *columba* dicitur et *perfecta*. |

---

23 a. Cf. Col. 2,9

1. *praescita* : cf. note à IX, 240.

2. A plusieurs reprises déjà (III, 428; VIII, 86.521), Apponius a énuméré les *uirtutes* célestes en s'inspirant de *Col.* 1,16 (cf. *I Cor.* 15, 24; *Éph.* 1, 21); chaque fois il a nommé les *throni*, associés aux *dominationes*. Dans le présent passage, il ajoute à la liste les *sedes*; il le fera encore en XII, 1286-1287. Ce titre de *sedes* est bien connu de la tradition latine, mais il s'agit d'un synonyme de *throni* (cf. les nombreuses références données par *Vetus Latina*, 24, 2, p. 350) : Rufin traduisant le *De principiis* d'Origène, I,53, écrit : « *throni (uel sedes)* » (*SC* 252, p. 180). C'est donc par erreur qu'Apponius fait à deux reprises figurer les *sedes* à côté des *throni*. Il est vrai que saint Augustin — dont la leçon habituelle est *sedes* — a commis deux fois la même méprise : *In Ps.* 85,12 (*... thronos, sedes...*); *Sermo* Denis 24, 7 (*... sedibus, thronis...*) : *Miscell. Agost.*, I, 147, avec la note de dom Morin.

3. L'âme du Christ est unie au Verbe, non pas *adoptiue aut ad tempus*, mais *corporaliter, manente materia*; elle ne fait qu'un avec lui. — *Adoptiue* (au contraire de *adoptio, adoptiuus*) est un mot excessivement rare. Trois exemples sont donnés par Blaise, *Dict.* : 1) Dans la version latine d'Irénée (*Contre les hérésies*, IV, 20, 5; seul exemple de *TLL* : cf. *SC* 100, p. 638), il s'agit de l'homme qui, par le Christ, devient fils et voit Dieu. 2) Un exemple chez Grégoire le Grand (*Mor.*, XX, 41 : *CCL* 143 A, p. 1033, l. 28; seul cas chez Grégoire) concerne aussi l'homme « recréé par adoption ». 3) Le seul exemple qui concerne le Christ lui-même se trouve dans un dossier latin d'actes du concile d'Éphèse citant l'*Ep. ad Epictetum* de saint Athanase (et encore, *adoptiue* y figure-t-il comme variante de *apposi-tiue*) : *ACO*, I, 3, p. 123, l. 11, apparat; Athanase répondait à des difficultés venues « de groupes ariens et apollinaristes partageant des

23. C'est elle, nous le savons, la seule âme sur la terre qui ait été prévue[1] plus humble et plus *parfaite* que toutes les autres, de même qu'il n'y a qu'un seul Dieu dans le ciel, notre créateur et Seigneur, au-dessus de toutes les vertus des cieux : les dominations, les trônes, les sièges[2], les anges et toutes les puissances. C'est elle qui, en tant que tête de toutes les âmes saintes, unie au Verbe de Dieu, non par adoption ni pour un temps, mais corporellement[a], devenue un avec lui tout en gardant sa nature[3], évitant toutes les œuvres du péché, exempte de toute malice, est appelée *colombe* et *parfaite*.

idées docètes » (J. Quasten, *Initiation*, trad., III, p. 98). C'est à de pareils hérétiques que songe Apponius en écrivant : *non adoptiue aut ad tempus.* – *Corporaliter :* le mot est employé trois fois par Apponius : 1) Au sens courant de « corporellement » (VII, 227), à propos des yeux du corps. – 2) Comme équivalent de *corporali specie* (*Lc* 3,22), à propos de l'Esprit au baptême de Jésus (IX, 286) ; Pierre Chrysologue en use de même : *Sermo* 160, 5 et 179,1 : *CCL* 124 B, p. 992, l. 59-60 ; p. 1085, l. 13-15. – 3) Ici-même, par référence à *Col.* 2, 9 : *in ipso inhabitat omnis plenitudo diuinitatis corporaliter* (référence omise dans *Vetus Latina*, 24, 2, et dans *CCL* 19). Le sens à donner à *corporaliter*, déjà difficile dans *Col.* 2,9, l'est plus encore ici, puisqu'il n'est pas question du corps du Christ (« Paul vise ici le corps du Christ en référence à la personne du Ressuscité et à l'Église..., la vie divine se concentre en Christ, pour se répandre à partir de lui sur les baptisés » : *TOB*, note à ce passage), mais de l'union de l'âme du Christ au Verbe de Dieu. H. König, qui s'arrête à cette question dans *Apponius*, p. 177-178, n. 46, a parlé incidemment ailleurs du sens de *corporaliter*, à propos d'Hilaire, *De Trinitate*, 8,5 : elle rend le mot par *leibhaftig* (« Wer ist *Gott* in *Christus* » dans *Philologia sacra*, I [*Vetus Latina, Aus der Gesch. der latein. Bibel*, 24/1], p. 285-305 ; ici, p. 300). J. Doignon, « Un terme difficile de *Col.* 2,9 éclairé par Hilaire de Poitiers : *corporaliter* », dans *R. bénéd.*, 105, 1995, p. 5-8, montre que chez Hilaire le sens de ce mot, fréquent, est voisin de celui de *inseparabiliter* ou *in solido* et exclut de la perfection de la génération du Fils toute partition de la *materia* divine. Ce sens convient bien au présent emploi du mot *corporaliter* chez Apponius. – *Manente materia :* voir la note à I, 222, et noter l'usage de *materia* qui vient d'être relevé chez Hilaire (d'après *De Trinitate*, 2, 22).

265   **24.** Per quam Sermo Dei Patris peccatum damnauit in
carne[a], | mundum redemit de maledictionis sententia : qui,
debacchante | diabolo, ratione non potentia uicit, ut homi-
nem de eius manibus | liberatum pristinae redderet liber-
tati. Per quam, trina gloria | refulgente, ex carne caro uisi-
270   bilem iudicem uteretur. Per quam | redimendae animae sui
generis redemptorem gauderent, in quo | uera caro et uera
anima ; et carnem, resurgendo a mortuis, | suscitaret, simul
et animas ad iudicium congregaret ; et uerus | Deus immor-
talem sui regni gloriam in se credentibus condona|ret. |

275   **25.** Haec est proculdubio *una* anima *reginarum regina*
quam | Dei Sermo adsumptam portasse probatur ; per
quam inferna | concussit et clausis aperuit animabus et,
reddito corpore, secum | reduxit ab inferis resurgendo ; per
quam et in qua, contra rerum | naturam, caelos mirabiliter
280   ingressa est humana fragilitas ; per | quam, expulso dia-   B

---

24 a. Rom. 8,3

---

1. *ratione, non potentia uicit* : en XII, 1237, Apponius dira de
même, en se référant à *II Cor.* 13,4 : « (Le Christ) est mort 'en raison
de la faiblesse' de la chair qu'il avait assumée, afin que le diable ne
pût se plaindre d'avoir été vaincu par la force, non par la raison...
(potentia, non ratione) ». Une idée semblable est exprimée par saint
Léon, dans son *Sermon* 22 pour la Nativité : *hanc potissimam consulendi
elegit uiam, qua ad destruendum opus diaboli, non uirtuti uteretur
potentiae, sed ratione iustitiae* (*Tr.* 22, 1re et 2e éd., dans *CCL* 138,
p. 95, l. 132-135 ; p. 94, l. 99-102). Dom R. Dolle, en note à sa
traduction (*SC* 22 *bis*, p. 82, n. 1), indique que saint Léon « s'est
certainement souvenu ici d'un passage de saint Augustin, où les
mêmes mots se retrouvent : *Nihil ei extorquens (diabolus) uiolento
dominatu, sed superans eum lege iustitiae...* » (*Adu. Haer.*, 110 : *CSEL*
74, 116). Il cite aussi saint Irénée, *Contre les hér.*, III, 18,7 (*SC* 211,
p. 364) : *Si homo non uicisset inimicum hominis, non iuste uinctus esset
inimicus.* – Si dans le présent passage, comme en XII, 1237, Apponius
ne parle pas de *iustitia*, comme le font Irénée, Augustin et Léon, mais
seulement de *ratio*, il dit en revanche, en VIII, 483, que le rachat
des fils d'Adam devait être accompli par un fils d'Adam *ne iustitia turba-
retur.*

2. *trina gloria refulgente* : perspective trinitaire à propos du Christ,
comparable à celle de la ligne 311 : *in trina potentia.*

24. C'est par elle que le Verbe de Dieu le Père a condamné le péché dans la chair[a], qu'il a racheté le monde de la sentence de malédiction et que, alors que le diable se déchaînait, il l'a vaincu, non par la force mais par la raison[1], pour délivrer l'homme de ses mains et le rendre à sa liberté première. C'est par elle, resplendissant de la triple gloire[2], que, du fait de son union à la chair, notre chair pourrait avoir un juge visible. C'est par elle que les âmes qui devaient être rachetées pourraient jouir d'un rédempteur de leur race, en qui soient une chair véritable et une âme véritable; qu'il pourrait, en ressuscitant des morts, à la fois ressusciter la chair et rassembler les âmes pour le jugement; qu'il accorderait, lui le vrai Dieu, à ceux qui croient en lui, la gloire immortelle de son royaume.

25. Voici, sans aucun doute, l'âme *unique, reine des reines,* que le Verbe de Dieu a assumée et portée. C'est par elle qu'il a brisé les enfers, qu'il les a ouverts aux âmes qui y étaient enfermées, et que, après leur avoir rendu leur corps[3], il les a ramenées avec lui des enfers en ressuscitant. C'est par elle et en elle que, contre la nature des choses, la fragilité humaine a pénétré d'une manière merveilleuse dans les cieux. C'est par elle qu'une

---

3. Il a déjà été question en V, 113; VIII, 918-919.931, de la descente aux enfers et de la libération des âmes captives (cf. aussi IX, 519). — *reddito corpore* : rendu à qui ? A l'âme du Christ qui, en ressuscitant, ramène avec elle les âmes libérées ? Ou à ces âmes elles-mêmes ? — Cette seconde interprétation est nettement appuyée par l'opinion d'Origène, qui montre le Christ *non solum animas educens, sed et corpora eorum ressuscitans* pour « les faire asseoir avec lui dans les cieux » (*Comm. sur le Cant.*, III, 14, 33 : *SC* 376, p. 674; cf. *In Matth. Comm.*, series 139 : *Werke*, XI, 2, p. 288). L'affirmation s'appuyait sur *Matth.* 27, 52 : *multa corpora sanctorum ressuscitata sunt.* — Sur cette question, cf. J. Daniélou, *Théologie du Judéo-Christianisme,* éd. 1991, p. 299. — Encore au viiie siècle, Bède le Vénérable, qui tient la même opinion, proteste contre ceux qui pensent que ces justes ressuscités sont retournés au tombeau (*In Cant.* III, 98-107 : *CCL* 119 B, p. 273-274).

bolo, aula deitatis effecta est carnis natura. Is | enim qui
Verbum caro factum adunando se carni habitauit in |
nobis, quam de nostra natura traxit ex Virginis uisceribus
— | secundum euangelistae sententiam dicentis : *Et Ver-*
bum caro | factum est, et habitauit in nobis [a] —, et hanc
285 *unicam* animam de | nostra materia animarum sibi indisso-
lubiliter uniuit, id est per | contubernium Spiritus sancti,
qui corporaliter super eam sem|per mansurus in Iordane
descendit [b]. |

26. Cuius coniunctione *perfecta* et *columba* probatur :
columba, | uirtutibus Spiritus sancti cum operatione in
290 omnibus coaequa|ta ; *perfecta* autem, Dei Patris omnipo-
tentiam in omnibus obti|nendo. Quae sola et *unica*, Dei
Verbo, ut ductilis materia igni, | adhaerendo, unum
redemptorem, solum iudicem, unicum Filium | Patris sae-
culis condonatum ostendit. Quam praeuidens Spiritus |
sanctus in medio animarum sanctarum *unam* solam sine
295 pec|cati initio uel fine omnibus praefulgere, ore Salomonis
dixit : | Vna est columba mea, perfecta mea. Vnica est
matri svae, | electa est genetrici svae. |

27. Manifestissime scilicet *unica est matri suae* synago-
gae, | plebi hebraeae, quae eum genuit secundum carnem
300 cuius anima | numquam dedit uoluntatis suae dexteram
peccato : quae sola, | cum omnia hominis habeat, hoc
solum non habuisse probatur. | *Electa est genetrici suae,* illi

---

25 a. Jn 1,14   b. Cf. Lc 3,22 ; Mc 1,10 ; Jn 1,32-33

---

1. Ce n'est pas au baptême que l'Esprit saint vient s'unir au Christ,
puisque c'est par l'Esprit saint qu'au premier instant le Verbe a pris
chair et âme (*Lc* 1,35, cité en IV, 371-373.394-395 ; IX, 307-309 ;
XII, 1264-1273). Ce qui au Jourdain est manifesté *corporaliter* (= *Lc*
3,22 : *corporali specie* ; cf. note à la l. 262), c'est que cet Esprit repose
à jamais sur l'âme du Christ. D'utiles développements sont donnés à
ce sujet par H. König, *Apponius,* p. 182, n. 55.

fois le diable expulsé, la nature de chair est devenue palais de la divinité. Celui en effet qui, Verbe fait chair, a habité parmi nous en s'unissant à la chair qu'il a, de notre nature, tirée des entrailles de la Vierge − selon la parole de l'évangéliste qui dit : « Et le Verbe s'est fait chair et il a habité parmi nous[a] » −, s'est aussi uni indissolublement cette âme unique, de la nature de nos âmes, cela par la cohabitation de l'Esprit saint − cet Esprit qui, sous une forme corporelle, est descendu sur elle au Jourdain pour y demeurer toujours[b][1].

26. Par son union avec lui elle se manifeste *parfaite* et *colombe* : colombe parce que par ses vertus elle s'égale en tout à l'activité de l'Esprit saint, et *parfaite* parce qu'elle obtient en tout la toute-puissance de Dieu le Père. Cette âme seule et *unique*, en adhérant au Verbe de Dieu comme une matière malléable adhère au feu[2], montre comme donné au monde l'unique rédempteur, le seul juge, l'unique Fils du Père. C'est en la voyant à l'avance, *unique* au milieu des âmes saintes et seule à ne connaître ni début ni fin du péché, briller par-dessus toutes, que l'Esprit saint a prononcé par la bouche de Salomon : « Unique est ma colombe, ma parfaite. Elle est l'unique pour sa mère, l'élue pour celle qui l'a mise au monde. » **CI (VI, 8)**

27. Manifestement, *elle est unique pour sa mère*, la synagogue, la nation hébraïque, qui a enfanté selon la chair celui dont l'âme n'a jamais prêté la main de son consentement au péché : seule, alors qu'elle possède tout ce qui est de l'homme, cela seul elle ne l'a pas. *Elle est l'élue pour*

... née du peuple hébreu et de la puissance du Très-Haut

---

2. Cette comparaison entre l'union du Verbe avec l'âme du Christ et celle du feu avec le fer incandescent a été éloquemment développée par Origène, *Traité des Principes*, II, 6, 6 : SC 252, p. 320. Sur l'origine et la portée de cette comparaison, cf. SC 253, p. 184, n. 33.

proculdubio uirtuti Altissimi quae | omnes animas gene-
rat : quae dixit per Esaiam prophetam : *Spi|ritus a me pro-*
305 *cedit, et flatus omnes ego facio* [a], et per Iohel : *Virtus | mea*
magna faciet haec [b] ; quae beatam Virginem Mariam in eius
| conceptu sua obumbratione impleuit, cui euangelista nar-
rat ab | angelo dictum : *Spiritus sanctus superueniet in te, et*
uirtus | Altissimi obumbrabit tibi. Ideo quod nascetur in te
sanctum | uocabitur Filius Dei [c]. |

310   **28.** Quae uirtus, dum iussione sua omnem multitudinem
gene|ret animarum, ut unus in trina potentia Deus agnos-
ceretur, | *unam* elegit per quam mundi ostenderet saluato-
rem : non sicut | Fotinus blasphemando multos adserit
saluatores, dum solum | hominem Christum intendit pro-
315 bare, dicendo : «Quisquis, cuius | animam sua doctrina
conuertit ab errore uitae suae, huius | saluator efficitur [a]»,
et non uidens in omni homine uerba pietatis | proferente ad
lucrum animarum Christum saluatorem loquen|tem : hic
loquebatur in Paulo [b]. |

      29. *Vnica est* ergo *matri suae*, genti hebraeae, quae sola
320 de | homine quidem nata, sed non humano ordine pro-
creata ; *electa | est genetrici suae*, supradictae uirtuti, ante
saecula in praescien|tiam, ad redemptionem creandi homi-
nis, per liberam uoluntatem | a diabolo deprauandi. Nam,
ut doceret omnes animas hominum | non a corporibus sed

---

27 Is. 57,16; cf. Is. 42,5   b. Joël, 2,25   c. Lc 1,35
28 a. Cf. Jac. 5,20   b. Cf. II Cor. 13,3

---

1. Dans l'annonce de l'ange à Marie sont nommés le Très-Haut,
le Fils de Dieu et l'Esprit saint (l. 307-309) : afin que le Dieu unique
soit ainsi connu dans sa triple puissance, « la vertu du Très-Haut »
choisit l'âme unique en qui se manifeste l'unique sauveur. − Sur la
génération des âmes par la volonté de Dieu, cf. l. 240 et Introd.,
p. 87-88.

2. HARNACK estime qu'Apponius cite les paroles mêmes de Photin,
dont les œuvres sont perdues (*Lehrbuch der Dogmengesch.*, II, 4ᵉ éd.,
1909, p. 248, n. 1). De même pour les citations faites en II, 268-271
et XII, 170-174.

B!

celle qui l'a mise au monde : évidemment pour cette puissance du Très-Haut qui engendre toutes les âmes et qui a déclaré par le prophète Isaïe : « C'est de moi que procède l'esprit, et c'est moi qui crée tous les souffles[a] », et par Joël : « C'est ma grande puissance qui accomplira cela[b]. » C'est elle qui a rempli la bienheureuse Vierge Marie dans sa conception en la couvrant de son ombre, la Vierge à qui, selon le récit de l'évangéliste, l'ange déclare : « L'Esprit saint viendra sur toi, et la puissance du Très-Haut te couvrira de son ombre. C'est pourquoi l'être saint qui naîtra en toi sera appelé Fils de Dieu[c]. »

28. Cette puissance, alors qu'elle engendre par son commandement toute la multitude des âmes, a, pour faire reconnaître l'unité de Dieu dans sa triple puissance[1], choisi cette âme *unique,* afin de montrer par elle le sauveur du monde. C'est le contraire de ce que dit Photin : il affirme, en blasphémant, qu'il existe de nombreux sauveurs, voulant ainsi prouver que le Christ est seulement un homme : « Tout homme, dit-il, devient le sauveur de celui dont, par son enseignement, il détourne l'âme des erreurs de sa vie[a2]. » Il ne voit pas que, en tout homme qui prononce des paroles de piété pour le profit des âmes, c'est le Christ sauveur qui parle : en Paul, c'était lui qui parlait[b].

29. *Elle est* donc *l'unique pour sa mère,* la race hébraïque, cette âme qui seule, née certes de l'homme, n'a pas été procréée d'une manière humaine[3]. *Elle est l'élue pour celle qui l'a mise au monde,* la puissance dont nous avons parlé, qui dans sa prescience l'a choisie avant les siècles pour la rédemption de l'homme qui devait être créé et qui allait être corrompu par le diable du fait de sa libre volonté. Car pour nous apprendre que toutes les âmes des hommes sont engendrées, non par les corps[4],

3. *non humano ordine* : cf. note à VII, 530.
4. Les âmes ne naissent pas des corps (voir II, 435), mais de la puissance de Dieu (ci-dessus, l. 310-311).

325 ab eius potentia generari, non dixit : *Vnica | est genetrici
suae* — sicut de synagoga dixerat : *Vnica est matri |
suae* —, sed ostendit inter multitudinem animarum *unam*
esse | *electam*, mediatricem inter robur diuinitatis et carnis
fragilita|tem. Quae in se uerum Deum ueramque carnem
adunatam, | unam personam ostendit. Quae missa in cor-
330 pus, cum corpore | egressa, intactum uterum Virginis dere-
linquens, nec ante se nec | post se habendo consortem nas-
cendi, *unica* effecta est Virgini | *matri*, quae mammas lac-
tigeras porrigendo iure dicitur *mater*, et | uirtuti Altissimi,
quae se per Esaiam prophetam *genetrix* docuit | anima-
rum[a], iusta ratione tam gloriosa anima eius *electa*
335 proba|tur. |

30. Quae semper Deo Verbo adhaerendo, ut igni car-
bunculus, | tota ignita effecta est. Et ut ignitus carbun-
culus inter multitudi|nem mortuorum carbonum coniunc-
tus omnes accendit, ita in | medio animarum uitae aeternae
340 mortuarum sola, *unica, electa*, | omnes credentes in se ani-
mas uiuificauit, et sibi similes fecit, et | ad suam pulchritu-
dinem adduxit. In quarum tamen medio, | *unica* splendore
ut luna[a], perfecta in caelo inter stellas, super | omnes micare
probatur in pulchritudinem sempiternam ; et *elec|ta ut sol*[a]
in maiestate paterna inter omnes uirtutes caelestium
345 | potestatum, admiranda ab omnibus praedicatur — sicut
sequens | uersiculus docet : Vidervnt eam filiae et bea-
tissimam prae|dicavervnt, reginae et concvbinae et
lavdavervnt eam. |

31. *Viderunt eam* scilicet quaecumque sunt uirtutes,
caelestis | Hierusalem ciues, claritati paternae unitam, nas-

29 a. Cf. Is. 42,5 ; 57,16
30 a. Cant. 6,9

1. Sur le thème du *Verbum ignitum* venant raviver les braises
mortes, cf. I, 385-389.

mais par sa puissance à lui, il n'a pas dit : « *Elle est l'unique pour celle qui l'a mise au monde* » − comme il avait dit à propos de la synagogue : « *Elle est l'unique pour sa mère* » −, mais il l'a présentée comme *l'unique élue* parmi la multitude des âmes, médiatrice entre la force de la divinité et la faiblesse de la chair. Elle a montré, unis en elle en une seule personne, le Dieu véritable et la chair véritable. Envoyée dans un corps, sortant unie à un corps, laissant intact le sein de la Vierge, elle est devenue, puisque personne, ni avant elle ni après elle, n'a partagé pareille naissance, *l'unique pour sa mère*, la Vierge, qui est à bon droit appelée *mère*, elle qui lui a présenté ses mamelles gonflées de lait. Et pour la puissance du Très-Haut, qui par le prophète Isaïe s'est révélée comme celle *qui engendre* les âmes[a], cette âme si glorieuse se manifeste à juste titre comme. *l'élue.*

30. Elle est devenue, en adhérant toujours au Verbe Dieu comme le charbon au feu, tout entière de feu[1]. Et comme un charbon enflammé joint à une multitude de charbons morts les embrase tous, ainsi, seule au milieu des âmes mortes à la vie éternelle, *unique, élue,* elle a donné la vie à toutes les âmes qui croient en elle, les a rendues semblables à elle et les a amenées à sa beauté. Et cependant au milieu de ces âmes, *unique* par sa splendeur *comme la lune*[a], *parfaite* au milieu des étoiles dans le ciel, elle brille plus que toutes d'une beauté qui sera éternelle. Et dans la majesté de son Père, *élue comme le soleil*[a] parmi toutes les vertus que sont les puissances célestes, tous la déclarent digne d'être admirée, comme nous l'apprend le verset suivant : « LES FILLES L'ONT VUE ET L'ONT PROCLAMÉE LA PLUS HEUREUSE. REINES ET CONCUBINES L'ONT AUSSI LOUÉE. »

CII
(VI, 8)

... proclamée bienheureuse

31. Tout ce qu'il y a de puissances, citoyennes de la Jérusalem céleste, *l'ont vue* en effet : elle était unie à la splendeur paternelle, alors qu'elle naissait sur la terre ;

350 centem in terris, | pannis obuolutam [a], maiestatis gloria
coruscantem, *et beatissi|mam praedicauerunt*, dicendo : *Glo-
ria in excelsis Deo, et in terra | pax hominibus bonae uolunta-
tis* [b]. Multas siquidem animas gaudia | genitoribus defe-
rentes nascendo in terris nouimus aduenisse, sed | nulla
355 earum hanc *beatitudinis praedicationem* meruisse doce|tur
quae caelo gloriam et terris pacem conferret in ortu suo. |
Quae omnes beatitudines sola inter omnes in integro obti-
nuisse | monstratur. De quibus si quis unam potuerit obti-
nere, beatus | est; quanto magis haec quae omnes in se
adgregauit, superlatiuo | gradu, *beatissima praedicanda* est.
360 Quem gradum *praedicationis | filias* solas adserit Spiritus
sanctus nosse. |

32. *Reginae* uero et *concubinae* — retrodictae animae —
pro | uiribus eius pulchritudinem *laudant*, quantum eam
per mundi|tiam cordis conspicere possunt [a]. *Adulescentulae*
uero, pro imbe|cillitate aetatis, sicut pariendi et oculo cor-
365 dis [b] expertes sunt, ita | et uoce *laudandi* illa, qua per
confessionem fidei et perfectis | operibus eius pulchritudo
laudatur. Quae satis procul sunt a | consortio praedicta-
rum, eius pulchritudinem praecelsis uocibus | collaudantes
dicunt : QVAE EST ISTA QVAE EGREDITVR QVASI | AVRORA
CONSVRGENS, PVLCHRA VT LVNA, ELECTA VT SOL, TERRI|BI-
LIS VT ACIES ORDINATA? |

33. *Egreditur* uidelicet antedicta anima *beatissima ut
luna* ad | illuminandas ignorantiae tenebras et peccatorum,
manifestando | se Israheli, et ad iter boni operis prouocan-
dum in tenebris | umbrae mortis sedentes [a], de infantiae
375 aula miraculis coruscando, | et post ignorantiae tenebras
matutina luce *quasi aurora consur|gens*, ueniens ad sacrum

BM

|II
I, 9)

---

31 a. Cf. Lc 2,7   b. Lc 2,14
32 a. Cf. Matth. 5,8   b. Cf. Éph. 1,18
33 a. Lc 1,75 ; cf. Ps. 106,10

---

1. *superlatiuo gradu* : expression propre aux grammairiens; cf. *TLL*
VI², 2161, 5-35.
2. Cf. IX, 178-203.
3. Cf. IX, 204-228.

et alors qu'elle était enveloppée de langes[a], elle brillait de la gloire de la majesté. Et elles *l'ont proclamée la plus heureuse*, en disant : « Gloire à Dieu au plus haut des cieux et paix sur terre aux hommes de bonne volonté[b]. » Nous savons en vérité que bien des âmes sont venues sur terre en apportant par leur naissance la joie à leurs parents, mais on ne nous dit d'aucune d'elles qu'elle ait mérité une *proclamation de bonheur* telle, qu'elle apporterait à sa naissance gloire au ciel et paix sur terre. Elle seule parmi toutes les âmes, le texte le montre, a possédé dans leur intégrité toutes les béatitudes. Heureux qui, de ces béatitudes, a pu en posséder une seule ! A combien plus juste titre, cette âme qui les a toutes réunies en elle doit-elle être *proclamée*, au degré superlatif[1], *la plus heureuse*. L'Esprit saint nous déclare que seules *les filles* ont reconnu ce degré et *l'ont proclamé*.

32. Or *les reines* et *les concubines* — ces âmes dont nous avons parlé plus haut[2] — *louent* sa beauté selon leurs forces, dans la mesure où, grâce à la pureté de leur cœur, elles peuvent la percevoir[a]. Quant aux *adolescentes*[3], vu la faiblesse de leur âge, de même qu'elles sont dépourvues et de la faculté d'enfanter et de l'œil du cœur[b], elles le sont aussi de cette voix de la *louange* qui, par la confession de la foi et les œuvres parfaites, *loue* sa beauté. Bien loin de partager la condition de ces dernières, les premières *louent* sa beauté à voix très haute, en disant : « Qui est celle-ci qui sort comme l'aurore à son lever, belle comme la lune, élue comme le soleil, terrible comme une armée rangée ? »   CIII (VI, 9)

... « telle l'aurore à son lever »

33. Cette âme *la plus heureuse sort* donc, *comme la lune*, pour illuminer les ténèbres de l'ignorance et du péché, lorsqu'elle se manifeste à Israël ; pour inviter ceux qui sont assis dans les ténèbres de l'ombre de la mort[a] à prendre la route des œuvres bonnes, lorsqu'elle brille par ses miracles, après avoir quitté le lieu de son enfance. Après les ténèbres de l'ignorance, elle *sort comme l'aurore à son lever* dans la lumière du matin, lorsqu'elle

baptismum in Iordanem. Vbi per ad|uentum Spiritus
sancti in specie columbae de caelo [b] *quasi aurora* | resplen-
duit inter mortales. Vbi, ueluti commoniti uiatores iam |
surgente aurora, credentes Deo caeli ut discusso somno ab
380 oculis | mentis arripiant iter monentur. Vbi, ac si dicatur :
Ecce *aurora* | *consurgit*, tempus est ambulandi — ita dici-
tur per Iohannem : | *Ecce agnus Dei qui tollit peccatum
mundi* [c], aurora de qua dixit | euangelista : *Est lux uera
quae illuminat omnem hominem ue|nientem in mundum* [d],
385 et : *Lux in tenebris lucet, et tenebrae eam | non comprehende-
runt* [e]. |

34. *Pulchra* ergo *ut luna* per signorum uirtutes ostendi-
tur : |siue quas cum hominibus conuersando [a] fecit in
mundo, seu quas | apostolis largiendo concessit. Quae tot
annis sapientia et aetate | corporis profecit [b] in hac saeculi
390 uita, quot diebus *luna* complet et | minuit orbem. In cuius
occasu uel renouationis uicinia, plerum|que elementa caeli
tetris nubibus obscurata [c] mutantur : sicut | tricesimo, ut
putabatur, completo anno [d], per signorum uirtutes, |
aquam in uinum mutando, *pulchritudinem* suam, obfusca-
tis | tristitiae nubibus nuptiis, demonstrauit. Quae uere, *ut*
395 *luna* in | ortu ostensionis suae in tenebris nocturnis prae-   BM
stat laetitiam | uiatoribus, ita, contristatis nuptiis exhausto
uino [e], splendorem | gaudii illustrauit. Per quod primum
signum uirtutis, *ut lunae*, | inter initia adhuc credentium,
obscuratum habentibus intellec|tum eius splendor ostendi-

---

33 b. Cf. Lc 3,22   c. Jn 1,29   d. Jn 1,9   e. Jn 1,5
34 a. Cf. Bar. 3,38   b. Cf. Lc 2,52   c. Cf. Lc 23,44-45
d. Cf. Lc 3,23   e. Cf. Jn 2,1-11

---

1. La place des mots *ut putabatur* montre que, pour Apponius,
l'opinion en question portait sur l'âge de Jésus (cf. IX, 108), et non
sur sa qualité de fils de Joseph. Ceci ne se comprend que si le texte
de *Lc* 3,23 qu'il lisait portait, comme le *Veronensis* (b), suivi par

vient au Jourdain pour le saint baptême. C'est là que,
par la venue de l'Esprit saint descendant du ciel sous
l'aspect d'une colombe[b], elle a resplendi *comme l'aurore*
parmi les mortels. C'est là que, tels des voyageurs que
l'on avertit lorsque déjà *se lève l'aurore*, ceux qui croient
au Dieu du ciel sont invités à chasser le sommeil des
yeux de leur esprit et à se mettre en route. C'est là que
— comme s'il était dit : «Voici *l'aurore qui se lève*. Il
est temps de se mettre en marche» — Jean déclare :
«Voici l'agneau de Dieu qui enlève le péché du monde[c]. »
C'est lui *l'aurore* dont l'évangéliste a déclaré : «Il est la
vraie lumière qui éclaire tout homme qui vient dans le
monde[d] », et : «La lumière luit dans les ténèbres, et les
ténèbres ne l'ont pas arrêtée[e]. »

34. Elle se montre donc *belle comme la lune* par les
signes miraculeux, soit ceux qu'elle a faits dans le monde
lorsqu'elle vivait avec les hommes[a], soit ceux qu'elle a
accordés libéralement à ses apôtres. Cette âme a progressé,
dans cette vie terrestre, en sagesse et en âge[b] en son
corps, durant autant d'années qu'il faut de jours à la
lune pour faire croître et décroître son disque. A son
déclin ou à proximité de son renouvellement, les éléments
du ciel sont généralement modifiés, obscurcis qu'ils sont
par de sombres nuages[c]. De même, après avoir achevé,
croyait-on[1], sa trentième année[d], elle manifesta sa *beauté*
par des signes miraculeux en changeant l'eau en vin,
alors que des nuages de tristesse obscurcissaient les noces.
Et comme la *lune*, lorsqu'elle commence à se montrer
dans les ténèbres de la nuit, procure de la joie aux
voyageurs, ainsi cette âme, alors que les noces étaient
attristées par le manque de vin[e], a fait vraiment briller
l'éclat de la joie. Par ce premier signe miraculeux, sa
splendeur, *comme* celle de *la lune*, se montre à ceux
qui, dans les débuts encore de la foi, avaient l'intelligence

---

l'édition Jülicher de l'*Itala* : *fere annorum triginta, quod (= ut)
putabatur, <et dicebatur esse> filius Ioseph.*

400 tur. In cuius occasu, tempore passio|nis, non solum caelo-
rum elementa, sed etiam totum mundum ꞁ tremoris tem-
pestas quassauit, et amotis luminaribus, tenebris ꞁ ope-
ruit [f], ne tanto uideretur interesse sceleri. Cui lapsanti in ꞁ
chaos, *ut* renouatio *lunae*, resurrectio uelox subuenit, quae
ꞁ fidem uacillantem magnorum apostolorum constabi-
405 liret, per | quos de incredulitatis barathro erectus est mun-
dus. ꞁ

35. *Electa* uero *ut sol* : post resurrectionis gloriam ple-
nissi|mam, paternae claritatis plena semper consistens
praedicta est. ꞁ De qua claritate particulam, in uertice
montis, apostolis transfi|guratus in gloriam demons-
410 trauit [a]; ubi cum *electione* humanitatis, | in conturbatio-
nem apostolorum et *terribilitas* simul maiestatis ꞁ ostenditur. Possunt siquidem tres gradus isti laudibus pleni, id ꞁ
est *pulchritudo, electio* et *terribilitas*, eo ordine intellegi quo
ꞁ singulis tribus personis, pro meritis, in futuro iudicio
apparebit : ꞁ iustis hominibus in *pulchritudine lunae*, caelo-
415 rum uirtutibus in | maiestate refulgens *ut sol* apparere
praedicitur, impiis autem ꞁ deputandis aeterno igni, *terribi-
lis ut acies ordinata* ostenditur. ꞁ Vbi uere, ut rex post
patratam uictoriam, fortiter dimicantibus ꞁ uictoribus et
fugacibus seu rebellibus reddendo pro meritis, ꞁ agnorum
uel haedorum ante tribunal suum *acies ordinabit* [b]. Vbi
420 | plebs impia, quae se per prauam uoluntatem daemonum
fecit ꞁ quadrigas, agnoscere cogetur sceleratis manibus
immaculatae ꞁ carni quas plagas inflixit. Quae excolentem
spinosam mentem ꞁ suam magnum agricolam blasphemiis
egit in crucem, et de|ambulantem Dominum docendo, in
425 hortum suum [c] uel uineam, quae | secundum prophetam
Esaiam *domus Israhel est* [d], cum armato|rum agminibus

---

34 f. Cf. Matth. 27,45-51
35 a. Cf. Matth. 17,1-6   b. Cf. Matth. 25,31-33   c. Cf. Jn
18,1-3   d. Is. 5,7

1. En XII, 1140, Apponius montrera de même le soleil et la lune
se cachant pour n'être pas spectateurs de l'infamie de la crucifixion.

obscurcie. Et à son déclin, au temps de la passion, ce ne sont pas seulement les éléments du ciel, mais encore le monde entier, que la tempête et la terreur ont secoués. Les astres disparurent et les ténèbres recouvrirent le monde[f], de peur qu'il ne parût prendre part à un si grand crime[1]. Mais tandis qu'il glissait dans le chaos, la résurrection, *comme la lune* nouvelle, l'a bien vite secouru : elle venait affermir la foi vacillante des grands apôtres, grâce auxquels il a été retiré du gouffre de l'incrédulité.

35. *Élue comme le soleil* : il a été prédit que cette âme, après la gloire plénière de la résurrection, demeurerait toujours pleine de la splendeur du Père. De cette splendeur, il a fait voir une parcelle aux apôtres lorsqu'il a été transfiguré en gloire au sommet de la montagne[a]. Là se manifeste, en même temps que l'*élection* de son humanité, le caractère *terrible* de sa majesté, à la stupeur des apôtres. Ainsi on peut distinguer ces trois degrés dignes de louange : la *beauté*, l'*élection*, et le caractère *terrible*, dans l'ordre selon lequel il apparaîtra, au jugement futur, aux trois catégories de personnes, suivant leurs mérites. Il est prédit qu'il apparaîtra aux hommes justes avec *la beauté de la lune* ; aux vertus des cieux, resplendissant dans sa majesté *comme le soleil* ; mais aux impies destinés au feu éternel, il est montré *terrible comme une armée rangée*. Alors, en vérité, de même qu'un roi, après avoir remporté la victoire, rétribue selon ce qu'ils méritent les vainqueurs qui ont combattu courageusement, les fuyards et les rebelles, il *rangera ses armées* devant son tribunal, celle des agneaux et celle des boucs[b]. Alors le peuple impie qui par sa volonté perverse s'est transformé en quadriges de démons, sera forcé de reconnaître les blessures qu'il a, de ses mains scélérates, infligées à sa chair immaculée, lui qui par ses blasphèmes a fait monter sur la croix le grand jardinier qui cherchait à cultiver leur esprit plein d'épines, et qui, tandis que le Seigneur se promenait en enseignant dans son jardin[c] − ou sa vigne, qui d'après le prophète Isaïe est la maison d'Israël[d] −, l'a troublé au temps de la

CIV-CVII
(VI, 10-11)

irruens, persecutionis tempore conturbauit — | sicut sequenti uersiculo ait : Descendi ad hortvm nostrvm, vt | viderem poma convallis, vt inspicerem si florvisset vinea | et germinassent mala pvnica. Nescivit anima mea. Contvr|bavit me propter qvadrigas Aminadab. |

430

36. Reddit uidelicet rationem *descensus* sui in hoc loco Sermo | Dei Patris unitus isti *unicae* et *electae* animae ex milibus[a]. Qui | unum iam effectus cum anima, quidquid hominis adsumpti est, | totum sibi deputat factum, salua impassibili maiestate. *Descen|dit* ergo *ad hortum suum* exinaniendo se potentia deitatis[b] per | quam cum Patre unum est[c], ut capere eum possit humanitatis | fragilitas, per quam cum homine unum est, inter utrumque | mediator[d] effectus. *Ad hortum*, id est gentem suam notitiam | habentem[e], ubi patriarchae et prophetae non parum desudaue-|rant laborando in doctrina. Ad *conuallem* huius mundi, id est | conuersationem humanam post offensam Adae. |

435

440

37. *Vt uideret poma conuallis*, hoc est lacrimas iustorum, quas | pro exsilio uel carcere omnium hominum qui in inferno a diabo|lo siue in errore idolatriae tenebantur captiui fundebant. Nam | quid aliud in *conuallem* lacrimarum[a], nisi lacrimas sanctorum | gementium et dolentium, *descendit uidere*? De quibus *pomis* | mandatur ad Ezechiam regem per Esaiam prophetam : *Vidi* | *lacrimam tuam, et gemitum tuum audiui*[b]. Erant igitur, licet inter | spinas, in hac *conualle* paucissima, *poma* praedicta, quorum | odori-

445

450

*

36 a. Cant. 5,10   b. Cf. Phil. 2,7   c. Cf. Jn 10,30   d. Cf. I Tim. 2,5   e. Cf. Rom. 1,28
37 a. Cf. Ps. 83,7   b. IV Rois 20,5 ; Is. 38,5

---

1. *ad hortum nostrum (ad hortum nucum, Vg; ad hortum nucis, VL)* : telle est bien la leçon de *Cant.* 6,10 que lit et commente Apponius (l. 491-496.515-516). Elle ne se retrouve nulle part ailleurs.

persécution, en se précipitant avec des bataillons armés, comme le dit le verset suivant : « Je suis descendu dans notre jardin [1] pour voir les fruits de la vallée, pour regarder si la vigne avait fleuri et si les grenades avaient poussé. Mon âme ne l'a pas su. Elle m'a troublé à cause des quadriges d'Aminadab. »

Le Verbe en s'incarnant descend dans son jardin

36. Le Verbe de Dieu le Père qui s'est uni à cette âme *unique* et *élue* entre mille[a] nous donne en ce passage la raison de sa *descente*. Ne faisant désormais qu'un avec cette âme, il estime comme fait à lui-même tout ce qui touche l'homme assumé[2], étant sauve la majesté impassible. Il est donc *descendu dans son jardin* en se dépouillant de sa puissance divine[b], par laquelle il est un avec son Père[c], pour que puisse l'accueillir la fragilité humaine par laquelle il est un avec l'homme, devenu médiateur entre l'une et l'autre[d]. *Dans son jardin*, c'est-à-dire dans ce peuple qui avait connaissance de lui[e], là où patriarches et prophètes avaient abondamment transpiré en travaillant à l'instruire. Dans la *vallée* de ce monde, c'est-à-dire dans la vie menée par les hommes après le péché d'Adam.

37. *Pour voir les fruits de la vallée* : c'est-à-dire les larmes des justes, celles qu'ils répandaient à cause de l'exil ou de la prison où tous les hommes étaient retenus captifs par le diable, soit en enfer, soit dans l'erreur de l'idolâtrie. Car dans cette *vallée* de larmes[a], qu'est-il *descendu voir* d'autre que les larmes des saints qui gémissaient et s'affligeaient ? C'est au sujet de ces *fruits* que ce message est transmis au roi Ezéchias par le prophète Isaïe : « *J'ai vu* tes larmes et j'ai entendu tes gémissements[b]. » Il y avait donc dans cette *vallée*, bien qu'au milieu des épines, un tout petit nombre de ces

---

2. *totum sibi deputat factum.* Sur cette communication, voir note à IX, 570.

bus delectatus *descendit*. Haec namque fragratio *pomorum* ǀ
Deum *descendere* coegit in Aegyptum ad liberandos filios
Israǀhel, sicut ait ad Moysen : *Clamor filiorum Israhel*
peruenit ad ǀ *me, et gemitum eorum audiui, et descendi libe-*
rare eos[c]. Haec ǀ *poma* si protulerit arbor, id est uoluntas
455   animae nostrae, post ǀ illam infertilitatem antiquam ignorantiae, uelociori cursu reuerǀtitur ad nos *Deus misericor-
diter *descendendo* quam prius discesserat ǀ exaltando offen-
sus, dum nullum in nobis paenitentiae *fructum* ǀ uideret[d]. ǀ

38. Haec namque *poma* protulit *conuallis*, licet pauca,
460   in illis ǀ qui altiori intellectu mundum in condemnatione
positum laǀmentabant. Qui humiliati adflictionibus aerum-
nisque, *uallibus* ǀ comparantur. Quibus, in exaltationibus,
iustitiae *fructus* per ǀ Esaiam prophetam futurus promitti-
tur, qui exaltationem humiǀlium et adlisionem superborum
465   praedixit, cum ait : *Omnis uallis* ǀ *exaltabitur, et omnis*
mons et collis humiliabitur[a]. Et quod exaltaǀtio *uallium*
fructus spiritales sit, quos Apostolus dinumerat[b], ǀ Dauid
declarat dicendo : *Conualles abundabunt frumento*[c]. Et ut ǀ
doceret de profectu hominum credentium prophetatum,
ait : ǀ *Clamabunt enim et hymnum dicent*[d]. Vbicumque enim
470   *poma* lacriǀmarum praecesserint, ibi dulcedo indulgentiae
subsequatur neǀcesse est ; et ubi dulcedo indulgentiae, de
qua dixit Dauid : *Quia* ǀ *melior est misericordia tua super*
uitas[e], ibi proculdubio hymnoǀrum laudumque laetitia. ǀ

39. Hic ergo, in *conualle* lacrimarum[a], necesse est lacri-
475   mae ǀ seminentur — de quibus se dicit sustentatum propheta : *Fuerunt,* ǀ inquit, *mihi lacrimae meae panes die ac*
nocte[b] — ut cum exsultaǀtione manipuli iustitiae colligan-
tur : sicut ait in alio loco idem ǀ propheta : *Qui seminant in*

37 c. Act. 7,34 ; Ex. 3,7-9   d. Cf. Matth. 3,8
38 a. Is. 40,4   b. Cf. Gal. 5,22   c. Ps. 64,14   d. Ps.
64,14   e. Ps. 62,4
39 a. Cf. Ps. 83,7   b. Ps. 41,4

fruits dont nous avons parlé. C'est charmé par leur parfum qu'*il est descendu*. C'est en effet cette senteur des *fruits* qui a poussé Dieu à *descendre* en Égypte pour délivrer les fils d'Israël, comme il le dit à Moïse : « Le cri des fils d'Israël est parvenu jusqu'à moi. J'ai entendu leur gémissement et *je suis descendu* les délivrer[c]. » Si l'arbre, c'est-à-dire la volonté de notre âme, produit ces *fruits*, après cette ancienne stérilité de l'ignorance, Dieu, dans sa miséricorde, *descend* vers nous et revient plus vite qu'il ne s'était éloigné et n'était remonté précédemment, offensé de ne voir en nous aucun *fruit* de pénitence[d].

38. Or cette *vallée* a produit des *fruits*, bien qu'en petit nombre, en ces personnages à l'intelligence plus profonde qui se lamentaient de voir le monde livré à la condamnation. Humiliés par les afflictions et les tribulations, ils sont comparés à des *vallées*. A eux le prophète Isaïe promet le *fruit* de la justice et leur exaltation. Il a prédit en effet l'exaltation des humbles et l'écrasement des orgueilleux, en disant : « Toute *vallée* sera exaltée, et toute montagne et toute colline sera abaissée[a]. » Que l'exaltation des *vallées* consiste dans les *fruits* spirituels qu'énumère l'Apôtre[b], David le déclare : « Les *vallées*, dit-il, seront couvertes de froment[c]. » Et pour nous apprendre que cette prophétie vise les progrès des croyants, il dit : « Elles crieront et chanteront un hymne[d]. » Partout en effet où les *fruits* des larmes auront précédé, là suivra nécessairement la douceur du pardon. Et là où se trouve la douceur du pardon, de laquelle David a dit : « Ta miséricorde est meilleure que nos vies[e] », se trouve sans aucun doute la joie des hymnes et des louanges.

39. Ici-bas, donc, dans la *vallée* des larmes[a], il est nécessaire que soient semées des larmes — le prophète déclare qu'il s'en est nourri : « Mes larmes, dit-il, ont été mon pain jour et nuit[b] » —, pour que soient moissonnées dans la joie les gerbes de la justice. C'est ce que déclare ailleurs le même prophète : « Ceux qui sèment dans les

lacrimis in gaudio metent[c]. Ad huius modi igitur *conual-*
480 *lem* non dedignatur *descendere* Sermo Dei, ut | qui contris-
tatus fuerat in malesano gaudio peccatorum laetifice tur in
lacrimis paenitentium. |

40. Talium proculdubio *conuallium* descendit, humi-
liando se, | Dei Filius *poma uidere*. Quidquid enim dignum
sibi est, hoc | *uidet* Christus, et quidquid *uidet*, hoc se nosse
485 testatur in die | iudicii[a]; et quidquid nouerit, hoc ad dex-
teram collocat tribunalis. | Has igitur animas quasi arbus-
culas bonis fructibus plenas[b] de | *conualle* lacrimarum[c] in
montem paradisi coronandas ad angelo rum laetitiam[d]
transplantat. Sicut Deo Moyses inter ceteras | laudes :
Induces, inquit, *plantas eos in montem hereditatis tuae*[e],
490 | ubi etiam praesentia simul et futura signantur. |

CIV   **41.** DESCENDI, inquit, AD HORTVM NOSTRVM, VT VIDE-
(VI, 10) REM POMA | CONVALLIS. Quid enim Deus non commune
cum adsumpto possi deat homine, qui propter salutem
hominis reparandam homo | fieri est dignatus, sicut ipse
495 adsumptus homo adseruit : *Omnia | Patris mea sunt*[a], et :
Pater non iudicat quemquam, sed omne | iudicium tradidit
Filio, quia Filius hominis est[b]. Quod futurum | praesens
uersiculus portendebat. |

39 c. Ps. 125,5-6
40 a. Cf. Matth. 25,33 ; 7,23   b. Cf. Matth. 7,17   c. Cf. Ps.
83,7   d. Cf. Lc 15,10   e. Ex. 15,17
41 a. Jn 16,15   b. Jn 5,22.27

1. Sur cette « connaissance » que le juge a des élus, voir note à
I, 620.
2. Apponius cite *Ex.* 15,17 (Cantique de Moïse) sous la forme :
Induces, plantas eos..., qui n'est signalée par Sabatier que dans le
« Psautier de sainte Salaberge » (aujourd'hui Berlin, *Hamilton 553*,
Northumbrie, 1re moitié du viiie siècle). Puisque des deux verbes, l'un
est au futur, l'autre au présent, il s'agit à la fois, pour Apponius, de
réalités présentes et de réalités à venir : ce que le Christ voit des
âmes fidèles ici-bas, et les couronnes qu'il leur prépare dans l'avenir.
3. *qui propter salutem hominis reparandam...* : écho du symbole
de Nicée-Constantinople ?

larmes moissonneront dans la joie[c]. » C'est dans une pareille *vallée* que le Verbe de Dieu ne dédaigne pas de *descendre*, pour se réjouir des larmes des pénitents, lui qui avait été contristé par la joie mauvaise des pécheurs.

40. C'est sans aucun doute *pour voir les fruits* de semblables *vallées* que le Fils de Dieu *est descendu* en s'humiliant. En effet, tout ce qui est digne à ses yeux, le Christ le *voit*, et tout ce qu'il *voit*, il témoigne, au jour du jugement[a], qu'il le connaît[1]; et tout ce qu'il connaît, il le place à la droite du tribunal. Ainsi, ces âmes, il les transplante, comme des arbustes pleins de bons *fruits*[b], de la *vallée* des larmes[c] sur la montagne du paradis, afin de les y couronner, pour la joie des anges[d]. Moïse le dit à Dieu, entre autres louanges : « Tu les introduiras, dit-il, tu les plantes sur la montagne de ton héritage[e2] », paroles où sont annoncés à la fois le présent et l'avenir.

... pour en cueillir les fruits

41. « Je suis descendu, dit-il, dans notre jardin pour voir les fruits de la vallée. » Que pourrait en effet posséder Dieu qu'il n'ait en commun avec l'homme assumé, lui qui a daigné se faire homme pour rendre le salut à l'homme[3], ainsi que l'homme assumé l'a déclaré lui-même : « Tout ce qui est à mon Père est à moi[a] », et : « Le Père ne juge personne, mais il a remis tout le jugement au Fils, parce qu'il est le Fils de l'homme[b4]. » Tel est l'avenir qu'annonçait le présent verset.

CIV (VI, 10)

4. ... *omne iudicium tradidit Filio, quia Filius hominis est* : les premiers mots de la citation sont tirés de *Jn* 5, 22 (où les différentes versions lisent *dedit*, et non *tradidit*) ; les suivants, de *Jn* 5,27. Même citation confluente en XII, 221 et 977. Le passage d'un verset à l'autre s'offrait spontanément, puisque 5,27 dit, avant *quia : Et [Pater] potestatem dedit ei [Filio] iudicium facere...* (nos Bibles renvoient d'un verset à l'autre). On sait qu'Apponius, citant de mémoire, fusionne facilement des textes s'appelant les uns les autres et qu'il les cite parfois à plusieurs reprises sous des formes stéréotypées pour lui. −

CV
(VI, 10)
500

42. Vt inspicerem, inquit, si florvisset vinea : illa
utique de | qua Esaias propheta dicit : *Vinea Domini
sabaoth, domus Isra|hel est*[a]. Quam alius propheta de
Aegypto, eiectis gentibus, in | terram repromissionis adse-
rit transplantatam[b]. Ad cuius cultu|ram operarios doctores
praemiserat ante se prophetas, et ipse | ad definitum prose-
cutus est tempus, *ut inspiceret* si in ea aliquid | profecisset

505

cultura, si uel *flores* sanctarum cogitationum oriren|tur in
ea, per quod *dignum *fructum paenitentiae[c] adolescat. |

CVI
(VI, 10)

43. Si germinassent, ait, mala pvnica : praeconia sci-
licet pro|phetarum, quae intra se mysterium magnae dul-
cedinis uel me|dicinae obtectum continent animarum,
quod uerbo doctorum, | remota superficie, credentium coti-

510

die multitudinem[a] nutrit. | Quae *punica mala* in beato
Iohanne baptista, per uirginitatis | conseruandae amorem,
in *descendentis* aduentu coeperunt ger|minare : qui, quan-
tum in se haec *poma* decoris uel quantum dul|cedinis conti-
nerent occultum, uerbo doctrinae et uitae exemplo | osten-
dit. |

515

44. *Descendit* ergo *ad hortum* suum et eius animae cui
omne | iudicium tradidit faciendum[a], demonstrando se
Deum in carne, | per quam a carneis oculis proximus uide-

---

42 a. Is. 5,7   b. Cf. Ps. 79,9   c. Matth. 3,8
43 a. Cf. Act. 5,14
44 a. Cf. Jn 5,22

H. König, *Apponius*, p. 47*-54* (« L'âme du Christ comme juge à la
fin des temps »), s'est étendue longuement sur l'intention théologique
que, d'après elle, suppose chez Apponius la fusion, répétée, de *Jn* 5,22
et 27 : en présentant « le jugement » comme remis, soit à « l'âme du
Christ », soit au « Fils de l'homme », Apponius « part des deux natures
et voit dans *Jn* 5, 22-27, comme aussi dans *Phil.* 2,8 s., l'union de
Dieu et de l'homme et la divinisation de l'homme par le moyen de
cette union » (p. 54*). Cette interprétation, christologique, prolongerait
celle, trinitaire, de saint Augustin et supposerait qu'Apponius a eu
connaissance de l'œuvre de celui-ci.

42. « Pour regarder, dit-il, si la vigne avait fleuri », CV
cette *vigne* dont parle le prophète Isaïe : « *La vigne* du (VI, 10)
Seigneur Sabaoth, c'est la maison d'Israël[a] », elle dont
un autre prophète déclare qu'elle a été transplantée
d'Égypte, une fois chassées les nations[b], dans la terre
promise. Pour la cultiver, il avait d'abord envoyé devant
lui les prophètes, comme des ouvriers, pour les instruire.
Et lui-même, au temps fixé, vint ensuite pour *regarder*
si la culture avait produit en elle quelque résultat, si en
elle poussaient au moins les *fleurs* des saintes pensées,
grâce à quoi pourrait grandir un digne fruit de pénitence[c].

43. « Si les grenades, dit-il, avaient poussé », c'est-à- CVI
dire les oracles des prophètes : elles contiennent caché (VI, 10)
en elles un mystère de grande douceur et de grand
remède pour les âmes, mystère qui chaque jour, une fois
retirée l'écorce grâce à la parole des docteurs, nourrit la
multitude des croyants[a]. Ces *grenades*, à l'avènement de
celui qui *descendait*, ont commencé à *pousser* en la
personne du bienheureux Jean Baptiste, par suite de son
attachement à garder la virginité[1] : il a montré par la
parole de son enseignement et par l'exemple de sa vie
combien ces *fruits* contenaient en eux de beauté et de
douceur cachées.

44. *Il est* donc *descendu dans le jardin*, qui est le sien
et celui de cette âme[2] à qui il a remis tout le jugement[a],
lorsqu'il s'est montré Dieu dans cette chair grâce à
laquelle les yeux de chair pourraient le voir tout proche

---

1. Sur les premières manifestations de l'amour de la chasteté, cf.
VI, 356.

2. Apponius explique ainsi joliment le *nostrum* de *Cant.* 6,10, tel
qu'il le cite aux lignes 427 et 491 (cf. note à la l. 427). Il avait déjà
donné une explication analogue pour *terra « nostra »* en IV, 393. Telle
était aussi une des deux explications proposées pour *uinea « nostra »*
en IV, 627-629. — Sur l'allusion au « jugement » remis à l'âme du
Christ (*Jn* 5,22), voir plus haut la note à la l. 496.

retur in terris, per | quam colligeret uelut manibus de
conualle spinosa tribulatio|num ad paradisum sanctorum
520 animas, ab inferis resurgendo. | Cum ergo ad haec per-
agenda ambularet in terris, ubi potestas | daemonum bac-
chabatur, intolerabilis eius praesentia uisa est | malis, et
conglobata in *eo *quadrigarum* daemonum saeua ca|terua
tempore passionis irruisse monstratur. Quarum nesciens |
superuentum, peccati *conturbatum se animae* pauore adse-
ruit, | dicendo : Nescivit anima mea. Conturbavit me
propter qva|drigas Aminadab. |

CVII
(VI, 11)

45. Nihil aliud *nescisse* se proculdubio adtestatur, nisi
*culpam | peccati cur tantis iniuriis a persecutoribus agere-
tur — sicut per | alium prophetam praedixerat : *Aduersum*
530 *me laetantes conuene|runt. Congregata sunt super me flagella,*
et ignoraui[a]. Hoc est : | non fuit pro quo fieret crimen,
quando *adstiterunt reges terrae,* | secundum idem Dauid —
Herodes scilicet et Pilatus —, *et princi|pes conuenerunt in*
unum — daemonum nempe cateruae — *aduer|sus Domi-*
num et Christum eius[b]. Qui dum per se nihil ualerent
535 | immaculatae carni aliquid triste inferre, de infelicissimis
perse|cutoribus consentientibus suo sceleri sibi *quadrigas*
fecerunt et | currus, per quos credebant se Dominum de
propria sorte expel|lere occidendo[c]. Qui cum fuissent ali-
quando exercitus Dei, in | tyrannidem uersi, contra Domi-
540 num caeli Christum arma arri|piunt. Et hos homines, qui

---

45 a. Ps. 34,15   b. Ps. 2,2   c. Cf. Matth. 21,38-39

---

1. *peccati* : on pourrait être tenté de rattacher ce mot à *Quarum...*
superuentum au sens de : « l'attaque... de leur péché » (cf. H. König,
Apponius, p. 201 : « ihrer sündige Überfall »), ou peut-être, ce qui est
difficile grammaticalement : « leur attaque sous prétexte d'un péché ».
Mieux vaut, pensons-nous, rattacher *peccati* à *pauore* (selon une
construction familière à Apponius) : la crainte de l'âme porte sur ce
péché qui semble lui être imputé et qu'elle ignore. C'est bien ce que
confirme la suite du raisonnement : « Ne sachant rien de leur attaque,
il s'est déclaré troublé par la peur de son âme pour le péché... Il

sur la terre, grâce à laquelle il pourrait cueillir comme
de ses mains les âmes des saints pour les porter, de
cette *vallée* épineuse des tribulations, au paradis, en
ressuscitant des enfers. Quand donc, pour réaliser ce
dessein, il se promenait sur la terre, là où se déchaînait
la puissance des démons, sa présence apparut intolérable
aux méchants, et la troupe cruelle des *quadriges* des
démons se rassembla et se précipita contre lui au temps
de la passion. Ne sachant rien de leur attaque, il s'est
déclaré *troublé* par la peur de son *âme* pour le péché[1],
en disant : « Mon âme ne l'a pas su. Elle m'a troublé   CVII
à cause des quadriges d'Aminadab. »   (VI, 11)

<table>
<tr><td>Là son âme
est troublée
par l'attaque
des ennemis</td><td>**45.** Il témoigne, sans aucun doute,
qu'il n'y a rien d'autre qu'il *n'ait pas
su*, sinon la culpabilité du péché pour
lequel il était traité avec tant d'injus-
tice par ses persécuteurs — ainsi qu'il</td></tr>
</table>

l'avait prédit par un autre prophète : « Contre moi ils se
sont assemblés en se réjouissant. Les fléaux se sont
accumulés sur moi, et je l'ai ignoré[a]. » Cela veut dire :
il n'y avait aucun motif d'accusation lorsque, selon David
encore, « se sont dressés les rois de la terre — il s'agit
d'Hérode et de Pilate — et que les princes se sont réunis
— ce sont les bandes des démons — contre le Seigneur
et son Christ[b] ». Comme ces derniers n'avaient par eux-
mêmes aucun pouvoir pour infliger quelque dommage à
une chair immaculée, ils se firent des *quadriges* et des
chars de ces persécuteurs très misérables qui donnaient
leur accord à leur crime. Grâce à eux, ils croyaient
pouvoir chasser le Seigneur de son propre héritage en
le mettant à mort[c]. Eux qui jadis avaient été les armées
de Dieu, passés à la tyrannie[2], ils prennent les armes
contre le Christ, le Seigneur du ciel. Et ces hommes qui

---

témoigne qu'il n'y a rien d'autre qu'il n'ait pas su, sinon la culpabilité
du péché pour lequel il était traité avec tant d'injustice... »

2. *in tyrannidem uersi* : même expression en II, 183.

currus uel *quadrigae* debuerant esse, | super quos sedens
Dominus et creator suae dominationis iugo | suisque habe-
nis praeceptorum adstrictos ageret, daemonum | turmae,
ut diximus, persuasionibus captiuatos, suos currus uel |
quadrigas fecerunt, et suis stimulis actos in Dominum
545 Christum | compellunt illudere, iustum et insontem iniuste
et impie con|demnantes. |

46. Hic enim *Aminadab*, de cuius progenie ipsi inter-
fectores | descendunt in tribu Iuda — id est principes
sacerdotum, scribae, | pharisaei et traditor Iudas Scarioth
550 —, octauus ab Abraham per | lineam generationis a Mat-
theo euangelista dinumeratur[a] : qui | interpretatur
hebraea lingua «populus meus spontaneus». Hic | ergo
populus immundorum spirituum qui impiorum ceruicibus |
insident ad scelera perpetranda, per hoc quod factura Dei
est, | quamdiu uoluit per libertatem arbitrii in sanctitatis
555 stare fasti|gio, «populus Dei» fuit. Vbi uero in superbia
elatus propria uolun|tate refuga factus est et, in terris cor-
ruens, relicto Domino rege | suo, «spontaneus» factus,
quanta potest calliditate homines ad | suum inclinat serui-
tium. Qui iunctis supradictis *quadrigis* — | Herode, Pilato
560 militeque romano uel promiscuo uulgo accla|mante : *Cru-
cifige*[b] —, Christum conatur occidere. |

47. Ecce quibus *quadrigis* se dicit ab adsumpta *anima
contur|batum* propria uoluntate exinanitus, dicendo : *Ne-*

---

46 a. Cf. Matth. 1,4   b. Lc 23,21

1. *Hebr. Nom.*, 12, 10.
2. *propria uoluntate exinanitus* (cf. *Phil.* 2,7) : on pourrait comprendre : « qui s'est dépouillé de sa propre volonté ». C'est ce que fait *TLL*
V², 1504, 56, en rapprochant ce passage de MARIUS VICTORINUS, *Liber
ad Philippenses*, 1207 C (éd. A. Locher p. 85, l. 26) : *... se ipsum
exinaniuit potentia* (cf. *Apponius*, XII, 435 : *exinaniendo se potentia
deitatis*). En réalité il faut comprendre : « qui s'est, de sa propre
volonté, anéanti ». — « *propria uoluntate* » est employé couramment par
Apponius pour exprimer l'initiative et la responsabilité personnelle : à
la *propria uoluntas* du pécheur (I, 618 ; II, 194 ; IX, 555 ; XI, 15.43)

auraient dû être les chars et les *quadriges* sur lesquels prendrait place le Seigneur et créateur, et qu'il dirigerait, attelés sous le joug de sa domination et tenus par les rênes de ses commandements, les bataillons des démons, nous l'avons dit, les ayant rendus captifs par leurs persuasions, en ont fait leurs propres chars et leurs propres *quadriges*. En les excitant de leurs aiguillons contre le Christ Seigneur, ils les forcent à l'outrager, condamnant de manière injuste et impie le juste et l'innocent.

46. Cet *Aminadab*, en effet, de la race duquel précisément descendent, dans la tribu de Juda, les meurtriers, à savoir les princes des prêtres, les scribes, les pharisiens et le traître Judas Iscarioth, est placé au huitième rang à partir d'Abraham par l'évangéliste Matthieu dans la généalogie[a]. Son nom signifie en hébreu : « mon peuple indépendant[1] ». De fait, ce peuple des esprits impurs, montés sur les épaules des impies pour perpétrer leurs crimes, a été « peuple de Dieu », puisqu'il est créature de Dieu, tant qu'il a voulu demeurer par son libre arbitre au faîte de la sainteté. Mais lorsque, s'élevant orgueilleusement, il est devenu apostat, de sa propre volonté, et que, projeté sur la terre après avoir abandonné le Seigneur son roi, il est devenu « indépendant », il pousse avec toute la ruse possible les hommes à le servir. Après avoir réuni les *quadriges* déjà nommés — Hérode, Pilate, le soldat romain et l'ensemble de la foule qui criait : « Crucifie-le[b] ! » —, il s'efforce de mettre à mort le Christ.

47. Voilà *à cause de* quels *quadriges* celui qui, de sa propre volonté[2], s'est anéanti, se déclare *troublé* par *l'âme*

---

répond ici la *propria uoluntas* du Sauveur. — Le contexte montre le Christ accessible au « trouble », parce que volontairement il s'est dépouillé de sa puissance, et non parce qu'il s'est dépouillé de sa volonté. Dire, à l'agonie : « Que ce ne soit pas ma volonté qui se fasse, mais la tienne » (*Lc* 22,42), c'est dire que sa propre volonté n'est pas abolie. — Le texte d'Origène/Rufin, *Comm. in Epist. ad Rom.*, V (*PG* 14, 1051C) : ... *Christus uoluntate quidem exinaniuit tunc*

sciuit anima | mea. Conturbauit me propter quadrigas Ami-
nadab. Narrante | euangelista, tempore passionis *coepit,*
565 inquit, *taedere et maestus | esse, dicens : Tristis est anima*
mea usque ad mortem. Et factus | est in agonia[a], *et coepit*
prolixius orare, et sudor eius distillare in | terra sicut guttae
sanguinis, et descendens angelus confortauit | eum[b]. Hae
sunt utique *conturbationes* in quibus compatitur ad|sump-
tae *animae* suae uel carni, cum *descendisset* per incarnatio-
570 |nis mysterium *in hortum suum* — hunc mundum, uel ple-
bem | *suam* habentem notitiam sui[c] — ut pro gratissimis
pomis in | conspectu suo poneret lacrimas *seruitutem dia-
boli lamentan|tium — sicut dicit propheta Dauid : *Posuisti*
lacrimas meas in | conspectu tuo[d]. |

575 **48.** *Vt inspicerem,* inquit, *si floruisset uinea :* quae est,
ut | saepe diximus, domus Israhel[a], in qua in aduentu suo
gratissimos | *flores* in beato Simeon et Anna[b] uel Nathana-
hel — de quo dixit | ipse Christus : *ecce uere Israhelita, in*
quo non est dolus[c] — | horumque consimilibus *inspexisse*

---

47 a. Matth. 26,37-38; Mc 14,33-34   b. Lc 22,43-44   c. Cf.
Rom. 1,28   d. Ps. 55,9
48 a. Is. 5,7   b. Cf. Lc 2,25-26.36-37   c. Jn 1,47

---

semetipsum... cité à ce sujet par H. König (*Apponius,* p. 204, n. 100),
est traduit par Th. Heither : « Hat also auch Christus sich freiwillig
entaüssert » (*Origenes, Römerbriefkommentar, Fontes Christiani,* 2/3,
p. 179).

1. Sans citer le nom d'Apponius, Bède, se réclamant d'une citation
de Jérôme (*Adv. Iovin.,* I, 31), juge cette interprétation des « quadriges
d'Aminadab » tout à fait erronée : « On voit que ceux qui interprètent
les quadriges d'Aminadab de l'armée de ceux qui persécutent l'Église
— que ce soit celle des esprits impurs ou celle des hommes méchants
— se trompent grandement, alors qu'il est évident qu'on doit plutôt
comprendre cela du Prince des princes lui-même et de son peuple
élu » (*In Cant.* IV, 54-58 : *CCL* 119 B, p. 316). — Voir en X, 21 un
rejet analogue, de la part de Bède, d'une interprétation d'Apponius
touchant la *filia principis.*

2. Le Verbe « est troublé » (cf. ci-dessus l. 562) par le trouble de
l'âme et de la chair qu'il a « assumées » par l'incarnation, et qui, « au
temps de la passion », souffrent l'agonie sous la persécution des
ministres du diable (lequel ne peut rien directement contre lui : cf.

qu'il a assumée, lorsqu'il dit : « *Mon âme ne l'a pas su. Elle m'a troublé à cause des quadriges d'Aminadab*[1] ». Comme le raconte l'évangéliste, au temps de sa passion « il commença à être rempli de dégoût et de tristesse, disant : Mon âme est triste jusqu'à la mort. Et il entra en agonie[a], et il commença à prier plus longuement, et sa sueur se mit à tomber à terre comme des gouttes de sang », et un ange descendit et le réconforta[b]. Tels sont, certes, les *troubles* au milieu desquels il partage la souffrance de l'*âme* et de la chair qu'il a assumées[2], une fois *descendu*, par le mystère de l'incarnation, *dans son jardin* – ce monde, ou ce peuple qui avait connaissance de lui[c] – pour placer sous son regard, en guise de *fruits* très agréables, les larmes de ceux qui se lamentaient d'être les esclaves du diable – ainsi que le dit le prophète David : « Tu as placé mes larmes sous ton regard[d]. »

48. « *Pour regarder*, dit-il, *si la vigne avait fleuri.* » Cette *vigne*, nous l'avons souvent dit, est la maison d'Israël[a], dans laquelle, à sa venue, il a *regardé* des *fleurs* très agréables en la personne du bienheureux Siméon, d'Anne[b] ou de Nathanaël – duquel le Christ a déclaré lui-même : « Voici un véritable Israélite, en qui il n'y a pas d'artifice[c] » – et en ceux qui leur ressem-

---

1. 534-535) ; il partage leur souffrance *(compatitur)*. – Apponius, qui a dit, en IX, 434, que le Verbe divin « estime comme fait à lui-même tout ce qui touche l'homme assumé », redira en XI, 257-258 que « le Verbe de Dieu, qui est Dieu, s'attribue comme fait à lui-même tout ce qui est subi de pénible par la chair et par l'âme qu'il a assumées ». Cf. aussi X, 216-217 : le « grain merveilleux » enfoui en terre partage la souffrance de son humanité *(homini suo compatiendo).* Tout est devenu commun entre le Verbe et l'homme assumé, *salua impassibili maiestate* (IX, 434). – Apponius, qui donne tant d'importance à l'âme du Christ, ne la trouvait que rarement mentionnée par les évangiles, sinon précisément à propos des récits de l'agonie : *Tristis est anima mea...* (Matth. 26,38 ; Mc 14,34). *Nunc anima mea turbata est (Jn* 12,27). On s'étonne qu'il ne cite pas ici ce dernier texte qui illustrerait si bien sa pensée.

580 probatur. Et ut intueretur | *germen malorum granatorum* praedictarum arborum in ecclesiis | gentium : in centurionis laudabili fide, qui se indignum iudicauit | Dominum sub tecta sua inducere [d], et in chananea muliere, cuius | itidem fides Domini praeconio magnificatur [e], uel in Cornelio | centurione, qui a beato Petro diluitur [f], necnon in eunucho 585 Can|dacis reginae Aethiopum [g], eorumque similibus, in quibus eccle|siae in toto mundo, quasi de una arbore multa *mala punica*, | unam fidem tenendo, *germinasse* probantur. |

49. Et cum haec delectabiliter *inspiceret*, princeps mundi [a], non | ferens eius uisionem in terris, omne in eum 590 cum populo suo, | iunctis supradictis *quadrigis*, furoris sui bellum commouit. De |quo bello praedixerat beatus Dauid, in psalmo, futuro in Sion : | *Ibi*, inquit, — in Sion — *confregit potentias, arcum, scutum,* | *gladium et bellum* [b] : ubi deiectis ascensoribus [c] *quadrigarum* trium|phatis, quae in 595 ligno crucis infelicissimae *quadrigae* per erro|ris confusionisque campos pauidae terga uerterunt [d], et factum | uolentes occulere, pecuniam numerantes custodibus, menda|cium comparant [e]. Quam miserabilem plebem potentissimus rex | pietate plenus, post patratam uictoriam, pro magnis spoliis, de | manibus daemonum ad suam tenet et 600 reuocat dicionem, et suas | ex aduersariis cupit *quadrigas* efficere per paenitentiam, si se|quantur, dicendo : REVERTERE, REVERTERE, SOLAMITIS. REVER|TERE, REVERTERE, VT INTVEAMVR TE. |

CVIII
(VI, 12)

50. *Reuerti* persuadetur utique per paenitentiam quae a Dei | facie fugerat, tantum sceleris perpetrando ; et ut pro-605 prie de ipsa | plebe persecutorum intellegatur interpretatio

---

48 d. Cf. Matth. 8,8; Lc 7,6   e. Cf. Matth. 15,28   f. Cf. Act. 10,48   g. Cf. Act. 8,27-38
49 a. Cf. Jn 12,31   b. Ps. 75,3-4   c. Cf. Aggée 2,23   d. Cf. Jér. 46,5   e. Cf. Matth. 28,12-13

blaient. Et pour voir *les grenadiers* — ces arbres dont nous avons parlé — *pousser leurs fruits* dans les églises des gentils : dans la foi louable du centurion qui s'est jugé indigne d'introduire le Seigneur sous son toit[d], et dans la femme chananéenne dont la foi est exaltée aussi par l'éloge du Seigneur[e], ou dans le centurion Corneille qui est baptisé par le bienheureux Pierre[f], et aussi dans l'eunuque de Candace, reine des Éthiopiens[g], et dans ceux qui leur ressemblent. En eux les églises dans le monde entier, en gardant l'unique foi, ont *fait pousser* comme d'un arbre unique de nombreuses *grenades*

49. Et tandis qu'il les *regardait* avec délectation, le prince de ce monde[a], qui ne tolérait pas de le voir sur la terre, après avoir rassemblé les *quadriges* en question, suscita, avec son peuple, dans sa fureur contre lui, toutes les formes de la guerre. Cette guerre, le bienheureux David avait dans un psaume prédit qu'elle aurait lieu dans Sion : « Là, dit-il, — dans Sion — il a brisé les puissances, l'arc, le bouclier, le glaive et la guerre[b]. » C'est là que les conducteurs des *quadriges* furent jetés à terre[c] et vaincus ; là que ces *quadriges*, échouant misérablement contre le bois de la croix, s'enfuirent épouvantés[d] à travers les plaines de l'erreur et de la confusion. Alors, voulant cacher la réalité, ils versent de l'argent aux gardes et forgent un mensonge[e]. Or ce malheureux peuple, le roi tout-puissant, plein de tendresse, après avoir remporté la victoire, l'arrache, comme de riches dépouilles, aux mains des démons, le replace en son pouvoir, et désire transformer ces *quadriges* de l'adversaire en ses propres *quadriges*, grâce à la pénitence, s'ils acceptent de le suivre, en disant : « REVIENS, REVIENS, SULAMITE. REVIENS, REVIENS, QUE NOUS TE REGARDIONS ! »

CVIII
(VI, 12)

Le Christ, victorieux, appelle son peuple à la conversion

50. Ainsi cette nation, qui avait fui loin du visage de Dieu en commettant un si grand crime, est invitée à *revenir* par la pénitence. Et qu'il s'agisse bien de la nation des persécuteurs, la signification de ce nom nous le fait comprendre.

nominis docet. | *Solamitis* enim «despecta», «captiua» uel
«comparata» interpre|tatur. Hanc plebem diabolus scilicet
cum suis ministris persua|sionum habenis adstrictam sub
iugum sui dominii miserat et | iumentis insipientibus fece-
610   rat «comparari»[a], et quae fuerat domina | in honore regio
constituta et omnibus gentibus admiranda quasi | regina,
«despectam» reddidit et deformem. Quam clemens Domi-
|nus Christus quadrisona uoce per quatuor euangelia uoca-
tam ad | paenitentiam reuocat cotidie ore doctorum,
dicendo : *Reuertere,* | *reuertere, Solamitis. Reuertere, reuer-*
615   *tere, ut intueamur te.* Vt | quae stimulata irruerat, Domi-
num occidendo, et terga uerterat, | eius resurrectionem
celando, credendo *reuertatur* ad creatoris | notitiam, et
reuersa eius efficiatur *quadriga.* Vt quae solebat agi | spi-
ritu maligno ad innocentum sanguinem effundendum,
nunc | agatur Spiritu sancto[b], pro eius nomine cum gaudio
620   suum fundi | sanguinem delectetur ; per quod cum magna
fiducia, *intuente* in | se Patre, Filio et Spiritu sancto, illam
lacrimabilem per Hiere|miam prophetam paenitentiae
uocem emittat : *Conuerte me et* | *reuertar, quia tu es Deus
meus*[c]. Quarum trium personarum de | adsumpto homine
625   uox sonare probatur, dicentium plebi impiae, | infidae ani-
mae peccatrici : *Reuertere, reuertere, Solamitis. Re|uertere,
reuertere, ut intueamur te* : ut per confessionem Trinitatis |

---

50   a. Cf. Ps. 48,13-21   b. Cf. Rom. 8,14   c. Jér. 31,18

---

1. Apponius reprendra, aux l. 631, 678, 708, ces étymologies, fort
obscures. Cf. Wutz, *Onom. sacra,* p. 187, n. 1, et p. 1050. − Bède y
fait alllusion en se référant à Apponius, sans le nommer : *Sin uero
Sunamitis, ut quidam perhibent, despecta siue captiua...* (*In Cant.,* IV,
618 : *CCL* 119 B, p. 315).
2. C'est le Christ qui appelle, mais il dit « nous » (*intueamur te*),
car en lui parlent les trois personnes divines (d'où le quadruple appel).
Elles invitent le peuple infidèle, ou l'âme pécheresse, à redevenir par

« *Sulamite* » signifie en effet « méprisée », « captive » ou
« comparée »[1]. Cette nation, le diable, avec ses ministres,
l'avait assujettie aux rênes de ses persuasions et soumise
au joug de son pouvoir. Il avait fait qu'on la « comparait »
aux bêtes de somme sans intelligence[a]. Elle qui avait
été établie comme souveraine, entourée d'honneurs royaux
et proposée à l'admiration de toutes les nations, telle
une reine, il la rendit « méprisée » et défigurée. Elle qui
avait été appelée par les quatre évangiles, le Christ
Seigneur, dans sa clémence, la rappelle chaque jour à la
pénitence, par la voix des docteurs, en un quadruple
appel, en lui disant : « *Reviens, reviens, Sulamite. Reviens,
reviens, que nous te regardions !* » Qu'ainsi celle qui sous
les aiguillons avait bondi en mettant à mort le Seigneur,
et qui s'était enfuie en cachant sa résurrection, *revienne*,
en croyant, à la connaissance de son créateur et, une
fois *revenue*, devienne son *quadrige* à lui. Qu'ainsi celle
qui était habituellement guidée par l'esprit malin pour
verser le sang des innocents soit maintenant guidée par
l'Esprit saint[b] et trouve son plaisir à verser avec joie son
propre sang pour son nom. Qu'ainsi, sous le *regard*, posé
sur elle, du Père, du Fils et de l'Esprit saint, elle
prononce avec une grande confiance cette parole pleine
des larmes de la pénitence, dite par le prophète Jérémie :
« Fais-moi revenir, et *je reviendrai*, car tu es mon Dieu[c]. »
C'est la voix des trois personnes qui se fait entendre par
la bouche de l'homme assumé, et elles disent à la nation
impie, à l'âme infidèle et pécheresse : « *Reviens, reviens,
Sulamite. Reviens, reviens, que nous te regardions*[2] !* »
Qu'ainsi, dit cette voix, par la confession de la Trinité

la foi, le baptême et la pénitence, « leur » image, qu'elles pourront
contempler et en qui on pourra les contempler. – Apponius a raisonné
de même à propos de *Cant.* 1,10 : *Catenulas aureas faciemus tibi*, où
le pluriel indique que ces mots sont prononcés par les trois personnes
divines (III, 71, avec la note à ce passage).

et lauacri mundationem uel dignae paenitentiae fructum [d],
imago, | inquit, nostra, quam in te creando contulimus [e],
uideatur in te — | sicut in apostolis, in quibus uidetur et   F
630   loquitur Deus [f], utpote qui | unum cum eo per societatem
spiritus eius effecti sunt [g]. |

51. Ita et ista *Solamitis*, «despecta», «captiua» plebs, de
qua | *quadrigas* fecerant daemones, triumphatis nequissi-
mis ascenso|ribus, Christi uoce ad eius amicitias reuocatur
qui dixerat per | Hiezechielem prophetam : *Nolo mortem*
635   *peccatoris, sed ut con|uertatur a uia sua et uiuat* [a]. Vt sicut
diabolus per malas cogitati|ones, per mala uerba mali-
gnaque opera conspiciebatur in ea, ita, | e contrario, per
sanctam cogitationem, per casta uerba bonisque | operibus,
lux Dei Patris, splendor Filii candorque Spiritus sanc|ti
relucescat in ea ; et per quam bellum contra creatorem
640   adten|tabat inferre diabolus, nunc ipse eius pedibus conte-
ratur [b] : per | quod insultetur diabolo de eius profectu iusti-
tiae per momenta | — sicut nunc sequenti uersiculo doce-
CIX   tur : QVID VIDEBIS IN SOLA|MITE, NISI CHOROS CAS-
(VII, 1)   TRORVM ? |

52. Sunt proculdubio multis et diuersis armis iustitiae
645   muniti | — galea salutis, lorica caritatis, scuto fidei gla-
dioque Spiritus | adsiduae orationis [a] — *chori castrorum* ex
illa plebe iudaica quae, | Christum persequendo, daemo-
num fuerat effecta *quadriga*. Qui | *chori* contra aerias
potestates, sancte uiuendo, orationi instando, | necessitati-
bus indigentium communicando [b], psalmis et canticis
650 | Deum in Trinitate laudantes [c], *castra* contra diabolum
compo|nunt cotidie. Nam sicut nulla alia uirtus protectio-
nis armigeris | contra hostem, nisi adunatio scutorum,

---

50   d. Cf. Matth. 3,8   e. Cf. Gen. 1,26-27   f. Cf. II Cor.
6,17   g. Cf. I Cor. 6,17 ; Phil. 2,1
51 a. Éz. 33,11   b. Cf. Rom. 16,20
52 a. Éph. 6,14-17   b. Cf. Rom. 12,12-13   c. Cf. Éph. 5,19 ;
Col. 3,16

et la purification du baptême ou le fruit d'une digne pénitence[d], notre image, que nous avons mise en toi par la création[e], se voie en toi comme dans les apôtres : eux en qui Dieu se voit et parle[f], car ils sont devenus un avec lui par la communication de son Esprit[g].

51. Ainsi aussi, cette *Sulamite*, cette nation « méprisée » et « captive » dont les démons avaient fait leurs *quadriges*, une fois vaincus leurs très pervers conducteurs, est appelée par la voix du Christ à revenir à l'amitié de celui qui avait dit par le prophète Ézéchiel : « Je ne veux pas la mort du pécheur, mais qu'il *revienne* de son chemin et qu'il vive[a]. » Ainsi, de même qu'on voyait en elle le diable, à travers ses mauvaises pensées, ses paroles méchantes et ses œuvres malignes, que de même, à l'opposé, brillent en elle, à travers ses saintes pensées et ses paroles chastes et par ses œuvres bonnes, la lumière de Dieu le Père, la splendeur du Fils et l'éclat de l'Esprit saint. Elle par qui le diable s'efforçait de porter la guerre contre son créateur, que ce soit lui maintenant qu'elle écrase sous ses pieds[b]. Et qu'ainsi son progrès continuel dans la justice nargue le diable, comme nous l'apprend maintenant le verset suivant : « QUE VERRAS-TU DANS LA SULAMITE, SINON LES CHŒURS DES BATAILLONS ? »

CIX
(VII, 1)

Il en tire des bataillons, vainqueurs du diable

52. Sans aucun doute, ces *chœurs des bataillons*, tirés de cette nation juive qui, lorsqu'elle poursuivait le Christ, était devenue le *quadrige* des démons, sont équipés des armes nombreuses et diverses de la justice : le casque du salut, la cuirasse de la charité, le bouclier de la foi et le glaive de l'Esprit, celui de la prière continuelle[a]. Ces *chœurs*, face aux puissances de l'air, forment chaque jour — en vivant saintement, en s'adonnant à la prière, en subvenant aux besoins des pauvres[b], en louant Dieu dans sa Trinité par des psaumes et des cantiques[c] — des *bataillons* contre le diable. De même qu'il n'y a pas pour les soldats en armes d'autre protection efficace contre l'ennemi que la

quod testudo appellatur, | quae potenter munit a poten-
tiore et protegit militem, ita chri|stianum populum mili-
655   temque caelestem unanimitatis congrega|tione a mucrone
diaboli muniri et protegi in hymnis et canticis | spiritalibus
laudantium Deum [d] probatur. |

53. Multitudinis enim pugnantium si fuerit unus
consensus, | grauissimo proelio imminente, auersa facie
alter alterius terga | tuetur. In singulari autem certamine,
660   dubius erit uitae euentus | ubi ex quo latere iaculum prius
caueas ueniens ignoras. Nam | ideo illi *chori* in Actibus
apostolorum, qui contra daemonum | turmas unanimitatis
castra construxerant, magnis laudibus exal|tantur, quia
multitudinem una tenet uoluntas. De quibus dici|tur :
Multitudinis autem credentium erat cor et anima una [a]; et
665 | nemo quidquam proprium uindicabat, sed ante pedes
apostolo|rum diuidenda necessitatem patientibus poneban-
tur [b]. |

54. Quam plebem de persecutore populo fuisse quis
dubitabit, | quos suos iugales diabolus fecerat uel *quadri-*   B
gas ? Stat namque | diabolus ore cruento, nimio dolore per-
670   culsus, dentibus frendens, | cum aspicit se per eum expu-
gnari per quem alii solebat mala | inferre ; dum se ante
cineres martyrum confitetur ardere ; dum a | paruulis ani-
mabus et fragili sexu in crudelissimis regibus et | tyrannis
uincitur ; cum in toto campo huius mundi, die noctu|que,
inter *choros* sanctorum, patientiae, misericordiae, pudici-

---

52 d. Cf. Éph. 5,19 ; Col. 3,16
53 a. Act. 4,32   b. Cf. Act. 4,32-35

---

1. Le diable « brûle en présence des cendres des martyrs » : allusion
à des guérisons de possédés mis en présence de reliques des martyrs.
En VI, 119-123, il était question, plus généralement, de « la vertu des
miracles des martyrs », défaite des démons qui ont causé leur mort.
Cf. aussi X, 270. 278. 533. − H. Delehaye, dans *Les origines du culte
des martyrs*, Bruxelles, 2ᵉ éd., 1933, p. 118-122, relève les premiers
témoignages de ce pouvoir des reliques sur les démons, à commencer
par celui de saint Hilaire de Poitiers, *Contra Constantium*, 8 : *Sanctus*

jonction de leurs boucliers — ce qu'on appelle la tortue —,
qui défend et protège puissamment le soldat contre un
adversaire plus puissant, de même c'est le rassemblement
unanime de ceux qui louent Dieu dans des hymnes et
des cantiques spirituels[d] qui défend et protège contre le
glaive du diable le peuple chrétien et le soldat du ciel.

53. En effet, si l'entente de la multitude des combattants est unanime, devant la menace d'un très rude
combat, ils se mettent dos à dos et chacun protège les
arrières de l'autre. Mais si l'on est seul à combattre, il
y aura risque pour la vie, car on ne sait pas de quel
côté vient le coup dont il faut d'abord se garder. Et si
dans les Actes des apôtres on exalte par de grands éloges
ces *chœurs* qui avaient formé des *bataillons* unanimes
contre les troupes des démons, c'est parce qu'une seule
volonté tient unie la multitude. Il est dit en effet à leur
sujet : « La multitude des croyants n'avait qu'un cœur et
qu'une âme[a] », et personne ne revendiquait rien comme
sa propriété, mais ils déposaient aux pieds des apôtres ce
qu'on devait distribuer à ceux qui étaient dans le besoin[b].

54. Qui pourrait douter que cette foule ait été tirée du
peuple persécuteur dont le diable avait fait ses attelages et
ses *quadriges* ? Aussi le diable se dresse-t-il, la bouche
sanglante, frappé qu'il est par l'excès de la douleur,
grinçant des dents, lorsqu'il se voit vaincu par ce peuple
par lequel il avait coutume de faire du mal à autrui ;
lorsqu'il avoue qu'il brûle en présence des cendres des
martyrs[1] ; lorsque dans la personne des rois et des tyrans
les plus cruels il est vaincu par les âmes des enfants et
le sexe fragile ; lorsque dans toute l'étendue de ce monde,
jour et nuit, au milieu des *chœurs* des saints, il est frappé
chaque jour à coups redoublés par les piques de la
patience, de la miséricorde, de la chasteté, des jeûnes,

---

*ubique beatorum martyrum sanguis exceptus est et ueneranda ossa
quotidie testimonio sunt, dum in his daemones mugiunt, dum aegritudines
depelluntur, ... uri sine ignibus spiritus... (PL 10, 584-585).*

675 |tiae, ieiuniorum, crebris orationum rectae fidei confessio-
nem psal|lentium cotidie tunditur contis. Cui cotidie dici-
tur insultando a | Christo Domino nostro : *Quid uidebis in
Solamite* — id est «de|specta» et «captiua», iumentis
«comparata»[a], plebe uel anima —, | *nisi choros castro-
rum?* |

680 **55.** Siue ergo iudaica plebs, quae auctorem uitae
interfe|cit[a], siue illa gentilium, quae martyres, utraque
daemonum | fuisse *quadrigae* noscuntur. Istae utique ani-
mae quae prius | *quadrigae* immundorum spirituum ad
malum fuerant facien|dum, conuersae ad creatoris noti-
685 tiam, pugnante Christo deiectis | crudelissimis ascensori-
bus, nunc equitante in eis Spiritu sancto, | diuersis uirtuti-
bus contra diabolum *choros castrorum*, sancte | uiuendo,
cautissima arte *ordinant* ad bellandum ; et unaquaeque |
uirtus gratiae donationis Dei[b] suum ducit exercitum,
suum ca|*strorum ordinat chorum*, id est : unicuique animae
690 pro possibili|tate impertit Spiritus sanctus — sicut docet
magister gentium | Paulus, cum ait : *Alii datur manifesta-
tio Spiritus, alii sermo | sapientiae, alii sermo scientiae*[c], et
cetera — et sapiens anima, in | quo se uiderit opere sancto
robustiorem, in eo semper uigilanter | contra diabolum
ordinat castra pugnandi. |

695 **56.** Alter enim uincit per abstinentiam deliciarum cor-
disque | contritionem daemonum turmas ; alter adsidue
orando ; alter | hymnis et canticis[a] studiose creatorem lau-
dando ; alter lectioni | diuinae tota mente inhaerendo ;
alter sermonem doctrinae si|tientibus animabus minis-
700 trando ; alter firmissimam custodiam | ori ponendo[b], ne

54 a. Cf. Ps. 48,13.21
55 a. Cf. Act. 3,15   b. Cf. Rom. 12,16   c. I Cor. 12,7-8
56 a. Cf. Col. 3,16 ; Éph. 5,19   b. Cf. Ps. 38,22

1. Sur la forme donnée par Apponius à *I Cor.* 12,7, voir la note
à VII, 419.

des prières de ceux qui chantent la confession de la vraie foi. Chaque jour le Christ notre Seigneur lui dit, en le narguant : « *Que verras-tu dans la Sulamite* – c'est-à-dire dans cette nation ou cette âme « méprisée », « captive », « comparée » aux bêtes de somme[a] – *sinon les chœurs des bataillons ?* »

55. Qu'il s'agisse donc du peuple juif qui a tué l'auteur de la vie[a], ou de celui des gentils qui a tué les martyrs, l'un et l'autre sont connus pour avoir été les *quadriges* des démons. Or, une fois que ces âmes, qui avaient été auparavant les *quadriges* des esprits impurs pour commettre le mal, sont revenues à la connaissance de leur créateur, et que leurs très cruels conducteurs ont été jetés à bas tandis que le Christ combattait, elles *rangent* avec beaucoup de prudence et d'habileté, par leurs diverses vertus, maintenant que c'est l'Esprit saint qui les chevauche, les *chœurs des bataillons* pour combattre contre le diable en vivant saintement. Chaque vertu, don de la grâce de Dieu[b], conduit sa propre armée, *range* son propre *chœur de bataillons*. Autrement dit, l'Esprit saint accorde à chaque âme selon sa capacité – ainsi que l'enseigne Paul, le docteur des nations, disant : « A l'un est donnée la manifestation de l'Esprit ; à l'autre une parole de sagesse ; à l'autre une parole de science[c 1], etc. » –, et l'âme sage *range* toujours avec vigilance ses *bataillons* pour combattre le diable en pratiquant l'activité sainte où elle se voit plus vigoureuse.

56. L'un en effet remporte la victoire sur les troupes des démons en se privant des plaisirs et par la contrition du cœur ; un autre, par la prière assidue ; un autre, en louant avec ferveur son créateur par des hymnes et des cantiques[a] ; un autre, en s'attachant de tout son cœur à la lecture de la divine écriture ; un autre, en distribuant les paroles d'enseignement aux âmes qui en sont assoiffées ; un autre, en plaçant une garde vigoureuse à ses lèvres[b] pour ne pas être contraint de parler des œuvres

opera hominum caduca loqui cogatur; alter per | laborem
manuum die noctuque operando[c] propter minus fortium |
necessitatem adiuuandam; alter integritatem carnis
seruando; | alter libens pro iustitia sufferendo iniurias[d];
alter per multifor|mem misericordiam et aliis bonis operi-
705 bus quas enumerare | longum est. |

57. In his utique dolet hostis *choros castrorum ordinatos*
sanc|te uiuendo. In his cotidie dicitur hosti prostrato a   B̶
Christo : *Quid | uidebis in Solamite* — id est «despecta» —,
nisi choros castrorum? | et : *Vbi est mors uictoria tua? Vbi*
710 *est mors aculeus tuus*[a]? Nam | usque ad praesentiam corpo-
ralem redemptoris regis Christi, | despiciebat hostis deiec-
tam surgere humanam naturam; sed | gratia Dei Patris,
Verbum in carne mortali adunando, donauit | nobis uicto-
riam per Christum[b]. Cui est gloria et imperium in | saecula
saeculorum. Amen[c].

EXPLICIT LIBER IX

56 c. Cf. I Cor. 4,12; I Thess. 2,9; II Thess. 3,8   d. Cf.
Matth. 5,10
57 a. I Cor. 15,55   b. Cf. I Cor. 15,57   c. I Pierre 4,11;
cf. Apoc. 1,6

---

1. *despiciebat hostis deiectam surgere humanam naturam : TLL* V[1],
747, 51, ne donne de cette construction de *despicio* + accusatif +
infinitif que deux exemples, l'un pris à Apponius précisément : « *quasi
nihil despiciunt eum* » boni operis fecisse poenarum angeli (XII, 404-405,

caduques des hommes; un autre, en travaillant jour et
nuit de ses mains[c] pour soulager les besoins de ceux
qui sont moins vigoureux; un autre, en gardant l'intégrité
de sa chair; un autre, en souffrant volontiers les injures
pour la cause de la justice[d]; un autre, au moyen des
multiples formes de la miséricorde et par d'autres bonnes
œuvres qu'il serait trop long d'énumérer.

57. Voilà ceux en qui l'ennemi se désole de voir
rangés les chœurs des bataillons, du fait de leur vie
sainte. Voilà ceux en qui chaque jour le Christ dit à
l'ennemi jeté à terre : « *Que verras-tu dans la Sulamite
— c'est-à-dire la 'méprisée' —, sinon les chœurs des
bataillons ?* », et encore : « *Où est, mort, ta victoire ? Où
est, mort, ton aiguillon*[a] *?* » Car jusqu'au jour de la
présence corporelle du Christ, rédempteur et roi, l'ennemi
« méprisait » l'idée que la nature humaine qu'il avait jetée
à terre pût se relever[1]. Mais la grâce de Dieu le Père,
en unissant son Verbe à la chair mortelle, nous a donné
la victoire par le Christ[b]. A lui sont la gloire et l'empire
pour les siècles des siècles. Amen[c].

---

dont il faut rapprocher XII, 386-387), l'autre à GRÉGOIRE LE GRAND :
(sancti) cuncta sub se ire despiciunt (*Mor.*, VI, xvi, 24 : *CCL* 143,
p. 301). — *despiciebat* rejoint l'épithète « *despecta* » donnée comme
l'étymologie de *Solamitis* (l. 606.631.678.708). Le mot prend tout son
sens dans ce chant de victoire concluant le livre IX (cf. H. KÖNIG,
Apponius, p. 215, n. 115).

INCIPIT LIBER X

1. Qvam pvlchri svnt gressvs tvi in calceamentis
tvis, | filia principis. Ivnctvra feminvm tvorvm sicvt
monilia | qvae fabricata svnt manv artificis. Vmbi-
licvs tvvs crater | tornatilis nvmqvam indigens
5 pocvlis. Venter tvvs sicvt | acervvs tritici vallatvs
liliis. Dvo vbera tva sicvt dvo | hinvli gemelli
capreae. Collvm tvvm sicvt tvrris ebvrnea. | Ocvli
tvi sicvt piscinae in Esebon qvae svnt in porta filiae
| mvltitvdinis. Nasvs tvvs sicvt tvrris Libani qvae
respicit | contra Damascvm. Capvt tvvm vt Carmelvs,
10 et comae capi|tis tvi sicvt pvrpvra regis ivncta cana-
libvs. |

2. *Filiam* istam *principis* illam opinor intellegi plebem
quae, | cum longe posita esset a legis diuinae notitia uel ab
his finibus | ubi humana redemptio celebrata est, in ultimo
aquilone, per | doctores, qui ex illa egressi sunt plebe quae
15 *soror* uel *amica* est | appellata, uocata, ueniens credendo

---

1. Exceptionnellement, Apponius fait figurer en tête du livre X une
citation de dix versets (tels qu'il les compte) ; il les reprendra un à
un après une introduction. C'est qu'il s'agit du seul et même portrait
de la « fille du prince », dont sont énumérées les parties du corps. Il
pourra conclure, en X, 460 : « Telle est donc la merveilleuse beauté
des dix parties de tout le corps de cette nation... ». – On le voit, il
regroupe ses lemmes de façon très libre, et la longueur de ses
commentaires varie tout autant. Ainsi, le livre II ne commente que
trois de nos versets (1,6-8), tandis que le présent livre X, beaucoup
plus court, en commente dix (7,1b-9). Un verset comme *Cant.* 1,7 est
commenté en treize paragraphes (II, §§ 14-26), alors que *Cant.* 2,14
(IV, § 44) est exposé en dix lignes. – Voir Introduction, p. 26 et 71.

LIVRE X

Rome, la « fille du prince »

**Portrait
de la fille
du prince**

1. « QUE TES PIEDS SONT BEAUX DANS TES SANDALES, FILLE DU PRINCE ! LA JOINTURE DE TES CUISSES EST COMPARABLE À DES COLLIERS QUI ONT ÉTÉ FAÇONNÉS PAR LA MAIN D'UN ARTISTE. TON NOMBRIL EST UN CRATÈRE FAIT AU TOUR, QUI NE MANQUE JAMAIS DE BREUVAGES. TON VENTRE EST COMME UN MONCEAU DE FROMENT ENTOURÉ DE LYS. TES DEUX SEINS SONT COMME LES DEUX FAONS JUMEAUX D'UNE BICHE. TON COU EST COMME UNE TOUR D'IVOIRE. TES YEUX SONT COMME LES PISCINES D'ÉSÉBON QUI SONT À LA PORTE DE LA FILLE DE LA MULTITUDE. TON NEZ EST COMME LA TOUR DU LIBAN QUI REGARDE VERS DAMAS. TA TÊTE EST COMME LE CARMEL, ET LES CHEVEUX DE TA TÊTE SONT COMME LA POURPRE ROYALE JOINTE À DES GOUTTIÈRES [1]. »

CX-CXI
(VII, 1-5

2. En cette *fille du prince*, je pense qu'il faut voir cette nation [2] qui, alors qu'elle se trouvait à l'extrême nord, loin de la connaissance de la loi divine et de ces régions où s'est accomplie la rédemption humaine, a été appelée par les docteurs issus de la nation qui a reçu le nom de *sœur* et d'*amie*; cheminant par sa foi au Dieu

---

2. *illam plebem* : nouvelle étape dans le déroulement du *Cantique* et celui de l'expansion du Royaume de Dieu : la conversion de la *plebs romana*, personnifiée par la « fille du prince ». Cette étape va se poursuivre jusqu'à la fin du livre XI.

Deo omnipotenti, facta est ⏐ prope in sanguine Christi ᵃ. Quae hoc adepta est, fidei *gressibus* ⏐ currendo et confessionis uoce clamando a finibus terrae ᵇ, quod et ⏐ illa quae praesentiam corporalem Christi gauisa est. Quae sine ⏐ lege uiuendo per infinita tempora, procul recesserat a proprio 20 ⏐ patre creatore suo, et sacrificando daemoniis et non Deo ᶜ, Deum ⏐ perdiderat patrem et facta fuerat *filia principis* huius mundi. ⏐ Quae nunc, suscipiendo Verbum carnefactum ore apostolorum ⏐ uel similium eorum doctorum, facta est *carissima in deliciis* ᵈ ⏐ illius plebis quae apostolos genuit. ⏐

25 **3.** Cuius ideo prae omnibus membris primum *pulchritudo* ⏐ *gressus* laudatur, quia non prius *capita*, duces uel reges, de ea ⏐ conuersi sunt ad doctrinam apostolorum, sed illi qui subiecti ⏐ regibus et minimi in potentia *pedibus* comparantur. Qui *pulchri* ⏐ quidem uiam praeceptorum Dei 30 currentes ᵃ, aliis membris duca⏐tum praestando, laudantur : non tamen sola sui nuditate arbi⏐trii, sed muniti contectique adiutorio diuinae uirtutis laudantur, ⏐ dicendo : Qᴠᴀᴍ ᴘᴠʟᴄʜʀɪ sᴠɴᴛ ɢʀᴇssᴠs ᴛᴠɪ ɪɴ ᴄᴀʟᴄᴇᴀᴍᴇɴ-ᴛɪs ⏐ ᴛᴠɪs, ꜰɪʟɪᴀ ᴘʀɪɴᴄɪᴘɪs. De quo dixit propheta : *Adiutorium no⏐strum in nomine Domini* ᵇ. ⏐

X
/II, 1)

BM

35 **4.** Et a *pedibus* usque ad *caput comasque* ascenditur collau⏐dando praedicta plebs. Nam in aliis personis retrodictis

---

2 a. Éph. 2,13   b. Cf. Ps. 60,3   c. Cf. Deut. 32,17 ; Bar. 4,7 ; I Cor. 10,20   d. Cant. 7,6
3 a. Cf. Ps. 118,32   b. Ps. 123,8

---

1. Comme il a déjà été indiqué en IX, 569, Bᴇᴅᴇ (*In Cant.*, IV, 44-58 : *CCL* 119 B, p. 316) a rejeté cette idée que dans le titre de *filia principis*, *princeps* puisse désigner « le prince de ce monde ». D'ailleurs Apponius ne s'attarde pas à cette assertion. Voyant en cette *filia* la chrétienté romaine, il finira par reconnaître en ce *princeps* Pierre, « prince des apôtres » (XII, 1343-1347).

tout-puissant, elle est devenue proche par le sang du Christ[a]. Elle a obtenu, en courant avec les *pieds* de la foi et en criant la parole de sa confession depuis les extrémités de la terre[b], ce qu'avait obtenu aussi celle qui a joui de la présence corporelle du Christ. Elle qui, en vivant sans la loi durant des temps infinis, s'était écartée bien loin de son propre père, son créateur, et qui, en sacrifiant aux démons et non à Dieu[c], avait perdu Dieu pour père et était devenue la *fille du prince* de ce monde[1], maintenant, en recevant, de la bouche des apôtres ou des docteurs qui leur sont semblables, le Verbe incarné, elle est devenue *très chère en ses délices*[d] pour cette nation qui a engendré les apôtres.

**Ses pieds :
les humbles,
premiers convertis
de Rome**

3. Si la *beauté* de ses *pieds* est louée en premier lieu, avant celle de tous les autres membres, c'est que ce ne sont pas d'abord les *têtes*, les chefs et les rois, qui, en elle, se sont convertis à l'enseignement des apôtres, mais ceux qui, soumis aux rois, les derniers en puissance, sont comparés aux *pieds*. On les loue, en vérité, d'être *beaux*, eux qui courent sur le chemin des commandements[a] de Dieu en guidant les autres membres. Toutefois, lorsqu'on les loue, ce n'est pas dans la seule nudité de leur libre arbitre[2], mais parce que protégés et couverts du secours de la force divine : « QUE TES PIEDS SONT BEAUX, est-il dit, DANS TES SANDALES, FILLE DU PRINCE ! » De ce secours le prophète a dit : « Notre secours est dans le nom du Seigneur[b]. »

CX
(VII, 1)

4. C'est en partant des *pieds* que remonte jusqu'à la *tête* et aux *cheveux* la louange de cette nation. Or, pour les autres personnes mentionnées auparavant et honorées

---

2. Toujours cette préoccupation d'affirmer l'indispensable secours de la grâce, curieusement reconnue ici dans ces sandales sans lesquelles les pieds du libre arbitre seraient nus. Cf. Introd., p. 98.

quae ǀ honore sororum uel amicarum sunt appellatae, a
capite earum ǀ *pulchritudo* usque ad pectus describitur, pro
eo, opinor, quod ǀ proceres illius plebis primi sint ad noti-
40 tiam creatoris conuersi; ǀ huius uero, cuius a *pedibus*
coepta est *pulchritudo* laudari, illi ǀ intelleguntur de ea
primi conuersi qui apud hominum nobilita‖tem humiles et
deiecti uidentur, nec degeneres tamen ab illis ǀ quae in
capite sunt membris nominata. Sed docemur per haec, ǀ ut
qui apud hominum dignitatem inferiores uidentur,
45 conuersi ǀ ab errore ad ueritatem, apud Deum fortiores et
qui totius plebis ǀ infirmitatem sustentent eliguntur[a], et
<qui> in bonis operibus ǀ ducatum etiam regibus prae-
beant suo exemplo monstrantur. ǀ Qui omnimodo illi mihi
uidentur intellegi in ista plebe laudum ǀ primitias in *pul-*
50 *chritudine gressuum* consequi, qui imitatores ǀ sunt eorum
gressuum qui in beato apostolorum principe Chri‖stum
moriendo sequuntur[b] ad caelum. ǀ

5. Quae plebs ita, exemplo beati Petri, de terrenis acti-
bus, ǀ mortificando carnem suam, migrauit ad caelum,
sicut illa quae‖ Christum *caput* sequendo, de tenebris igno-
55 rantiae uenit ad ǀ lucem. In qua illud Domini Christi por-
tendebatur praedictum : ǀ *Erunt primi nouissimi et nouis-*
simi primi[a] — hoc est : omnis ǀ nobilitas romanae togae
senatus, qui *capita* uidebantur, antece‖duntur ab illis ad
Christi fidem, qui eorum *pedibus* credebantur ǀ subiecti. De
60 quibus non est dubium, cum apostolis, ore praedic‖tum

---

4 a. Cf. I Cor. 1,27   b. Cf. Jn 21,19
5 a. Matth. 19,30

---

1. Voir III, §§ 1.19; IV, § 44; VI, §§ 2-33; VIII, §§ 35-53.68-74 :
autant de passages du *Commentaire* correspondant aux versets du
Cantique qui chantent la beauté de la bien-aimée, en commençant
par son visage, ses yeux, ses joues, ses cheveux, c'est-à-dire par « sa
tête » (l. 37). — La conversion des *proceres* d'Israël a été présentée
en IV, 559-564.
2. « ces pieds, qui en la personne » de Pierre « suivent le Christ
jusqu'au ciel par leur mort » : allusion au *Sequere me* et à l'annonce

des noms de sœurs et d'amies, leur *beauté* est décrite en partant de la *tête* et en descendant jusqu'à la poitrine [1] : c'est, à mon avis, parce que les grands personnages de cette nation-là ont été les premiers à se convertir à la connaissance du créateur. Au contraire, dans celle-ci, dont le texte loue la *beauté* en commençant par les *pieds*, comprenons que les premiers à se convertir ont été ceux qui, aux yeux des hommes de la noblesse, semblent humbles et méprisables, et qui pourtant ne sont pas indignes des membres énumérés comme faisant partie de la *tête*. Et ceci nous enseigne que ceux qui, aux yeux des dignitaires, paraissent d'un rang inférieur, sont, une fois convertis de l'erreur à la vérité, d'une plus grande force aux yeux de Dieu, et qu'ils sont choisis [a] pour soutenir la faiblesse de toute la nation. Ils sont présentés comme capables, par leur exemple, de guider dans les œuvres bonnes même les rois. De toute façon, il me paraît qu'on doit comprendre qu'ils obtiennent dans ce peuple les prémices de la louange pour la *beauté de leurs pieds*, eux qui imitent ces *pieds* qui, en la personne du bienheureux prince des apôtres, suivent le Christ jusqu'au ciel par leur mort [b][2].

5. Et cette nation, à l'exemple du bienheureux Pierre, est passée, en livrant sa chair à la mort, de l'activité terrestre au ciel, tout aussi bien que celle qui, en suivant la *tête*, le Christ, est venue des ténèbres de l'ignorance à la lumière. En elle était mise en évidence cette prédiction du Christ Seigneur : « Les premiers seront les derniers, et les derniers les premiers [a]. » C'est-à-dire que, dans la marche vers la foi au Christ, tous les nobles sénateurs portant la toge romaine, qui étaient regardés comme les *têtes*, sont devancés par ceux que l'on croyait à leurs *pieds* comme des sujets. Sans aucun doute, c'est de ceux-ci, ainsi que des apôtres, qu'il a été prédit par

du martyre de Pierre en *Jn* 21,19, mais aussi, probablement, comme ce sera plus clair aux l. 492-494, à la crucifixion de Pierre les pieds tournés vers le ciel.

Esaiae prophetae : *Quam pulchri super montes pedes ad*|*nuntiantes pacem, praedicantes salutem* [b]. |

6. Hi sunt proculdubio *pulchri gressus* Ecclesiae, qui primi | suo sermone doctrinae plebi romanae salutem ani-mae et pacem | corporis adnuntiauerunt, quoniam proelio-
65   rum historiae docent | in Christi apparitione cessasse cru-delia gentium bella. Hi sunt | ergo qui sancto suo sermone et uitae exemplo uelut dormientes | suscitant eos qui coniugiis uel diuersis negotiis mundialibus | *iuncti* sunt, ut adhaereant doctoribus rectae fidei, docentes eos | quomodo
70   Deo *iuncti* sint, in occulto opera iustitiae et misericor|diae faciendo, et labore manuum corporis necessaria quaerant | absque fraude peccati : per haec enim spiritalem sibi simi-
CXI   lem | generant prolem. De quibus nunc sequitur : IVNC-
(VII, 1)   TVRA FEMINVM | TVORVM SICVT MONILIA QVAE FABRICATA SVNT MANV ARTIFICIS. |

7. His namque membris generari posteritatis prolem
75   manife|stum est, et haec membra uelata semper teguntur ; et in ipsis | consistit operationis utilitas et perquam neces-saria successionis | proles ad ornandum totum corpus Ecclesiae totumque mundum | implendum, *iunctis* miseri-cordiae operibus, quae semper a sa|pientibus Dei cultori-
80   bus occulta teguntur. Congrue magnorum | doctorumque uirorum qui *gressus* Ecclesiae intelleguntur digni|tati *iun-guntur* qui, derelictis uanitatibus idolatriae, *iuncti* fideli | populo iudaeo corde circumciso, non carne [a], unum corpus

5 b. Is. 52,7
7 a. Cf. Rom. 2,28-29

1. Est-ce intentionnellement ou par erreur qu'Apponius lit *adnun-tiantes, praedicantes,* alors que toutes les versions lisent en *Is.* 52,7 : *adnuntiantis, praedicantis* (cf. aussi *Nah.* 1,15 ; *Rom.* 10,15 a *euangeli-zantium*) ? Cette lecture est en tout cas la seule qui justifie le commentaire donné.

2. Apponius reviendra plus longuement en XII, § 63, sur ce thème, qui lui est cher, de la paix apportée au monde, à l'avènement du Christ, grâce à l'Empire romain. Voir Introd., p. 48 et 117.

la bouche du prophète Isaïe : « Qu'ils sont *beaux* sur les montagnes, les *pieds* qui annoncent la paix, qui prêchent le salut[b1] ! »

6. Les *beaux pieds* de l'Église sont certainement les hommes qui les premiers ont, par leur parole d'enseignement, annoncé au peuple romain le salut de l'âme et la paix du corps : l'histoire des batailles nous apprend en effet qu'à l'apparition du Christ ont cessé les guerres cruelles entre nations[2]. Par leur sainte parole et l'exemple de leur vie, ceux-là réveillent donc, comme de leur sommeil, ceux qui sont *joints* par le mariage ou par les commerces variés du monde, afin qu'ils s'attachent aux docteurs de la foi droite. Ils leur enseignent comment être *joints* à Dieu, en accomplissant dans le secret les œuvres de justice et de miséricorde, et comment rechercher sans fraude coupable, par le travail de leurs mains, ce qui est nécessaire à la vie. Ainsi en effet ils engendrent une progéniture spirituelle qui leur est semblable. C'est d'eux qu'il est question à présent dans ce qui suit : « LA JOINTURE DE TES CUISSES EST COMPARABLE À DES COLLIERS QUI ONT ÉTÉ FAÇONNÉS PAR LA MAIN D'UN ARTISTE. »

CXI
(VII, 1)

« La jointure de ses cuisses » : la fécondité des œuvres cachées

7. Les membres en question, on le sait, engendrent à la race une postérité, et ces membres-là sont toujours cachés et voilés. C'est d'eux que dépendent l'utilité de nos œuvres et la continuité de la race, absolument nécessaire pour enrichir le corps entier de l'Église et remplir le monde entier : cela lorsque s'y *joignent* les œuvres de miséricorde que les sages adorateurs de Dieu tiennent toujours cachées. A juste titre, ceux en qui on reconnaît les *pieds* de l'Église sont *joints* à la dignité des hommes grands et savants, eux qui, après avoir abandonné les vanités de l'idolâtrie, se sont *joints* au peuple juif fidèle qui a circoncis son cœur et non sa chair[a], et construisent le

Eccle|siae construunt. *Manu artificis*, Christi exemplo et
doctrina, | *fabricati* laudantur : digni enim Christi ore lau-
85 dari, qui exem|plo sanctae conuersationis ita generant sui
imitatricem prolem, | occulta et contecta hominibus infide-
libus opera iustitiae facien|tes de iustis laboribus manuum
suarum[b], sicut praedicta membra | occultis operibus
rediuiuam posteritatem generare probantur. |

8. Nam sicut per generationis successionem totus mun-
90 dus | ornatur, ita et hi qui prompti sunt in operibus miseri-
cordiae | desudare, exornare et decorare totum corpus
Ecclesiae compro|bantur. Qui amplius student occultare
misericordiae bonum | quam ipsam misericordiam operari,
implentes illud saluatoris | praeceptum : *Cum facis elemosi-*
95 *nam, noli tuba canere ante te*[a], et : | *Nesciat sinistra tua quid*
faciat dextera tua[b]. Quae opera tantis | latebris absconsa
est, in die iudicii manifestanda, ut etiam ipsi | uix agnos-
cant qui operati sunt, dicentes iudici Christo laudanti : |
Domine, quando te uidimus, uel quando ministrauimus
tibi[c]? Hi | ergo necessario in propatulo ponunt paenitendo
100 mala sua, qui | occultant hominibus infidelibus bona sua,
et secundum creatoris | iussionem misericordiam faciendo,
iusta ratione *monilia* Eccle|siae, *fabricati manu* omnipoten-
tis Dei *artificis*, praedicantur. |

CXII   **9.** VMBILICVS TVVS CRATER TORNATILIS NVMQVAM INDI-
(VII, 1) GENS | POCVLIS. Tertia nunc membrorum Ecclesiae laus in
105 *umbilici* | pulchritudine praedicatur. In quo mihi uidentur
illi laudari qui, | absciso turpissimo desiderio operisque

---

7 b. Cf. Ps. 127,2
8 a. Matth. 6,2   b. Matth. 6,3   c. Matth. 25,37-39

corps unique de l'Église. Ils sont loués d'avoir été *façonnés par la main d'un artiste*, autrement dit par l'exemple et l'enseignement du Christ. Ils sont dignes en effet d'être loués par la bouche du Christ, eux qui par l'exemple d'une sainte conduite engendrent ainsi une postérité qui leur ressemble, en accomplissant des œuvres de justice cachées et voilées aux hommes infidèles, fruits des justes travaux de leurs mains[b], tout comme les membres en question engendrent par des opérations cachées une postérité qui renouvelle la vie.

8. Car de même que le monde entier est enrichi par la succession due à la génération, de même ceux qui sont résolus à peiner dans les œuvres de miséricorde enrichissent et embellissent le corps entier de l'Église. Ils s'appliquent à cacher le bienfait de la miséricorde plus encore qu'à pratiquer la miséricorde elle-même, accomplissant ce précepte du Sauveur : « Quand tu fais l'aumône, ne va pas le claironner devant toi[a] », et : « Que ta main gauche ignore ce que fait ta main droite[b]. » Cette activité, qui doit être manifestée au jour du jugement, a été cachée sous tant de secrets qu'à peine la connaissent ceux-là mêmes qui l'ont exercée, et ils disent au Christ juge qui les loue : « Seigneur, quand t'avons-nous vu, et quand t'avons-nous servi[c] ? » Il est évident que ceux qui cachent leurs bonnes œuvres aux yeux des hommes infidèles étalent aussi en public leurs mauvaises actions lorsqu'ils font pénitence. Et puisqu'ils suivent l'ordre de leur créateur lorsqu'ils pratiquent la miséricorde, ils sont proclamés à juste titre les *colliers* de l'Église, *façonnés par la main d'un artiste*, le Dieu tout-puissant.

Son nombril : la chasteté du désir

9. « TON NOMBRIL EST UN CRATÈRE FAIT AU TOUR, QUI NE MANQUE JAMAIS DE BREUVAGES. » Une troisième louange des membres de l'Église chante à présent la beauté de son *nombril*. En celui-ci, me semble-t-il, sont loués ceux qui, après avoir retranché le désir honteux et l'acte de l'œuvre infâme, une fois

CXII
(VII, 1)

nefandi actu et bonae | consuetudinis *torno* expoliti, ad
castum caelesteque *commutan|tur. De quo, uelut de *cra-
tere,* aut futurae laetitiae | dulcedo, aut amarior felle reatus
110 retributionis uerbo doctrinae | cotidie ministratur. *Num-
quam* enim *indiget* uini laetitiae *poculo* | *crater* castissimi
desiderii, coaequandus angelis *actu si diutino | supradicto
torno ante conspectum creatoris admotus fuerit lim|pidan-
dus. De quo propheta dicebat in psalmo : *Ante te est.* |
Domine, omne desiderium meum [a]. |

115   **10.** Et reuera magni intellegendi sunt quorum persona
in | huius membri *pulchritudine* collaudatur. In quo, sub
uocabulo | Hierusalem, anima peccatrix per Hiezechielem
prophetam cri|minis rea notatur, dicendo inter cetera : *In
die ortus tui, in die* | *qua nata es, umbilicus tuus non est
120 praecisus, nec aqua lota es in* | *salutem* [a]. Hi uero non solum,
terrenis et sordidis <de> desideriis | renascendo, abscisi
sunt a peccato, sed etiam, ut diximus, *torno* | boni desiderii
uel consuetudinis admirabiliter expoliti, ore | Christi lau-
dantur, et impleti uino laetitiae, non solum ab omni |
inquinamento aquis salutaribus loti relauari ultra non
125 indigent [b], | sed etiam aliis indigentibus hanc animae ablu-
tionem exemplo | conuersationis ministrant. |

   11. Nullus enim ita animam sitientem Deum [a], post cri-
minum | ariditatem, ad pinguedinem sanctitatis perducit,
nisi qui exem|pli laudabilis *poculum* subministrat. De quo
130 et sibi et intuentibus | se gaudii *poculum* propinat cotidie.
Ibi enim abscidendo turpis|simos actus laudatur et castita-

---

9 a. Ps. 37,10
10 a. Éz. 16,4   b. Cf. Jn 13,10
11 a. Cf. Ps. 41,3

---

1. Le cratère doit être « rendu pareil aux anges », mais ce cratère
représente l'homme purifié : « En celui-ci (le nombril) sont loués ceux
qui... se convertissent au désir chaste et céleste » (105-107); *actu si
diutino* reprend *bonae consuetudinis* (106) : il faut une action prolongée
pour créer une habitude.

polis au *tour* de l'habitude du bien, se convertissent au désir chaste et céleste. De lui, comme d'un *cratère*, la parole de l'enseignement sur la rétribution verse chaque jour, soit la douceur de la joie future, soit la condamnation plus amère que le fiel. En effet, le *cratère* du désir très chaste *ne manque jamais du breuvage* qu'est le vin de la joie, et il sera rendu pareil aux anges si, par une action prolongée, il est appliqué à ce *tour* pour être décapé, et cela en présence du créateur[1]. C'est à ce sujet que le prophète disait dans un psaume : « En ta présence, Seigneur, est tout mon désir[a]. »

10. Et vraiment il faut considérer comme grands ceux dont la personne est louée en la *beauté* de cette partie du corps. C'est en cette partie que l'âme pécheresse, sous le nom de Jérusalem, est déclarée coupable de crime par le prophète Ézéchiel, lorsqu'il dit entre autres : « Au jour de ta naissance, le jour où tu es née, ton nombril n'a pas été coupé et tu n'as pas été lavée dans l'eau pour être sauvée[a]. » Ceux-ci au contraire, en renaissant de leurs désirs terrestres et souillés, non seulement ont été coupés du péché, mais encore, une fois polis admirablement au *tour* du bon désir et de la bonne habitude, comme nous l'avons dit, ils sont loués par la bouche du Christ. Remplis du vin de la joie, non seulement, une fois lavés de toute souillure par les eaux du salut, ils n'ont pas besoin d'être à l'avenir relavés[b], mais encore ils procurent aux autres qui en ont besoin cette purification de l'âme par l'exemple de leur conduite.

11. Nul en effet ne conduit aussi bien l'âme qui a soif de Dieu[a], après l'aridité du péché, au bien-être de la sainteté, que celui qui lui sert le *breuvage* d'un exemple digne de louange. De là, il verse chaque jour, pour lui-même et pour ceux qui le voient, un *breuvage* de joie. En effet, pour avoir retranché là les actes les plus honteux, lui-même est loué. Et aux autres qui sont assoiffés de la douceur de la chasteté, il offre ce *breuvage*

tis dulcedinem aliis sitientibus | *porrigit ubi diaboli
potestas uicina consistere per beatum Iob | declaratur[b], et
per Hiezechielem prophetam incircumcisi *umbili|ci* Hieru-
salem culpa notatur — cum *per Hiezechielem dicitur :

135 *Vmbilicus tuus non | est praecisus*[c], et beato Iob sub uoca-
bulo Behemoth a Deo | exponitur uirtus diaboli, dicendo
inter cetera : *Nam uirtus eius | omnis in lumbis et potestas
eius in umbilico uentris*[d]. |

12. Sicut ergo illa anima culpatur sub Hierusalem uoca-
bulo, | quae notitiam creatoris adepta est et consuetudi-
140 nem turpissi|mam luteamque non abscidit, per quod uicta
uitiorum flagitiis | culpas suas factori Deo adscribit, — ita
et praesenti loco abomi|nabilem consuetudinem absciden-
tis gloriosae animae pulchritu|do laudatur, quia unde ali-
quando exempla luxuriae procede|bant, et ubi potestas
145 diaboli morabatur, nunc castitatis *pocula* | ministrantur.
In quo docemur ut, sicut paruulis mox de uisceri|bus
matrum egressis obstetricum cura *umbilicus* praeciditur, |
qui adhuc in utero retinetur, et omnis cura nutriendi sol-
lerter | impenditur, — ita et animabus adhuc paruulis in
Christo, adhuc | facinorum consuetudine terrena luteaque
150 retentis, a praepositis | christianae plebis, doctorum dili-
gentiam commonitionis per|quam necessariam demons-
trari. |

13. Nec sine sui periculo damnationis offensam aeterni
iudicis | effugere huiusmodi credant neglegentes. Nam si

---

11 b. Cf. Job 40,11   c. Éz. 16,4   d. Job 40,11

1. Nier la responsabilité de l'homme entraîne à rejeter le mal sur
le créateur : cf. II, 413-417.
2. La comparaison est double : d'une part entre les nouveau-nés
et les nouveaux convertis, d'autre part entre les sages-femmes, qui
doivent couper le cordon qui retient l'enfant puis veiller à le nourrir,
et les préposés de l'Église, qui doivent rompre les attaches des
nouveaux convertis et leur assurer les bons soins des docteurs. Apponius
reviendra au livre XII sur cette responsabilité. Dieu a confié sa vigne
« à des gardiens — les apôtres et leurs vicaires, les docteurs —, afin
que le fruit de la foi ne soit pas dévoré par... les démons » (XII,

à cet endroit dont, comme le bienheureux Job le déclare, se trouve proche la puissance du diable[b], et où, par la bouche du prophète Ézéchiel, Jérusalem est accusée du péché de l'incirconcision de son *nombril.* Ceci lorsque Ézéchiel déclare : « Ton *nombril* n'a pas été coupé[c] », et lorsque Dieu expose au bienheureux Job la force du diable, sous le nom de Béhémoth, en disant entre autres : « Car toute sa force est dans ses reins et sa puissance dans le *nombril* de son ventre[d]. »

12. Donc, de même que sous le nom de Jérusalem est accusée l'âme qui est parvenue à la connaissance de son créateur et n'a pas retranché l'habitude honteuse et sordide, et qui, pour cela, vaincue par les infamies de ses vices, attribue ses fautes à Dieu son auteur[1], − de même dans le présent passage est louée la beauté de l'âme glorieuse qui retranche l'habitude abominable, car là d'où jadis provenaient des exemples de luxure, et là où demeurait la puissance du diable, sont offerts maintenant les *breuvages* de la chasteté. Ceci nous apprend que, de même que pour les petits enfants qui viennent de sortir des entrailles de leur mère, les sages-femmes ont soin de couper le cordon *ombilical,* encore retenu dans l'utérus, et qu'elles déploient adroitement tous leurs soins pour qu'ils soient nourris, − de même, quand il s'agit des âmes encore tout enfants dans le Christ, encore retenues par l'habitude terrestre et fangeuse de la faute, il est montré que, de la part des préposés au peuple chrétien, leur vigilance de docteurs à les rappeler à l'ordre est absolument nécessaire[2].

13. Et que les gens de cette sorte, s'ils en font peu de cas, ne croient pas qu'ils puissent, sans risquer leur propre damnation, échapper au courroux du juge éternel.

873-875). D'où la sévère monition à eux adressée au paragraphe suivant : en négligeant leur devoir, « ils risquent leur propre damnation » (X, 152). Sur cette responsabilité des évêques et des docteurs, voir la note à l. IV, 149.

labor talium ⎮ Christi ore laudatur, quanto magis beatitudi-
155 nis palmam acqui⎮runt qui suo sermone doctrinae uel uitae
exemplo, hispidas et ⎮ spinosas criminibus limpidauerint
animas, quas in membris ⎮ Ecclesiae pulcherrimas atque ad
aliarum utilitatem profuturas ⎮ effecerint, quae et ipsae sua
irreprehensibili conuersatione deco⎮rent Ecclesiam, et aliis
160 sitientibus iustitiam [a] exempli sui *pocula* ⎮ subministrent.
De quibus nunc praesenti uersiculo ad laudem ⎮ Ecclesiae
dici intellegi datur : *Vmbilicus tuus crater tornatilis* ⎮ *num-*
quam indigens poculis. ⎮

14. In talibus proculdubio animabus uinum laetitiae
uitae ⎮ aeternae, quasi in *cratere* mixtum gentibus portaba-
165 tur. Quod ⎮ recusauerat impia plebs Iudaeorum, cum dicitur ei a Paulo ⎮ apostolo : *Vobis quidem missum fuerat uer-*
bum salutis, sed quia ⎮ *indignos uos reputastis, ecce conuerti-*
mur ad gentes [a] : quo audito ⎮ gentes gauisae sunt [b], quia
dignae essent uerbo salutis. De quo ⎮ *cratere* praedixe-
170 rat Spiritus sanctus per eumdem Salomonem ⎮ sapientiam
inebriaturam inopes sensu [c] : quae laetitiae uinum, ⎮ ueteris
et noui testamenti coniunctione, Deum hominemque ⎮ uni-
tum monstrando, miscuisse probatur. ⎮

CXIII
(VII, 2)

15. Venter tvvs sicvt acervvs tritici vallatus
liliis. ⎮ Sicut enim *uenter* conceptaculum est escae, per
175 quam tota moles ⎮ corporis roboratur, ita docentur animae
uigilantes in uerbo Dei ⎮ conceptaculum rationabilis sensus,
qui a Deo per naturam inser⎮tus est, implere, eloquia Dei
abscondendo in corde [a], et suo sancto ⎮ labore alias animas
sustentare quae infirmiora membra Ecclesiae ⎮ intellegun-

---

13 a. Cf. Matth. 5,6
14 a. Act. 13,26.46   b. Act. 13,48   c. Cf. Prov. 9,4-5
15 a. Cf. Ps. 118,11

Car si le labeur de tels hommes est loué par la bouche
du Christ, à combien plus forte raison acquièrent la palme
du bonheur ceux qui, par leur parole d'enseignement et
par l'exemple de leur vie, auront décapé de leurs fautes
des âmes rudes et épineuses, qu'ils auront rendues très
belles parmi les membres de l'Église : elles se rendront
utiles à d'autres; celles-ci à leur tour, par leur conduite
irréprochable, embelliront l'Église et serviront à d'autres
âmes assoiffées de justice[a] les *breuvages* de leur exemple.
C'est de ces *breuvages*, nous devons le comprendre, qu'il
est dit maintenant, dans le présent verset, à la louange
de l'Église : « *Ton nombril est un cratère fait au tour,
qui ne manque jamais de breuvages.* »

14. C'est sans aucun doute dans de telles âmes, comme
dans un *cratère*, que le vin d'allégresse de la vie éternelle
était mélangé et porté aux païens. Ce vin, le peuple
impie des juifs l'avait refusé, comme le lui dit l'apôtre
Paul : « C'est à vous, certes, que la parole du salut avait
été adressée, mais puisque vous ne vous en êtes pas
jugés dignes, eh bien ! nous nous tournons vers les
païens[a]. » En entendant cela, les païens se réjouirent[b] de
ce qu'ils étaient dignes de la parole du salut. C'est de
ce *cratère*, l'Esprit saint l'avait prédit par le même[c]
Salomon, que la sagesse enivrerait les pauvres en esprit[c].
C'est elle qui a mélangé ce vin de joie en joignant
l'ancien et le nouveau testament et en montrant unis
Dieu et l'homme.

Son ventre :
les dépositaires
de la parole
de Dieu

15. « Ton ventre est comme un
monceau de froment entouré de
lys. » De même, en effet, que le
ventre est le réceptacle de la nourriture qui fortifie toute la masse du
corps, de même les âmes attentives à la parole de Dieu
sont invitées à remplir le réceptacle de leur intelligence
rationnelle, que Dieu a placée en elles par nature, en
cachant dans leur cœur les paroles de Dieu[a], et à soutenir
par leur saint labeur d'autres âmes, celles en qui on
reconnaît les membres plus faibles de l'Église. Ainsi, ceux

CXIII
(VII, 2)

tur. Hi ergo qui per rationabilem sensum, non consen-
180 |tiendo diabolo, reuersi ad creatoris notitiam, in membris
Eccle|siae inseruntur pro laboris qualitate, pro gratiae
dono in Eccle|siae corpore nominantur. |

16. De quibus ille utique *uenter* Ecclesiae iusta intellegi-
tur | ratione, qui sensum rationabilem, in quo imaginem et
185 similitudi|nem[a] sui factoris suscepit, uerbo diuinae legis
impleuerit per | momenta. Quoniam, sicut militi bellandi
robur et rus<tico> | colendi tribuitur uirtus, uentre
repleto esca substantiali, ita et | sermo legis diuinae appe-
tenti se contra diabolum uires tribuit | resistendi : per
190 quod contra hostem proprium et ipse uictor | exsistat, et
contra Ecclesiae hostes haereticos, si necesse fuerit, | cete-
ris membris robur scientiae tribuat dimicandi. Qui etiam |
receptaculum legis diuinae suum cor efficiendo, iam non
inuenit | hostis diabolus ubi suarum persuasionum ingerere
pabula pec|catorum. De quibus unus est ille qui clamat in
195 psalmo : *In corde | meo abscondi eloquia tua, ut non peccem
tibi*[b] ; et alio loco : *Legem | tuam, Deus, in corde meo bene
nuntiaui, et iustitiam tuam in | ecclesia magna*[c]. |

17. Isti igitur tales quidquid de campo legis diuinae ad
ani|mae uitam in suam congregant mentem — siue exhor-

16 a. Cf. Gen. 1,26   b. Ps. 118,11   c. Ps. 39,9-10

1. « Ils reçoivent leur nom dans le corps de l'Église d'après la
grâce qui leur a été donnée » (cf. note à VII, 62). Apponius s'efforce
de découvrir dans chacune des parties du corps de la bien-aimée un
charisme propre. L'œil est celui qui guide : tel est le charisme des
sacerdotes (III, 311), *ducatum toto corpori Ecclesiae praebendo* (VI,
19-20). Les joues, par leur rougeur, représentent la chasteté (VI,
129-130). Les cheveux, qui ornent la tête, représentent la miséricorde
de ceux qui, par la générosité de leurs dons, recouvrent de leur
richesse tout le corps de l'Église (VI, 37-38 ; VIII, 1033). Les dents,
comparées à des brebis tondues qui sortent du bain, sont les nouveaux
baptisés (VI, 92 ; VIII, 1060). De même pour les autres parties du

qui, grâce à leur intelligence rationnelle, sont, sans se laisser persuader par le diable, revenus à la connaissance du créateur, et qui sont, vu la qualité de leur labeur, insérés parmi les membres de l'Église, reçoivent leur nom, dans le corps de l'Église, d'après la grâce qui leur a été donnée [1].

16. Parmi eux, celui-là est à juste titre regardé comme le *ventre* de l'Église, qui aura continuellement rempli de la parole de la loi divine l'intelligence rationnelle en laquelle il a reçu l'image et la ressemblance [a] de son créateur. Car, de même qu'un ventre rempli d'une nourriture substantielle donne au soldat la force de combattre et au campagnard la vigueur pour cultiver, de même aussi la parole de la loi divine donne à celui qui la recherche des forces pour résister au diable. Ainsi, il sera lui-même vainqueur de son ennemi personnel, et, si cela est nécessaire, il donnera aussi aux autres membres la force de la science du combat contre les hérétiques ennemis de l'Église. Et de plus, puisqu'il a fait de son cœur le réceptacle de la loi divine, son ennemi le diable ne trouve plus la place d'introduire les aliments que sont ses incitations au péché. De ce nombre est celui qui crie dans le psaume : « En mon cœur j'ai caché tes paroles, pour ne pas pécher contre toi [b] », et ailleurs : « En mon cœur, ô mon Dieu, j'ai bien annoncé ta loi, ainsi que ta justice dans la grande assemblée [c]. »

17. Tout ce que de tels hommes récoltent des plaines de la loi divine et recueillent en leur esprit pour la vie de l'âme vise au profit de tous les membres de l'Église.

---

corps : nez, cou, ventre, etc. Plus loin, le même principe sera repris sous une forme équivalente : « Chacun reçoit son nom parmi les membres de l'Église d'après l'activité dans laquelle il est le plus expert » (X, 394-395 ; cf. VII, 261-264). C'est là « la grâce qui leur a été donnée ». Voir aussi X, 472. − ORIGÈNE, de même, distingue les membres du corps du Christ d'après « les mérites de leurs fonctions et de leurs œuvres » : *Comm. sur le Cant.*, II, 4, 5 (*SC* 375, p. 332).

200 tationis | sermonem de uno et legitimo toro immaculato ᵃ
coniugii secun|dum praeceptum Apostoli possidendo, seu
integritatis et pudici|tiae conseruandae, — uel rectae fidei
adsertionem competentibus | testimoniis fultam : quomodo
tres in una et una in tribus perso|nis deitatis maiestas sit ;
205 et quomodo inter multa *triticea* uerba | Dei unum illud
granum uerum Verbum sit, quod non angelorum | ore,
sicut dicitur : *Factum est uerbum Domini* ᵇ ad illum uel
illum | prophetam, sed proprio ore Patris, non factum, sed
eructando | genitum, ad salutem captiuorum uel famem
patientium homi|num misit in terris, — uel quaecumque
210 rationabiliter interpreta|ta diuinorum librorum ab antiquis
patribus in se congregant | retinendo — ad omnium mem-
brorum Ecclesiae respicit lucra. |

18. Recte enim huius studii *uenter* Ecclesiae, *aceruo tri-
tici* | comparati, intelleguntur : qui iam a palearum leuitate
separati | *grauitate morum*, pudicitiaeque *liliis circumdati*,
215 illius splendi|dissimi grani *tritici* expresserunt in se imagi-
nem qui pro totius | mundi uita in terra ᵃ absconsus est
singularis, homini suo com|patiendo, et in toto mundo pul-
lulantia credentium in se, resur|gendo, frutecta porrexit.

17 a. Cf. Hébr. 13,4   b. Cf. I Sam. 15,10
18 a. Cf. Jn 12,24-25

————————

1. Une des nombreuses et heureuses formules par lesquelles Apponius énonce le mystère trinitaire. *Deitatis maiestas* est ici l'équivalent
de *deitas* (XI, 291) ou *deitatis potestas* (I, 610). Cf. Note complémentaire
VI, sur *Maiestas*, t. II, p. 337. – *rectae fidei adsertionem competentibus
testimoniis fultam :* c'est le privilège des « âmes attentives à la parole
de Dieu » de pouvoir appuyer leur foi en la Trinité sur des témoignages
tirés de l'Écriture, au contraire des âmes simples, incapables de rendre
compte de leur foi, qui s'en remettent à la science des docteurs. Cf.
VIII, 1059.
2. L'abondance des grains constituant « le monceau de froment »,
c'est la riche variété des paroles de Dieu dont le message a été « fait
de la bouche des anges » à tel ou tel prophète. Le grain véritable,
l'unique Verbe de Dieu, n'a pas été « fait », mais prononcé, « engendré

Ainsi les paroles d'exhortation à garder immaculé le lit conjugal[a] unique et légitime, selon le précepte de l'apôtre ; ou à conserver la virginité et la pureté. Ainsi l'affirmation de la foi droite appuyée sur les témoignages appropriés : comment il y a trois personnes en une unique majesté divine, et une unique majesté en trois personnes[1] ; et comment, parmi les nombreuses paroles de Dieu, pareilles au *froment*, il y a un grain unique et véritable, cette Parole de Dieu qui ne sort pas de la bouche des anges − selon qu'il est dit : « La parole de Dieu fut adressée à tel ou tel prophète[b] » −, mais de la propre bouche du Père : Parole qu'il n'a pas créée mais engendrée en la prononçant[2], et qu'il a envoyée sur terre pour le salut des hommes qui étaient captifs ou souffraient de la faim. Ainsi tout ce qu'ils recueillent en le gardant en eux des interprétations spirituelles des livres divins données par les anciens Pères[3].

18. C'est donc à juste titre que ceux qui s'emploient à cette étude sont désignés comme le *ventre* de l'Église et comparés à un *monceau de froment* : déjà séparés de la légèreté de la balle par la gravité de leurs mœurs et *entourés des lys* de la pureté, ils ont reproduit en eux l'image de ce merveilleux grain de *froment* qui, pour la vie du monde entier, a été enfoui seul dans la terre[a], partageant la souffrance de son humanité[4], et qui, par sa résurrection, a fait pulluler dans le monde entier les pousses que sont ceux qui croient en lui. Glorieux donc

---

de la propre bouche du Père ». Apponius rejoint ici l'énoncé du symbole de Nicée-Constantinople : *genitum, non factum*.

3. *Quaecumque rationabiliter interpretata diuinorum librorum ab antiquis patribus* : allusion importante à l'œuvre exégétique des « anciens pères ». Apponius avait parlé des « anciens maîtres » dont il entendait suivre les traces (Prol., 26). Ces titres de « maîtres » et de « pères » sont employés concurremment aux ${iv}^e$ et ${v}^c$ siècles (cf. J. Liébaert, art. « Pères de l'Église », *Catholicisme*, 10, 1229-1231).

4. *homini suo compatiendo* : sur cette *compassio*, voir note à IX, 570.

Gloriosi ergo et merito digni, in quibus | Ecclesia de errore
220 ignorantiae ad se uenientes concipit, et eorum | uitae
exemplo parit animas caelo renascentes. Sed tamen omnia
| supradicta bona *liliorum* candor castitatis decorare mons-
tratur, | dicendo : *Venter tuus sicut aceruus tritici uallatus
liliis.* Conue|nit ergo ut huiusmodi intus conclaui cordis
grano sanctorum | uerborum repletus sit, foris autem in
225 corpore omni sit pudicitiae | splendore *uallatus.* |

CXIV   **19.** Dvo vbera tva sicvt dvo hinvli gemelli
(VII, 3) capreae. Hoc | igitur ratio naturae exposcit, ut, cum
impletus fuerit ex concep|tu feminus *uenter*, horrea lactis
nascituro in augmentum *ube|rum* construantur, ne forte
230 nascenti in uita tota uita negetur. | Similis ergo mihi uidetur
huius plebis, quae *filia principis*[a] | nominatur, causa narrari : in
cuius corpore, id est congregatione, | alia intelleguntur esse
membra quae concipiunt, alia quae nu|triunt animas in
uita aeterna. Illi enim quorum uita in secreto est | et ab
hominum conuersatione habitatio procul, sancto exemplo
235 | paratas confirmatasque animas in Dei timore de tenebris
erro|rum nutriendas ad *ubera* adducunt : *uenter* Ecclesiae
intellegun|tur. Hi uero uices *uberum* in Ecclesiae corpore
agunt, qui sermo|nis doctrinae lacte paruulas animas in
amore Christi enutritas | ad maturam aetatem martyrii
perducunt. |

240   **20.** Qui ideo *duo* dicuntur et *gemelli*, quoniam de
utroque | nouo et ueteri testamento flores decerpunt ad
exuberandam in | cordibus suis sanam doctrinam. Et quia
mens eorum Deo, et | sermo eorum populis amabilis appro-

---

19 a. Cant. 7,1

1. Ici et au paragraphe suivant, Apponius attribue aux moines et
à leur exemple un rôle actif dans la naissance des âmes à la vie
chrétienne. Cf. Introd., p. 97.

et dignes de mérite, ceux en la personne desquels l'Église conçoit les âmes qui viennent à elle en quittant l'erreur de l'ignorance, et les enfante, grâce à l'exemple de leur vie, lorsqu'elles renaissent au ciel[1]. Et cependant le texte montre que l'éclat des *lys* de la chasteté embellit encore tous les biens déjà mentionnés : « *Ton ventre*, dit-il, *est comme un monceau de froment entouré de lys.* » Il convient donc qu'une personne de cette sorte soit à l'intérieur, dans le sanctuaire de son cœur, remplie du grain des saintes paroles, et qu'à l'extérieur, dans son corps, elle soit *entourée* de toute la splendeur de la pureté.

Ses seins : ceux qui nourrissent les âmes encore petites

19. « TES DEUX SEINS SONT COMME LES DEUX FAONS JUMEAUX D'UNE BICHE. » La nature exige que, lorsque le *ventre* d'une femme a été rempli par suite de la conception, se constituent pour celui qui va naître des réserves de lait, qui gonflent les *seins*, de crainte qu'à celui qui naît à la vie toute vie ne soit refusée. Semblable situation est exposée, à mon avis, à propos de cette nation qui est appelée *fille du prince*[a]. En son corps, c'est-à-dire dans cette communauté-là, autres sont, comprenons-le, les membres qui conçoivent, autres ceux qui nourrissent les âmes de vie éternelle. Ceux en effet qui vivent dans le secret et habitent loin du séjour des hommes conduisent, par leur saint exemple, les âmes qu'ils ont préparées et affermies dans la crainte de Dieu, des ténèbres de l'erreur jusqu'aux *seins*, pour qu'elles soient nourries : il faut voir en eux le *ventre* de l'Église. Et ceux-là tiennent le rôle des *seins* dans le corps de l'Église, qui font parvenir les âmes encore petites, qu'ils ont nourries dans l'amour du Christ par le lait de la parole d'enseignement, jusqu'à l'âge adulte du martyre.

20. Il est dit qu'ils sont *deux* et *jumeaux*, parce qu'ils cueillent les fleurs des deux testaments, le nouveau et l'ancien, pour faire abonder dans leurs propres cœurs la saine doctrine. Et puisque leur esprit est aimable à Dieu

CXIV
(VII, 3)

batur, totum in eis caelestis | possidet amor. *Hinulis* uero
245 *gemellis* propterea similantur, ut et | pulchritudo sensus et
unitas similitudinis prophetarum doctri'nam et euangelio-
rum gratiam de lege mosaica simul per Spiri'tum sanctum
unius aetatis processisse doceret. *Capreae* autem | filiis
comparantur, quia, sicut didicerunt a lege mosaica Chris-
'tum uenturum, uitam omnium animarum, ita et eos quos
250 nu|triunt sua doctrina ad montes apostolicos necessitatis
tempore | confugere instruunt, sicut facere *capream* in aliis
locis iam | diximus : cui peculiare est in natura, insectatio-
nis tempore, | ueloci cursu ad montes confugere; quae et
acumen uisus et | uelocitatem cursus tota uita obtinet
255 iuuentutis, et filios suos, | quousque adolescant et magistri
efficiantur ad cursum, semper | abscondit. Ita et praedicti
qui uices *uberum* in corpore Eccle'siae agunt — secundum
Domini Christi praeceptum qui in tempore | persecutionis
fugere docet [a] —, ne forte in conflictu certaminis resi'stendi
260 deficiant uires, aut in haereticorum palaestra non solum |
minime superent, sed eorum uersutia teneantur captiui. |

CXV   **21.** COLLVM TVVM SICVT TVRRIS EBVRNEA. *Collum* opinor
(VII, 4)   eos | intellegi huius plebis qui *colla* sua sub iugum [a] prae-
ceptorum | Christi semel mittentes, numquam subducunt.
In quibus humili'tatis et patientiae candor gemmarum
265 irradians totam Ecclesiam | pulcherrimam reddit. Qui pro
toto Ecclesiae corpore decorando | persecutorum gladio

20 a. Cf. Matth. 10,23
21 a. Cf. Matth. 11,29

1. Apponius souligne vigoureusement l'unité entre ancien et nouveau
testament (cf. Introd., p. 62-63). Le nouveau sort de l'ancien (VII,
780); la doctrine des prophètes et la grâce des évangiles sont issues
de la loi mosaïque par l'effet du même Esprit saint (X, 245); nouveau
et ancien testament ont leur source en l'unique vrai Dieu (VIII, 1080);
l'ancien et le nouveau viennent du Dieu unique et tout-puissant (VI,
304). En affirmant cette unité, Apponius entend s'opposer à l'hérésie
manichéenne (VI, 309), qui rejoint par là celle de Marcion.

et leur parole aimable aux peuples, l'amour céleste tient
en eux toute la place. Ils sont assimilés aux *faons jumeaux*
pour que la beauté de leur sens et l'unité que crée leur
ressemblance nous enseignent que la doctrine des prophètes et la grâce des évangiles sont sorties ensemble de la
loi mosaïque, par l'effet de l'Esprit saint, et qu'elles ont
le même âge[1]. Ils sont comparés aux petits d'une *biche*
parce que, de même qu'ils ont appris de la loi mosaïque
que le Christ devait venir, lui la vie de toutes les âmes,
de même ils apprennent à ceux qu'ils nourrissent de leur
doctrine à fuir en cas de nécessité vers les montagnes
des apôtres, comme le fait la *biche,* ainsi que nous
l'avons déjà dit ailleurs[2] : il lui est particulier et naturel,
lorsqu'elle est poursuivie, de s'enfuir rapidement vers les
montagnes. Elle garde aussi toute sa vie l'œil perçant et
la course rapide de la jeunesse, et elle cache toujours
ses petits jusqu'à ce qu'ils grandissent et deviennent des
maîtres à la course. Ainsi font aussi ceux dont nous
avons parlé, qui dans le corps de l'Église jouent le rôle
des *seins* — selon le précepte du Christ Seigneur qui
enseigne à fuir au temps de la persécution[a] —, de crainte
qu'ils ne manquent de forces pour résister dans le choc
du combat, ou que, dans les luttes avec les hérétiques,
non seulement ils ne soient pas vainqueurs, mais que
l'habileté de leurs adversaires ne les retienne captifs.

**Son cou :
les martyrs**

21. « TON COU EST COMME UNE TOUR
D'IVOIRE. » Je pense qu'il faut voir
dans le « *cou* » ceux qui, dans cette
nation, une fois leurs *cous* mis sous le joug[a] des
préceptes du Christ, ne les en retirent jamais. En eux
l'éclat resplendissant des pierreries que sont l'humilité et
la patience rend toute belle l'Église tout entière. Pour
parer tout le corps de l'Église, ils sont devenus, en
tendant leurs *cous* au glaive des persécuteurs, tout proches

CXV
(VII, 4)

2. En III, 26, etc.

colla obiectantes, proximi facti sunt capiti ⏐ Christo, quem
pro se mortuum esse cognoscunt. Qui gloriosum ⏐ exemplum martyrii a capite Christo susceptum ad totum cor-
⏐pus Ecclesiae posteris profuturum transmittunt. Qui digne
270 *turri* ⏐ *eburneae* comparantur, dum in toto mundo altis uirtutibus ab ⏐ omni populo et clariores conspiciuntur. In quibus nihil carnalis ⏐ sensus fragilitatisque, sed totum rationabilis et fortitudinis ob⏐tinuit spiritus, *ebori* comparan-
dus : qui, quamdiu carne obtegi⏐tur, non apparet
275 pretiosus ; cum autem a carne fuerit separatus, ⏐ tunc ad
ornatum proficit regis uel consulis. Ita et supradicti : ⏐ tunc
apparet pretiosa eorum anima, pretiosa morte ab omni ⏐
culpa limpidata ; tunc erit thronus uel *turris eburnea*, ubi
Deus ⏐ per uirtutem signorum sedere conspicitur, cum a
corpore fuerit ⏐ separata. Et qui moribus bestiae fuerant
280 dum carnaliter uiue⏐rent aliquando, nunc, agnito creatore,
pretiosa materia in con⏐spectu Domini per pretiosam
effecti sunt mortem [b]. ⏐

CXVI   **22.** **O**CVLI TVI SICVT PISCINAE IN **E**SEBON QVAE SVNT IN
VII, 4)   PORTA ⏐ FILIAE MVLTITVDINIS. In *oculis* scilicet Ecclesiae,
pro eo quod ⏐ *piscinis Esebon* comparantur, illi uidentur
285 ostendi qui siue pro ⏐ suis aliquando commissis, seu pro
alienis criminibus, fontes ⏐ proferunt lacrimarum et, sus-
cepta lugendi beatitudine [a] ad alios ⏐ exemplum paenitentiae, ducatum praebentes, transmittunt. Et ⏐ cum sint
immaculati a suis, aliena facinora quasi sua deplorant. ⏐

21 b. Cf. Ps. 115,15
22 a. Cf. Matth. 5,5

---

1. Les miracles que Dieu accomplit aux tombeaux des martyrs
manifestent qu'il se glorifie en leur âme, maintenant séparée. C'est ce
qui était déjà dit à la l. 270. — Sur les miracles des martyrs, cf. VI,
123 ; IX, 671 ; X, 533.

2. « Aimer le prochain comme nous-mêmes », c'est aussi souffrir de
ses fautes comme des nôtres, car elles atteignent pareillement le Christ.
Saint GRÉGOIRE LE GRAND demande cette attitude au futur pasteur :
« Il pleure les fautes d'autrui comme si c'étaient les siennes. Il compatit

de la tête, le Christ, qu'ils savent être mort pour eux. Ce glorieux exemple du martyre, qu'ils ont reçu de la tête, le Christ, ils le transmettent à tout le corps de l'Église, pour qu'il serve à ceux qui suivront. C'est à juste titre qu'ils sont comparés à une *tour d'ivoire*, puisque dans le monde entier l'éminence de leurs miracles et leur si grand éclat attirent le regard de tout le peuple. En eux l'esprit n'a rien gardé de l'instinct ni de la fragilité de la chair, mais tout de la raison et de la force ; il faut le comparer à l'*ivoire*. Tant que celui-ci est recouvert de chair, il n'apparaît pas précieux ; mais lorsqu'il est séparé de la chair, alors il sert d'ornement au roi et au consul. De même, ceux dont nous avons parlé : lorsque leur âme a été purifiée de toute faute par une mort précieuse, alors elle apparaît précieuse. Et lorsqu'elle aura été séparée de son corps, alors elle sera le trône ou *la tour d'ivoire*, où Dieu siège et se manifeste par la puissance des miracles[1]. Et ceux dont les mœurs avaient été jadis celles des bêtes, quand ils vivaient selon la chair, sont, maintenant qu'ils ont connu leur créateur, devenus par leur mort précieuse une matière précieuse[b] aux yeux du Seigneur.

Ses yeux :
ceux qui pleurent
sur leurs péchés
ou ceux des autres

22. « TES YEUX SONT COMME LES PIS- **CXVI**
CINES D'ÉSÉBON QUI SONT À LA PORTE **(VII, 4)**
DE LA FILLE DE LA MULTITUDE. » Par
les *yeux* de l'Église, puisqu'ils sont
comparés aux *piscines d'Ésébon*, sont
désignés, semble-t-il, ceux qui, soit pour les fautes qu'ils ont naguère commises, soit pour celles d'autrui, versent des fontaines de larmes, et qui, ayant reçu la béatitude de ceux qui pleurent[a], transmettent aux autres l'exemple de la pénitence et les guident. Et tandis qu'ils sont purs de péchés personnels, ils déplorent ceux des autres comme si c'était les leurs[2]. Tout homme sage estime en

---

cordialement à leur faiblesse et se réjouit des avantages du prochain comme de ses profits à lui » (*Règle pastorale*, I, 10 : *SC* 381, p. 163).

Sapiens enim quisquis unum damnum in sua et proximi
290 culpa | deputat Christi. Qui uere huiusmodi congrue *oculis*
comparan|tur, qui aliorum membrorum facinorum maculas
suis fletibus | mundant. Qui ita hoc dono repleti sunt
peculiari ut, siue laetitia | regni caelorum narretur seu
gehennae tristitia, uena in eis non | desinat lacrimarum :
295 qualis erat magnus ille Hieremias, qui pro | peccatis populi
lamentando aiebat : *Quis dabit capiti meo aquam | et oculis
meis fontem lacrimarum, et plorabo die ac nocte interfec|tos
filiae populi mei* [b] ? |

23. De quibus ipse Dominus Christus dicit : *Beati qui
nunc | lugent, quia ipsi consolabuntur* [a]. Qui numquam a
300 lacrimis conti|nendo similes efficiuntur *piscinis* urbis *Ese-
bon*, quae «cogitatio | maeroris» siue «cingulum maeroris»
interpretatur. Quae ciuitas | fuit Amorreorum — qui
«amari» interpretantur —, ubi propter | comitatum regis,
populi *multitudo* habitabat, quae de *piscinis | Esebon*
305 nutriebatur aqua. Qui *oculi*, per hanc comparationem, | ita
suis lacrimis docentur ab imminente periculo gladii uel |
cuiuslibet flagelli [suis lacrimis] populum liberare, sicut
piscinae | Esebon urbis habitatores a sitis periculo libera-
bant. |

24. Haec ergo *Esebon* urbs, cuius *piscinis* huius *filiae
princi|pis* [a] *oculi* comparantur; in qua regnum tenuit rex
310 Seon, qui | «germen inutile» interpretatur; quam, inter-
fecto rege cum habi|tatoribus, destruxit et reaedificauit
Israhel [b]; et facta est posses|sio Israhelis, qui, interfecto in

22 b. Jér. 9,1
23 a. Matth. 5,5
24 a. Cant. 7,1   b. Cf. Nombr. 21,25-31

1. « ... ceux qui pleurent *maintenant...* » Sur cette variante de *Matth.*
5,5, cf. III, 248, et Introd., p. 61.
2. *Hebr. Nom.*, 17, 26. Cf. X, 326.337. Origène donne seulement
comme étymologie de *Esebon : cogitationes* (*Hom. in Num.*, XIII, 1 :
Werke, VII, p. 108, l. 30).

effet qu'il y a dans sa propre faute et dans celle du
prochain un même dommage pour le Christ. C'est fort
à propos que de telles gens sont comparés aux *yeux*,
eux qui par leurs larmes purifient les souillures des
péchés des autres membres. Ils sont tellement comblés
de ce don particulier que, si l'on parle aussi bien de la
joie du royaume des cieux que de la tristesse de l'enfer,
le flot de leurs larmes ne tarit pas. Tel était ce grand
Jérémie qui disait, en se lamentant sur les péchés du
peuple : « Qui me donnera de l'eau pour ma tête, et
pour *mes yeux* une fontaine de larmes, et je pleurerai
jour et nuit sur les morts de la fille de mon peuple[b]. »

23. A leur sujet, le Christ Seigneur déclare lui-même :
« Bienheureux ceux qui pleurent maintenant[1], car ils
seront consolés[a]. » Ne s'arrêtant jamais de pleurer, ils
deviennent semblables aux *piscines* de la ville d'*Ésébon*,
dont le nom signifie « pensée de tristesse » ou « ceinture
de tristesse[2] ». C'était une cité des Amorréens − dont le
nom signifie « amers »[3]. C'est là que vivait, à cause de
la cour du roi, *la multitude* du peuple, et c'est des
piscines d'Ésébon qu'elle était ravitaillée en eau. Cette
comparaison nous apprend que ces *yeux*, par leurs larmes,
libèrent le peuple du danger imminent du glaive ou de
n'importe quel fléau, comme les *piscines d'Ésébon* déli-
vraient les habitants de la ville du danger de la soif.

24. Telle était donc la ville d'*Ésébon*, aux *piscines* de
laquelle sont comparés *les yeux de cette fille du prince*[a].
Là a régné le roi Séon, dont le nom signifie « germe
inutile »[4]. Israël, après avoir massacré le roi et les habitants, l'a détruite et reconstruite, et elle est devenue la
possession d'Israël[b]. Une fois tué en elle le « germe

3. Cf. I, 163-164.
4. *Hebr. Nom.*, 20, 15. Autres étymologies chez Origène : *Hom. in
Num.* XII, 4 : *siue arbor infructuosa siue elatus* (*Werke*, VII, p. 104, l. 5).

ea «germen inutile», coepit in ea | «germen» necessarium et
ad omne opus bonum utile ᶜ *multiplicari*. | Sunt ergo mul-
315   tae animae in quibus spiritus «maeroris» collocaue|rat
sedem ; ubi rex «amaritudinis» gaudii dulcedinem, spem
uitae | aeternae nuntium, ingredi non patiebatur. Sed ubi
uenit scientia | notitiaque legis diuinae, quae est mens cum
uirtute exercita | sensuum ᵈ sanctorum quibus spiritalis
intellegitur lex, et mente | Deus uidetur — quod inter-
320   pretatur Israhel —, destruitur in | anima iniquitas, aedifi-
catur benignitas; destruitur iniustitia, | aedificatur iusti-
tia ; destruitur impudicitia, aedificatur castitas ; | destrui-
tur auaritia, aedificatur largitas; destruitur «cogitatio |
maerorem» gehennae parturiens, aedificatur «cogitatio»
sancta aeternam laetitiam generans ; et ex diaboli habita-
325   culo efficitur | Spiritus sancti, uita commutata in melius. |

25. Nomen uero propter bonum exemplum stat : «mae-
ror» ad | paenitentiam commutatus magnis etiam uiris
comparationis | praestat exemplum, qui a suis liberi, ut
diximus, pro alienis | facinoribus affliguntur — sicut bea-
330   tus Danihel, Hieremias, Sala|thiel ᵃ, uel tres pueri, Ana-
nias, Azarias et Misahel ᵇ, pro alienis pecca|tis fecisse legun-
tur. Nam intelleguntur et illi Ecclesiae *oculi*, qui | prius
fuerunt contumeliosi Deo per sapientiam mundi, nunc |
uero studium scientiae, agnita ueritate, uertentes in legem
diui|nam, caecorum corde *oculi* facti sunt ᶜ, et Deum caeli,
335   quem per | inanem fallaciam, gentilium philosophiam,
inhonorabant, nunc | laudando et praedicando ueris adser-
tionibus in errore positis | caecis demonstrant ; et qui erant

---

24 c. Cf. Tite 3,1   d. Cf. Hébr. 5,14
25 a. Cf. Dan. 9,4-19 ; Bar. 1,15-3,8 ; Esdr. 9,6-15 ; IV Esdr. 3,1
b. Cf. Dan. 3,26-45   c. Cf. Job 29,15

---

1. *Hebr. Nom.*, 13, 21. Cf. V, 474.507-508.
2. Ci-dessus, l. 287.
3. « *Salathiel* » : allusion aux ch. 3-14 du *IVᵉ Esdras* (latin), prières

inutile », Israël commença à se *multiplier* en elle comme un « germe » nécessaire et utile à toute œuvre bonne[c]. Il y a donc beaucoup d'âmes en qui s'était installé l'esprit de « tristesse » et où le roi d'« amertume » ne tolérait pas de voir entrer la douceur de la joie, l'espérance messagère de la vie éternelle. Mais, lorsque viennent la science et la connaissance de la loi divine, c'est-à-dire que l'esprit possède une solide expérience des sens[d] sacrés grâce auxquels on comprend spirituellement la loi, et que l'on voit Dieu par l'esprit − ce que signifie « Israël »[1] −, alors dans l'âme est détruite l'iniquité, édifiée la bonté ; détruite l'injustice, édifiée la justice ; détruite l'impureté, édifiée la chasteté : détruite l'avarice, édifiée la libéralité ; détruite la « pensée » qui fait naître la « tristesse » de l'enfer, édifiée la « pensée » sainte qui engendre la joie éternelle : de demeure du diable, l'âme, sa vie devenue meilleure, devient la demeure de l'Esprit saint.

25. Cependant le nom (d'Ésébon) demeure à titre d'exemple utile : la « tristesse », changée maintenant en pénitence, offre un exemple de ressemblance même avec les grands hommes qui, comme nous l'avons dit[2], libres de fautes personnelles, s'affligent pour celles des autres : ainsi l'ont fait, nous le lisons, pour les péchés des autres, les bienheureux Daniel, Jérémie, Salathiel[a][3], et les trois enfants, Ananias, Azarias et Misaël[b]. Nous devons d'autre part voir aussi les *yeux* de l'Église en ceux qui d'abord ont été injurieux à l'égard de Dieu par la sagesse du monde, mais qui maintenant, une fois connue la vérité, orientant leur recherche de la science vers la loi divine, sont devenus des *yeux* pour les aveugles de cœur[c]. Ce Dieu du ciel qu'ils déshonoraient par la vaine erreur de la philosophie païenne, maintenant, dans leurs louanges et leur prédication, ils le font connaître par leurs affirmations véridiques aux aveugles établis dans l'erreur. Eux qui

et visions de Salathiel, c'est-à-dire d'Esdras : *ego Salathiel qui et Ezras* (3,1 dans l'éd. Weber de la *Vg*).

piscinae Esebon, id est «mae⌐ror» uel «cingulum maeroris»,
nunc auditores suos supradicto ⌐ conuersationis exemplo
aeterna laetitia «cingunt». |

26. Nasvs tvvs sicvt tvrris Libani qvae respicit
contra ⌐ Damascvm. Narrat historia regum[a] domum in
Libano a Salomo⌐ne aedificatam, in qua non incongrue opi-
namur potentissimum ⌐ regem, in magna laetitia constitu-
tum propter delectationis ⌐ aspectum, *turrem* altissimam
345 construxisse *quae respiceret contra* | *Damascum* ciuitatem.
Cui *turri* comparantur hi qui *nasus* huius ⌐ saepedictae
filiae principis intelleguntur. Sed quia omnia quae a ⌐
patriarchis uel prophetis gesta sunt spiritalem in se
continent ⌐ intellectum, *turris Libani*, cui *nasus* Ecclesiae
comparatur, «*tur*⌐*ris* turea» interpretatur, eo quod «tus»
350 *Libanum* patria dicitur | lingua ; *Damascus* uero «osculum
sanguinis» uel «potus sangui⌐nis» interpretatur. ⌐

27. Qui duo, «tus» et «potus sanguinis», *respiciunt* se, siue
enim in ⌐ Dei omnipotentis sacrificio, seu in exsecrando
diaboli, eo quod ⌐ nullum sacrificium sine istis celebrari ab
355 utrisque cultoribus | manifestum est : sicut in ueteri legi-
tur testamento, ubi in Dei ⌐ sacrificium et tus accendebatur
et hostiarum sanguis effundeba⌐tur ; quod simili ritu quidem, sed non simili fide, faciunt idolo⌐rum cultores, qui
tantis sacrificant diis quantos in eorum cordi⌐bus finxerit
360 satanas, qui uelut tyrannus omnia similia contra | creato-
rem facere gestit. ⌐

28. Fecit enim sibi Deus *turrem Libani*, id est suauissimi
⌐ odoris, in deserto per constructionem tabernaculi et
columnam ⌐ nubis uel ignis, de qua suis cultoribus loquere-

---

26 a. Cf. III Rois 7,2

---

1. « Toutes les actions des patriarches et des prophètes contiennent
en elles un sens spirituel ». Sur cette assertion, fondement de toute
l'exégèse d'Apponius, voir Introd., p. 64.

2. *patria... lingua* : cf. VII, 642, ainsi que V, 560 *(lingua nostra)*.

3. *Hebr. Nom.*, 5, 6 *(potus)* ; 68, 14 *(poculum)* ; etc. Cf. ci-dessous,
l. 366 et 368.

étaient des *piscines d'Ésébon* − c'est-à-dire « tristesse » ou « ceinture de tristesse » − à présent, par cet exemple de leur conduite, ils « ceignent » leurs auditeurs d'une joie éternelle.

Son nez : ceux qui discernent et détruisent les vices cachés

26. « TON NEZ EST COMME LA TOUR DU LIBAN QUI REGARDE VERS DAMAS. » Le livre des Rois[a] raconte que Salomon construisit une maison au *Liban*, et nous pouvons penser sans invraisemblance que c'est dans cette maison que ce roi très puissant, ravi de joie par le charme du paysage, construisit une très haute *tour qui regardait vers* la cité de *Damas*. A cette *tour* sont comparés ceux en qui nous devons voir *le nez de cette fille du prince* dont il est question. Mais parce que toutes les actions des patriarches et des prophètes contiennent en elles un sens spirituel[1], *la tour du Liban* à laquelle est comparé le nez de l'Église signifie « *tour* de l'encens », car *Liban* signifie « encens » dans notre langue paternelle[2]; quant à *Damas*, ce nom signifie « baiser de sang » ou « boisson de sang »[3].

CXVII (VII, 4)

27. Ces deux choses, l'« encens » et la « boisson de sang », sont mises *en regard* l'une de l'autre, soit dans le sacrifice au Dieu tout-puissant, soit dans le sacrifice exécrable au diable, car il est clair qu'aucun sacrifice n'est célébré sans elles par les adorateurs d'un culte comme de l'autre. C'est ce qu'on lit dans l'ancien testament où, pour le sacrifice divin, on brûlait de l'encens et on versait aussi le sang des victimes. C'est ce que font par un rite semblable les adorateurs des idoles, mais avec une foi bien différente : ils sacrifient, en effet, à autant de dieux que Satan en a façonnés dans leur cœur, lui qui, tel un tyran, brûle de tout faire contre son créateur de la même façon que lui.

28. Dieu s'est donc construit une *tour du Liban* − c'est-à-dire de très suave odeur − dans le désert, par la construction de la tente et par la colonne de nuée ou de feu d'où il parlerait à ses adorateurs : c'est de cette

tur : de qua legimus ⏐ eum ad Moysen et Aaron uel Mariam
365 locutum[a]. Fecit sibi e ⏐ contrario diabolus templa lucosque
uel fanaticos uates, de qui⏐bus et per quos, propinato sibi
«poculo sanguinis» per cruenta ⏐ sacrificia, deceptis suis
cultoribus loquebatur. Cum ergo diabo⏐lus deceptis hominibus cruenta amicitiarum suarum «oscula ⏐ sanguinis»
370 propinaret uel «pocula», fecit sibi omnipotens Deus ⏐ *tur-*
rem Libani, suauissimi odoris, ubi nullus foetor peccati
re⏐periretur, per carnem adsumptam de Maria Virgine.
Cuius *turris* ⏐ illa nubis praeferebat imaginem in deserto,
unde *respiciendo* ⏐ destrueret[b] diaboli regnum, cruenta
pocula blasphemiarum ho⏐minibus porrigentis. ⏐

375 **29.** De qua *turre* praedixit Esaias propheta : *Ecce Domi-*
nus ⏐ *ascendet super nubem leuem et ingredietur Aegyptum, et*
omnia ⏐ *simulacra eius conterentur*[a]. Quo utique sub uoca-
bulo Aegypti, ⏐ qui «tenebrae» interpretatur, huius mundi
errores tenebrosos ⏐ lux uera ad idolorum contritionem
380 ingressura praedicebatur. De ⏐ qua *turre* in alio loco ex Dei
Patris persona intellegitur idem ⏐ Esaias dixisse : *Plantaui*
uineam electam, et aedificaui turrem in ⏐ *medio eius*[b]. De qua   B⏐
idem Salomon ait : *Sapientia aedificauit sibi* ⏐ *domum, suf-*
fulsit columnas septem[c]. Quae utique septiformis spi⏐ritus,
385 ad fragilitatem carnis subleuandam ad consortium ma⏐ies-
tatis, per haec praedictae intelleguntur. Per cuius adsump-
tio⏐nem homines imaginem creatoris et similitudinem[d],
quam pec⏐cando amiserant, receperunt. Et necesse est

28 a. Cf. Ex. 33,8-10; Nombr. 12,4-5   b. Cf. Ex. 14,24
29 a. Is. 19,1   b. Is. 5,2   c. Prov. 9,1   d. Cf. Gen. 1,26

1. Cf. note à I, 659.
2. Le nombre 7 évoque souvent pour Apponius l'Esprit saint
« septiforme ». En V, 484 et IX, 184, c'est avec une référence explicite
à *Is.* 11,2-3 (cf. VI, 239; VII, 75; IX, 175.191; XII, 496). Cet Esprit
repose sur le Christ et par lui sur tous les chrétiens. Ici, à la
faveur des citations bibliques, l'Esprit est présenté comme l'agent de
l'incarnation, élévation de la « chair » jusqu'à l'union avec la divinité,

colonne, lisons-nous, qu'il parla à Moïse et à Aaron ou à Marie[a]. A l'opposé, le diable s'est construit des temples et des bois sacrés, avec des devins frénétiques : c'est de ces temples et par ces devins, une fois offert devant lui « le breuvage de sang » en de cruels sacrifices, qu'il parlait à ses adorateurs abusés. Lors donc que le diable offrait aux hommes abusés les cruels « baisers » ou « breuvages de sang » de son amitié, le Dieu tout-puissant s'est construit une *tour du Liban* de très suave odeur, en laquelle on ne pourrait trouver aucun relent de péché, au moyen de la chair qu'il a assumée de la Vierge Marie. Cette *tour*, la nuée dans le désert en présentait l'image : c'est en *regardant* de là qu'il devait détruire[b] le règne du diable, lequel offrait aux hommes les breuvages sanglants des blasphèmes.

29. C'est de cette *tour* que le prophète Isaïe a prédit : « Voici que le Seigneur montera sur une nuée légère : il entrera en Égypte et toutes ses idoles seront brisées[a]. » Or par le nom d'Égypte — qui signifie « ténèbres »[1] — il était prédit que la vraie lumière allait pénétrer dans les ténèbres des erreurs de ce monde pour que soient brisées les idoles. C'est de cette *tour*, comprenons-le, que le même Isaïe a dit ailleurs, de la part de Dieu le Père : « J'ai planté une vigne choisie et j'ai construit une *tour* en son milieu[b]. » C'est d'elle que le même Salomon a dit : « La Sagesse s'est édifié une maison : elle l'a soutenue de sept colonnes[c]. » Comprenons que ces colonnes ainsi prédites sont celles de l'Esprit septiforme[2] donné pour soulever la fragilité de la chair jusqu'à la communion avec la majesté. Par l'assomption de cette chair, les hommes ont retrouvé l'image et la ressemblance de leur créateur[d] qu'ils avaient perdues en péchant[3]. Et il est

---

mystère qui fait retrouver à l'homme l'image et la ressemblance du créateur. Cf. Introd., p. 87.

3. ... *imaginem creatoris et similitudinem... amiserant...* : sur cette affirmation, voir Introd., p. 97.

huic, prout possibile | est, comparentur uel similentur
homines credentes in eum, pro | quibus hostia immaculata
390 factus est Patris, qui digni sunt | odoratus Ecclesiae nun-
cupari. |

30. Et quia omnia magnifica opera quae Ecclesiae aedi-
ficant | corpus, nullus alius nisi Christus impleuit, singuli
nunc quique, | in Ecclesiae corpore, sanctorum, pro sua
possibilitate, singulo|rum membrorum officia gerunt. Et
395 quis in quo opere sollertior | fuerit, hoc et uocabulo in
membris Ecclesiae nominatur. |

31. Vnde hi mihi uidentur *nasus* Ecclesiae intellegi, qui-
bus | maior zelus et ardentior fides in destructionem idola-
triae inest. | Hi utique non frustra supradictae *turri* compa-
rantur, qui uitae | exemplo, uirtutibus refulgentes inter
400 gentiles positi, daemonum | culturam destruunt, potius
quam sermone. Qui inter ceteras | donationes gratiarum,
praescientiae munus promeruerunt. In | quibus Ecclesia,
quasi per olfaciendi officium, et prolongantem | iratum et
appropinquantem propitium Deum agnoscit. Quibus |
adnuntiantibus, aut futura aut praesentia mala mox
405 cognouerit | plebs, ad orationis ieiuniique et misericordiae
auxilium confu|giens liberatur, aut perpetuae pacis
coniunctionisque Spiritus | sancti bono laetatur odore. Per
quos plerumque occulta homi|num uitia in eis qui magni
putabantur arguuntur, et in despec|tis personis saepenu-
410 mero absconsa sanctitas reuelatur. In qui|bus Christus, qui
est caput Ecclesiae[a], orationum odore totius | plebis per-

---

31 a. Cf. Éph. 5,23

---

1. « Chacun reçoit son nom parmi les membres de l'Église d'après
l'activité dans laquelle il est le plus expert »: cf. X, 181 et la note.
Ajouter IX, 693 : « C'est en pratiquant l'activité dans laquelle elle se
voit plus vigoureuse que l'âme sage range ses bataillons pour combattre
le diable. »

2. *maior zelus* : K. S. FRANK, *Apponius*, p. 379, rapproche ce passage
de la Décrétale du Pape Sirice à Himérius de Tarragone (10 févr.

nécessaire que soient, dans la mesure du possible, comparés et assimilés à cette tour les hommes qui, croyant en
celui qui pour eux s'est fait la victime immaculée du
Père, sont dignes d'être appelés l'odorat de l'Église.

30. Et puisque personne d'autre que le Christ n'a pu
accomplir toutes les œuvres magnifiques qui construisent
le corps de l'Église, chacun des saints remplit maintenant,
dans le corps de l'Église, selon ses capacités, l'office d'un
de ses membres. Et chacun reçoit son nom parmi les
membres de l'Église d'après l'activité dans laquelle il est
le plus expert[1].

31. C'est pourquoi, me semble-t-il, il faut voir le *nez*
de l'Église en ceux chez qui se trouvent un plus grand
zèle[2] et une foi plus ardente à détruire l'idolâtrie. Ce
n'est pas sans raison en effet qu'ils sont comparés à la
tour en question, eux qui, vivant au milieu des païens
et y brillant par leurs vertus, détruisent le culte des
démons par l'exemple de leur vie plutôt que par leurs
discours. Entre toutes les autres grâces accordées, ils ont
mérité le don de la prescience. En eux l'Église, comme
par le sens de l'odorat, sait quand Dieu s'éloigne avec
colère ou quand il s'approche avec bienveillance. Et
lorsqu'ils le font savoir, le peuple, dès qu'il a appris les
maux qui vont arriver ou qui sont là, se réfugie dans le
secours de la prière, du jeûne et de la miséricorde, et
il est délivré ; ou bien il se réjouit de la bonne odeur
de la paix perpétuelle et de la communion avec l'Esprit
saint. Par eux, maintes fois, sont dénoncés les vices
cachés des hommes en ceux que l'on tenait pour grands,
et bien souvent révélée la sainteté cachée en des personnes que l'on méprisait[3]. En eux le Christ, qui est la tête
de l'Église[a], prend plaisir à jouir, en guise d'encens, du

---

385) : au Pontife romain, face aux abus, « *maior cunctis Christianis
religionis zelus incumbit* » (*PL* 13, 1152C).

3. Intéressant développement sur le charisme du discernement chez
les saints.

frui pro turis incenso delectatur, cum talium interces|sioni-
bus totum corpus Ecclesiae gaudet, quia uere, ut nobis |
natura est naribus suauissimos odores et foetores sterco-
rum | agnoscere, ita in eorum conuersatione uel praescien-
415 tiae dono, | Ecclesia agnoscit sancte uiuentes Deo laetitiae
odores conferre, | et impie agentes foetores tristitiae. |

CXVIII-
CXIX
(VII, 5)

32. Capvt tvvm vt Carmelvs, et comae capitis tvi
sicvt | pvrpvra regis ivncta canalibvs. *Caput* huius ple-
bis reges | romanos datur intellegi, illos dumtaxat qui,
420 agnita ueritate, | Christo supplicem exhibent famulatum.
A quibus piae leges, | ueneranda pax et sublimis humilitas

1. Le verset *Cant.* 7,5 (6), tel qu'Apponius le lisait, offrait de
singulières difficultés. On y lisait *iuncta* au lieu du *uincta* de *Vg* (cette
leçon est bien attestée en X, 10 et ici, malgré les variantes des lignes
418, 440 et 454; de même pour le mot *coniuncta* en 442 et son
explication). Même sans ce détail, le texte de *Vg* était obscur. Là où
l'hébreu disait : « ... tes nattes sont comme la pourpre; un roi s'est
pris à tes boucles... » *(Bible de Jérusalem)*, la *LXX* et la *VL*, tout en
gardant la même construction, c'est-à-dire en rattachant « comme la
pourpre » au premier membre de phrase, ont employé à contresens,
au lieu de « boucles » ou « ondulations », les mots difficiles « *en
paradromais* », *in transcursibus*. La *Vg*, elle, a remplacé ces derniers
mots par *canalibus* et, de plus, rattaché *sicut purpura* à la seconde
partie du verset. On est bien loin du texte primitif ! Ces difficultés
n'ont pas arrêté l'exégèse intrépide d'Apponius. Il a vu dans ces
canales des gouttières qui recueillent, pour qu'elle serve à nouveau,
la pourpre qui dégoutte du manteau royal, lors de sa teinture (l. 455).
D'où les applications qu'il fait de ce verset.

2. L'expression *reges romani* (cf. *regnum romanum*, VII, 669.713)
employée pour désigner les empereurs est à remarquer; le mot *reges*
revient plus loin dans le même sens : *religiosissimi reges* (435); *purpura
circumdatum regem* (442-444). A Rome, ce ne sont pas les *duces et
reges* qui se sont convertis les premiers, mais les humbles, *subiecti
regibus* (X,26-28). — Aux exemples de *rex = imperator* donnés par
Blaise, *Dict.*, on peut ajouter ceux-ci empruntés à saint Jérôme : *omnes
autem reges romani a primo Gaio Caesare... Caesares appellati sunt :
Comm. sur S. Matthieu*, III, 22, 21 (*SC* 259, p. 148); *scimus enim
romanorum reges alios in gentem Iudaeam fuisse clementes..., alios
persecutores : In Zach.*, I, 6 (*CCL* 76 A, p. 792-793); *Philippum
imperatorem, qui primus de regibus Romanis Christianus fuit : De uir.
illustr.*, 54 (éd. Richardson, p. 32, l. 33).

parfum des prières de tout le peuple, lorsque tout le corps de l'Église se réjouit des intercessions de telles gens ; car véritablement, de la même façon qu'il est naturel pour nous de reconnaître par nos narines les parfums très suaves ou les puanteurs du fumier, de même, dans leur conduite ou grâce à leur don de prescience, l'Église reconnaît que ceux qui vivent saintement font monter pour Dieu, des parfums d'allégresse, et ceux qui vivent dans l'impiété, des puanteurs de tristesse.

**Sa tête :
les rois romains
chrétiens**

32. « Ta tête est comme le Carmel, et les cheveux de ta tête comme la pourpre royale jointe à des gouttières [1]. »

CXVIII-
CXIX
(VII, 5)

Dans la *tête* de ce peuple, il faut voir les rois romains [2], ceux du moins qui, après avoir reconnu la vérité, rendent au Christ un service soumis. D'eux, comme du *Carmel*, ont découlé, en un fleuve [3], des lois saintes, la paix vénérable et

---

3. *quasi de Carmelo fluuio* : un glossaire du viiie-ixe siècle note qu'Apponius « dit que le Carmel est un fleuve » (*CCL* 19, Introd., p. lxxiii). Nous avons nous aussi prêté cette erreur à Apponius (*ibid.*, p. lxxii-lxxiii, et note, p. 250). Il y a lieu de corriger cette interprétation, par trop étrange. D'abord, en comparant au Carmel la « tête » de la « fille du prince », Apponius montre bien qu'il voit dans le Carmel un sommet. Surtout, une traduction satisfaisante peut être donnée de l'expression apparemment surprenante : *quasi de Carmelo fluuio manauerunt*. Il suffit de rattacher *fluuio* à *manauerunt* et non à *Carmelo*. Une construction analogue se rencontre en X, 562, où *manare* est accompagné de l'ablatif *perpetua inundatione* : « Le vin excellent coule en un ruissellement perpétuel. » Ce qui invite à traduire ici : « D'eux, comme du Carmel, ont découlé en un fleuve des lois saintes... ». — Dans ces conditions, il ne faut pas lire non plus : *Carmelus fluuius « mollis »... interpretatur*, mais *Carmelus « fluuius mollis »... interpretatur*. C'est cette étymologie qui, à propos du Carmel, aura suggéré à Apponius l'image d'un fleuve. — Mais d'où peut venir pareille étymologie ? Jérôme, *Hebr. Nom.*, 26, 7, dit seulement : *Carmelus, mollis*, puis, comme Apponius, *siue cognitio circumcisionis*. Wutz, *Onom. sacra*, p. 187, n. 1, conjecture que l'étymologie « *fluuius mollis* » résulte d'une confusion avec l'une des étymologies de « Zabulon ».

erga cultum sanctae Eccle|siae, quasi de *Carmelo*, fluuio
manauerunt : eo quod *Carmelus* | «fluuius mollis» siue
«cognitio circumcisionis» interpretatur. Mol|lities autem ad
425 delicatam   mansuetudine   regni   personam   respi|cere
comprobatur, secundum saluatoris sententiam, qui ait : |
Ecce qui mollibus uestiuntur in domibus regum sunt[a]. Hi
sunt | uidelicet quibus, reuelante Deo, uera circumcisio non
in carnis | obtruncatione, sed in anima desecanda, cognita
facta est. |

33. De quibus Ecclesiae per Esaiam prophetam promis-
430 sum | est, dicendo : *Erunt reges nutricii tui, et reginae
nutrices tuae.* | *Vultu in terra dimisso, puluerem pedum tuo-
rum lingent*[a]. Qui | uerissima ratione, sub Christo rege
regum[b] militantes, omnium | *capiti* Christo *coniuncti, caput
huius plebis intelleguntur quae,* | ex *filia principis*[c]
435 mundi, Dei effecta probatur. Nam in tantum | religiosis-
simi reges uices Dei agentes in terris *caput* christianae |
plebis esse noscuntur, ut, si quando morbo hereticae conta-
gionis | aut persecutionis corpus Ecclesiae coeperit infir-
mari, aut ipso|rum auctoritate ad pristinam sanitatem
reformatur, si sani | fuerint in fide[d] ; aut, si insani, per
ipsos infirmari necesse est. |

440 **34.** *Comas* autem *capitis regali purpurae* comparatas
iunctae | *canalibus*, eas personas intellegere possumus, quae
Christum | uenerantes, lateribus regum *coniunctae* sunt.
Quae ita ministerio | suo decorant regem, sicut *comae caput*
decorare probantur ; et | sicut *purpura* circumdatum regem
445 fulgentissimum reddit, ita | et praedictae personae, largi-
tate, benignitate, amore religionis | sanctae, ueri imperato-

32 a. Matth. 11,8
33 a. Is. 49,23   b. Apoc. 17,14 ; 19,16 ; I Tim. 6,15
c. Cant. 7,1   d. Cf. Tite 2,2

1. *reges :* cf. note à la ligne 419.

l'humilité sublime à l'égard de la religion de la sainte Église, car *Carmel* signifie « fleuve délicat » ou « connaissance de la circoncision ». La « délicatesse » concerne évidemment la personne aimable par la mansuétude de son règne, selon la parole du Sauveur qui dit : « Ceux qui sont vêtus avec délicatesse se trouvent dans les demeures des rois[a]. » Il s'agit de ceux qui, grâce à la révélation de Dieu, ont connu que la vraie « circoncision » n'est pas dans la mutilation de la chair, mais dans les retranchements imposés à l'âme.

33. C'est à leur sujet que cette promesse a été faite à l'Église par le prophète Isaïe : « Des rois seront tes pères nourriciers et des reines tes nourrices. Face contre terre, ils lécheront la poussière de tes pieds[a]. » A très juste titre, puisqu'ils combattent sous le commandement du Christ, le roi des rois[b], et puisqu'ils sont *joints* au Christ, *tête* de tous les hommes, il faut voir en eux la *tête* de cette nation qui, de *fille du prince*[c] de ce monde, est devenue *fille* de Dieu. Car ces rois très religieux[1] qui tiennent sur terre la place de Dieu apparaissent à tel point comme la *tête* du peuple chrétien que, si jamais le corps de l'Église vient à souffrir du mal contagieux de l'hérésie ou de celui de la persécution, alors ou bien il retrouve sa santé première grâce à l'autorité de ces rois, si leur foi est saine[d] ; ou bien, nécessairement, si elle ne l'est pas, il se trouve malade à cause d'eux.

Ses cheveux :
les grands, fidèles
jusqu'au martyre

34. Quant aux *cheveux de la tête*, qui sont comparés à la *pourpre royale jointe à des gouttières*, nous pouvons y voir ces personnages qui, vénérant le Christ, se tiennent aux côtés des rois, *joints* à eux. Par leurs charges ils embellissent le roi, de même que les *cheveux* embellissent la *tête*. Et de même que la *pourpre* donne un grand éclat au roi qui en est revêtu, de même ces personnages, par leur libéralité, leur bienveillance, leur amour pour la sainte religion, sont l'orne-

ris Christi, qui est *caput* Ecclesiae [a], corpus | exornant. Nam sicut *comae*, pro uelamento gloriae, *caput* reginae | pulcherrimum reddunt, ita et praedicti corpus Ecclesiae sua | ueneratione suisque muneribus decorare probantur, maxime | dum per confessionem martyrii de eorum effuso sanguine *pur|puratur* Ecclesia, per quos sanctorum sanguis consueuerat ante | effundi. |

35. Qui ita in fide Trinitatis Ecclesiae *capiti* deuincti mon|strantur, sicut *regalis purpura*, suscepto concilii liquore, *iuncta* | *canalibus*, quibus decurrens sucus suscipitur, iterum profuturus. | Ita et martyres saepedicti, et ipsi per suam confessionem Eccle|siam decorauerunt, suum sanguinem fundendo, et aliis profi|ciunt qui eorum intercessionibus misericordiam consequuntur uel | eorum exempla sequi desiderant. |

36. Haec est igitur decem membrorum totius corporis huius | plebis mirabilis *pulchritudo*, quae implendo decem praecepto|rum decalogum, nullam in se partem membrorum foedam reli|quit nec sine charismatum donationis gratia decoratam. Quibus | ornamentis ornatam Ecclesiam beatus edocuit magister gen|tium Paulus, ita dicendo : *Alii datur manifestatio spiritus* — qui | utique corpus Ecclesiae portat : qui est Spiritus sanctus —, *alii* | *datur sermo sapientiae* — quae generat omne bonum [a] —, *alii sermo* | *scientiae, alii fides, alii gratia sanitatum, alii operatio uirtutum,* | *alii prophetatio, alii discretio spirituum, alii genera linguarum,* | *alii interpretatio sermonum. Haec autem operatur,* inquit, *unus* | *atque idem Spiritus, diuidens singu-*

---

34 a. Cf. Éph. 5,23
36 a. Sag. 7,12

---

1. Ici s'achève le long portrait de la « fille du prince » annoncé au début du l. X et développé en dix points correspondant à dix parties du corps de l'Église, d'après *Cant.* 7, 1-5.

ment du corps du Christ, le véritable empereur, lui qui est la *tête* de l'Église[a]. Car de même que les *cheveux*, comme un voile de gloire, donnent toute sa beauté à la *tête* de la reine, de même aussi ces gens-là embellissent le corps de l'Église par leur dévotion et leurs offrandes, cela surtout lorsque l'Église, par la confession de leur martyre, est *empourprée* du sang répandu de ceux par qui auparavant était habituellement répandu le sang des saints.

35. Ils apparaissent *joints* à la *tête* de l'Église dans leur foi à la Trinité, de même que la *pourpre royale*, lorsqu'elle a reçu la teinture du coquillage, est *jointe aux gouttières* qui recueillent le suc qui en découle, pour qu'il serve de nouveau. De même, les martyrs dont nous parlons ont, eux aussi, paré l'Église par leur confession en versant leur sang, et ils sont utiles aussi à d'autres, qui obtiennent miséricorde par leur intercession ou qui désirent suivre leurs exemples.

Beauté et variété de l'Église romaine... **36.** Telle est donc la merveilleuse *beauté* des dix parties de tout le corps de cette nation[1]. En accomplissant les dix commandements du décalogue, elle n'a laissé aucune partie de son corps qui soit laide, aucune qui ne soit embellie de la grâce du don des charismes. Que l'Église soit parée de ces ornements, le docteur des nations, le bienheureux Paul, nous l'a appris en disant : « A l'un est donné une manifestation de l'esprit — cet esprit qui vraiment porte le corps de l'Église, l'Esprit saint ; à un autre est donné un discours de sagesse — celle qui engendre tous les biens[a] ; à un autre, un discours de science ; à un autre, la foi ; à un autre, la grâce des guérisons ; à un autre, la puissance d'opérer des miracles ; à un autre, le don de prophétie ; à un autre, le discernement des esprits ; à un autre, la diversité des langues ; à un autre, l'interprétation des paroles. Mais, dit-il, c'est l'unique et même Esprit qui

lis prout uult [b] : hoc est prout | uiderit uniuscuiusque possi-
bilitatem. |

37. Sicut ergo his ornamentis *pulcherrima* redditur
anima, ita | e contrario, qui non impleuerit decem illa prae-
475 cepta, manu Dei | scripta [a], tradita per Moysen [b], necesse
est decem plagis quibus | Aegyptus flagellata est [c] casti-
gando foedari, unde uenit interna | paralysis, ut nullum
officium animae iam possit ad opus bonum | moueri. Et
inde est quod miramur plerumque terrenis actibus | ita
constrictos nonnullos, ut etiam flagellati non resipiscant a
480 | diaboli laqueis a quibus capti tenentur [d] futurum iudi-
cium cogi|tando unde nascitur omnis animae *decor.* In quo
saepedicta, | singulis membrorum officiis, laudibus corona-
tur, quae *deliciis* | temporalibus Christi improperium prae-
CXX   ponendo [e] meretur audi|re : Qvam pvlchra es et qvam
(VII, 6) decora, carissima, in deliciis. |
485 **38.** Liberata uidelicet a crudeli patre, *principe* mundi,
qui | eam genuerat per peccatum, ad antiquam *pulchritudi-*
nem in | paradisi *deliciis*, agnito uero Patre, per baptismi
sacramenta | reuocata, *pulchra* laudatur. Non sunt enim
iucundiores *deliciae* | animae, nisi cognitio et repropitiatio
490 creatoris. *In* quibus *deliciis* | haec persona *pulchra* lauda-
tur ; et quae consueuerat ut ramnus | uix cohaerens terrae
uideri, deos luteos adorando, nunc enutrita | beati apostoli

---

36 b. I Cor. 12,7-11
37 a. Cf. Sag. 7,12   b. Cf. Ex. 31,18   c. Cf. Ex. 7-12
d. II Tim. 2,26   e. Cf. Hébr. 11,26

---

1. Sur la forme donnée par Apponius à *I Cor.* 12,7, voir la note
à VII, 419.
2. Déjà Apponius (cf. notes à X, 181 et 394) a insisté sur la
diversité des charismes adaptée à la variété des personnes. Il redit ici
que la liberté avec laquelle Dieu les octroie *(prout uult)* tient pourtant
compte des aptitudes personnelles de chacun.

opère cela, distribuant ses dons à chacun comme il l'entend[b1] », c'est-à-dire selon les capacités qu'il discerne en chacun[2].

37. De même donc que par ces ornements l'âme est rendue toute *belle*, de même, à l'inverse, celui qui n'accomplit pas ces dix commandements écrits de la main de Dieu[a] et transmis par Moïse[b] est nécessairement enlaidi et châtié par les dix plaies dont l'Égypte[c] a été flagellée, et il s'ensuit une paralysie interne, si bien qu'aucune fonction de l'âme ne peut plus s'appliquer à une œuvre bonne. De là vient que nous voyons bien souvent, avec étonnement, certains hommes tellement entravés par les activités terrestres que, même flagellés, ils n'arrivent pas, à la pensée du jugement futur, de laquelle naît toute la *beauté* de l'âme, à revenir à eux et à s'arracher aux liens du diable qui les retiennent captifs[d]. Voilà en quoi cette nation dont nous parlons est couronnée de louanges pour l'activité de chacun de ses membres. Et puisqu'elle préfère aux *délices* de la terre l'opprobre du Christ[e], elle mérite d'entendre : « TRÈS CHÈRE, QUE TU ES BELLE ET QUE TU ES CHARMANTE EN TES DÉLICES. »

CXX (VII, 6)

... grandie par l'enseignement de Pierre et l'imitation des apôtres

38. Délivrée en effet de son père cruel, le *prince* de ce monde qui l'avait engendrée par le péché, rappelée, après avoir reconnu son véritable père, à son ancienne *beauté* grâce aux sacrements du baptême, elle est louée d'être *belle dans les délices* du paradis. Il n'y a pas en effet de plus agréables *délices* pour une âme que la connaissance du créateur et la réconciliation avec lui. C'est *en ces délices* que cette personne est louée d'être *belle*. Et elle qui apparaissait d'ordinaire comme un buisson presque collé au sol, lorsqu'elle adorait des dieux de fange, maintenant qu'elle a été nourrie de l'enseignement du bienheureux apôtre Pierre, dont elle

Petri doctrina, cuius *gressus* pro spe uitae aeter‖nae in sum-
mitatem *palmae* crucis perspexit intentos, ad *palmae* ‖
proceritatem prouecta est, cum ait : Statvra tva adsimilata ‖ est palmae, et vbera tva sicvt botrvs vineae. ‖

CXXI
(VII, 7)

39. *Statura palmae adsimilata*, uiri perfecti[a] in aeternitate ‖ sublimati indicium est. Quam docent Christi imitatores, imitando, ‖ similem imitatoribus factam ; de quibus
unus dicebat : *Imitato‖res mei estote, fratres, sicut et ego*
500 *Christi*[b]. *Adsimilata* illi scilicet ‖ de quo dixit propheta :
*Iustus sicut palma florebit, et ut cedrus ‖ Libani multiplicabi-
tur*[c]. *Adsimilata* utique apostolicis *palmis*, ‖ quorum nec in
hiemis tribulatione decore gaudii comae mutan‖tur aut
depereunt, et in aestatis laetitia florent. ‖

40. Quorum *pulchritudini*, eos imitando, haec *filia prin-*
505 *cipis*[a] ‖ *similatur* ; cuius *ubera*, ex similitudine *hinulorum*
capreae, botro ‖ suauissimo similantur, illi proculdubio cuius
gerebat imaginem ‖ *botrus* ille de terra repromissionis a
Iudaeis in deserto portatus[b]. ‖ Qui gemino ligno suspensus,
clauorum et lanceae ictibus expres‖so suo sanguine[c], iam
510 mortuum mundum reddidit uitae. Cuius ‖ imitatrix praedicta plebs effecta, gratissimos confessionis rectae ‖ fidei,
martyrii, omnisque iustitiae protulit *fructus*, quos ipsa ‖

---

39 a. Cf. Éph. 4,13   b. I Cor. 11,1   c. Ps 91,13
40 a. Cant. 7,1   b. Cf. Nombr. 13,21   c. Cf. Jn 19,34

---

1. Apponius voit les pieds de Pierre « tendus » vers le haut de sa
croix, dans l'espoir de la vie éternelle (cf. X, 49-51). − Noter un
curieux parallèle avec un sermon qui pourrait être de Chromace
(*Sermo* 42, dans *CCL* 9 A, p. 182, et étude de J. Lemarié dans
R. bénéd., 72, 1972, p. 105-108) : *Petrus sursum pedibus fixus est ut*
ad caelum uelocissimis gradibus properaret. − Ce thème de la crucifixion
de Pierre, la tête en bas, par humilité, se rencontre dans divers *Actes*
apocryphes, auxquels fait écho saint Jérôme, *De uiris illustribus*, 1 :
(Petrus) adfixus cruci, martyrio coronatus est, capite ad terram uerso
et in sublime pedibus eleuatis. − Les mots *pro spe uitae aeternae*
paraissent ici l'équivalent de *spe beatitudinis*, associé régulièrement par
Apponius à *Éph.* 6,15, qui parle des « pieds chaussés pour la prédication
de l'évangile » (VIII, 23 [et note].136.151).

a contemplé les *pieds* tendus [1], dans l'espérance de la
vie éternelle, jusqu'au sommet du *palmier* de la croix,
elle a grandi jusqu'à atteindre l'élévation du *palmier*. Et
le texte dit alors : « TA TAILLE EST DEVENUE SEMBLABLE À   CXXI
CELLE DU PALMIER, ET TES SEINS SONT COMME UNE GRAPPE   (VII, 7)
DE RAISIN. »

39. La *taille devenue semblable* à celle du *palmier* est
la marque de l'homme parfait [a] exalté dans l'éternité. Et
les imitateurs du Christ enseignent que c'est par l'imitation
que cette personne est devenue semblable aux imitateurs.
L'un de ceux-ci déclarait : « Soyez mes imitateurs, frères,
comme je le suis moi-même du Christ [b]. » Elle est donc
devenue semblable à la *taille* de celui dont le prophète
a dit : « Le juste fleurira [2] comme le *palmier* et croîtra
comme le cèdre du Liban [c]. » Elle est alors devenue
semblable aux palmiers que sont les apôtres : même dans
les tourmentes de l'hiver, leur frondaison garde sa joyeuse
beauté et ne dépérit pas, et dans l'allégresse de l'été elle
se couvre de fleurs.

**Ses fruits
réjouissent
maintenant
l'Âme du Christ**

40. En les imitant, cette *fille du
prince* [a] leur est devenue *semblable* en
beauté. Et ses *seins*, par leur similitude avec les *faons d'une biche*, ressemblent à une *grappe* délicieuse, à
celle sans aucun doute que préfigurait la *grappe* rapportée
par les Juifs de la terre promise au désert [b] : celle qui,
suspendue à deux barres de bois, a, par son sang versé
sous les coups des clous et de la lance [c], rendu la vie
au monde déjà mort. Devenue son imitatrice, la nation
dont nous parlons a produit les *fruits* très agréables de
la confession de la foi droite, du martyre et de toute
sorte de justice, *fruits* que cette âme bienheureuse qu'a

---

2. Sur la variante *floriet*, donnée pour *Ps.* 91,3 par le ms *S* (avant
correction), voir la note à VIII, 841.

beata anima quam Dei Sermo portauit *apprehendere* delec-
tetur | et cum gaudio Patri munus offerre — sicut ait :

CXXII
(VII, 8) *

Dixi : Ascendam | in palmam, apprehendam frvctvs
eivs. |

515   **41.** Quod uere luce clarius compleuit praedicta anima
Dei | Verbo unita tempore passionis. *Ascendit* enim *in pal-
mam* crucis, | et ibi quaesitos inuenit uictoriae *fructus* :
credulitatis *fructus*, | paenitentiae praeteritae uitae *fructus*,
castimoniae, misericor|diae, mansuetudinis, futurae et per-
520   petuae uitae. De quibus com|minabatur Iohannes baptista
infructuosis arboribus, dicendo : | *Facite ergo dignum pae-*
nitentiae fructum. Omnis enim arbor quae | *non facit fructum*
bonum excidetur et in ignem mittetur [a]. Huius | namque *filiae*
principis [b] infructuosae, nunc uirtutibus florenti | *adsimila-*
525   *tae palmae, apprehendit fructus* praedictos. Quae uere | ut
palma, post multorum annorum seriem, uix aliquando,
multo | labore doctorum apostolorum, saepedictos protulit
fructus. | Quos iam futuros in latronis paenitentia [c] *appre-*
hensos, quasi | primitias secum ad paradisum Patri offeren-
dos portauit. |

CXXIII
(VII, 8)

42. Et ervnt vbera tva sicvt botri vineae : illi pro-
culdu|bio *botri* quos palmites apostoli sua doctrina protule-
runt. De | quibus unus dicit : *Secundum euangelium Christi*
ego uos genui [a]. | Qui utique poenarum calcibus in torculari
mortis, martyrii | tempore, sunt calcati. Quorum liquor
exempli signorumque uir|tutum in toto mundo credentium

---

41 a. Matth. 3,8-10   b. Cant. 7,1   c. Cf. Lc 23,43
42 a. I Cor. 4,15

---

1. Le Verbe de Dieu « porte » et soutient l'âme qu'il a assumée.
Même image pour l'Esprit saint qui « porte » le corps de l'Église
(X, 466). Ailleurs il est dit que l'Esprit saint « soulève » la fragilité de
la chair (du Christ) jusqu'à l'union avec la majesté divine (X, 383).
Cf. Introd., p. 94.
2. La conversion du bon larron, le jour même de sa mort, est pour
Apponius le fruit le plus typique de la mort du Christ. D'où les

portée le Verbe de Dieu [1] se réjouit de *cueillir* et d'offrir
avec joie en présent au Père, ainsi qu'elle le déclare :
« J'AI DIT : JE GRIMPERAI AU PALMIER, ET J'EN CUEILLERAI
LES FRUITS. »

CXXII
(VII, 8)

41. Cela, au moment de la passion, cette âme unie
au Verbe de Dieu l'a vraiment réalisé de façon plus
claire que le jour. Elle a *grimpé* en effet au *palmier* de
la croix, et là elle a trouvé les *fruits* qu'elle cherchait,
ceux de sa victoire : *fruits* de la foi, *fruits* du repentir
de la vie passée, *fruits* de la chasteté, de la miséricorde,
de la douceur, de la vie future et éternelle. C'est à
propos de ces *fruits* que Jean Baptiste menaçait les arbres
stériles, en disant : « Produisez donc un digne *fruit* de
repentir. Car tout arbre qui ne produit pas un bon *fruit*
sera coupé et jeté au feu [a]. » De cette *fille du prince* [b],
jadis stérile et *devenue* maintenant *semblable à un palmier*
tout fleuri de vertus, cette âme *a cueilli* en effet ces
fruits-là. C'est après de nombreuses années que finalement
la *fille du prince*, vraiment comme un *palmier*, a produit,
grâce au long travail des apôtres ses docteurs, les *fruits*
dont nous parlons. Ces *fruits*, alors encore à venir, elle
les a déjà *cueillis* dans la conversion du larron [c], et elle
les a emportés avec elle au paradis, comme des prémices,
pour les offrir au Père [2].

42. « ET TES SEINS SERONT COMME DES GRAPPES DE
RAISIN » : ces grappes sans aucun doute que les *palmiers*,
les apôtres, ont produites par leur enseignement. L'un
d'entre eux déclare en effet : « Selon l'évangile du Christ,
c'est moi qui vous ai engendrés [a] [3]. » Elles ont été foulées
sous le talon des tourments dans le pressoir de la mort,
au temps du martyre. Leur jus, celui de leur exemple et
de la vertu de leurs miracles, réjouit dans le monde

CXXIII
(VII, 8)

nombreuses références à cette conversion : V, 717 ; VI, 253 ; VII,
121.684.758 ; VIII, 929 ; XII, 1113.

3. Apponius avait cité *I Cor.* 4,15 en VII, 381 suivant le texte
commun à *VL* et *Vg.* Il le fait ici très librement.

535 laetificat multitudinem. Quae | *ubera* his comparata non
infirmorum, sed fortium uirorum | scientiae cibo, qui ad
proelium contra hostem diabolum procedere possunt,
plena esse intelleguntur : qui et solidum cibum | probatissi-
mae uitae in se contineant, et laetitiae potum doctrinae.
Botri enim *uineae* ad utrumque sunt apti : et cibum esu-
540 rien|ti, et potum tribuunt sitienti. Quod etiam haec *ubera*
esurienti|bus iustitiam [b], uitae exemplo, et sitientibus
scientiam, exhorta|tionis sermone, facere approbantur. |

CXXIV
(VII, 9)

43. Et odor oris tvi sicvt malorvm pvnicorvm.
Gvttvr | tvvm sicvt optimvm vinvm, dignvm dilecto
545 meo ad po|tandvm, labiisqve eivs et dentibvs illivs
rvminandvm. *Os* | huius plebis mihi uidetur beatum Pau-
lum apostolum intellegi, | qui prior et solus ad urbem
Romam, quae caput est omnium | gentium, proprio
nomine epistolam destinauit [a]. De cuius episto|lae intelle-
550 gentia quasi per *os* loquitur catholicus doctor. In quo | *ore*
odor malorum granatorum, omnium redolent exempla sanc-
|torum, quorum sucus sanctimoniae de illius arboris
medulla | mali granati conceptus est, sub cuius umbra,
quam multo tem|pore desiderauerat, sedit sponsa [b]. Qui
hoc etiam, ut per hoc | ipsum probaret non se singulum,
555 sed multos sua doctrina hunc | *odorem* adeptos, ait : *Bene-*
dictus Deus et Pater Domini nostri | *Iesu Christi qui donauit*
nobis odorem notitiae suae in omni loco, | *quia Christi bonus*
odor sumus [c]. Quicumque ergo quantulumcum|que imita-
tores Pauli in supradicta plebe reperiuntur, ipsi dulcis|si-
mus *odor* eius comprobantur. |

---

42 b. Cf. Matth. 5,6
43 a. Cf. Rom. 1,1-7   b. Cf. Cant. 2,3   c. II Cor. 1,3;
2, 14-15

---

1. Noter cette insistance sur le caractère unique de l'épître aux
Romains et le fait qu'elle ne porte que le nom de Paul. Il n'est pas
fait allusion ailleurs aux liens de saint Paul, « docteur des nations »
(cf. note à I, 34), avec Rome, « tête de toutes les nations » (l. 547-548).

entier la multitude des croyants. Ces *seins* qui leur sont
comparés, il faut les voir remplis de l'aliment de la
science, qui n'est pas celui des faibles mais celui des
forts, capables de marcher au combat contre l'ennemi, le
diable. Ces *grappes* renferment en elles à la fois la
nourriture solide de la vie la plus parfaite et le breuvage
de joie de la doctrine. Car les *grappes de raisin* sont
aptes à fournir l'un et l'autre : nourriture à celui qui a
faim, et breuvage à celui qui a soif. De même font ces
seins pour ceux qui ont faim de justice[b], par l'exemple
de leur vie, et pour ceux qui ont soif de science, par
leurs paroles d'exhortation.

Paul est
le parfum
de sa bouche

43. « Et le parfum de ta bouche
est comme celui des grenades. Ton
gosier est comme un vin excellent,
dignε d'être bu par mon bien-aimé,
d'être savouré par ses lèvres et ses dents. » En la
bouche de cette nation, il faut reconnaître, me semble-t-il,
le bienheureux apôtre Paul qui, le premier et le seul, a
adressé en son propre nom une lettre à la ville de
Rome[a], qui est la tête de toutes les nations[1]. Dans
l'enseignement de cette lettre, le docteur catholique nous
parle comme par une *bouche*. Dans cette *bouche* embaume
le parfum des grenades, les exemples de tous les saints.
Le suc de leur sainteté est tiré de la moelle du *grenadier,*
cet arbre sous l'ombre duquel, après l'avoir longtemps
désirée, l'épouse s'est assise[b]. Et Paul dit encore, pour
prouver par là même qu'il n'est pas le seul, mais que
beaucoup, par son enseignement, ont acquis ce *parfum* :
« Béni soit le Dieu et Père de notre Seigneur Jésus le
Christ qui nous a fait don en tout lieu du *parfum* de sa
connaissance, car nous sommes la bonne odeur du
Christ[c]. » Ainsi, dans la nation en question, tous ceux
qui se trouvent imiter Paul, si peu que ce soit, sont
manifestement le *parfum* très doux du Christ.

CXXIV
(VII, 9)

560   **44.** *Guttur* uero eius audacter beatum Petrum eiusque
uica⌐rios pronuntiabo, in quibus *optimum uinum* laetificans
cor[a] sapien⌐tis, Trinitatis confessione, regula fidei, perpetua inundatione I manare probatur. Cuius *uini* dulcedo
nimis grata ab his anima⌐bus quae *labia et dentes* intelle-
565   guntur *dilecti* Verbi, cui immacu⌐lata per quam mundus
redemptus est unita creditur anima esse, I laudatur : quae
opera hominum non loquuntur et quae uerba I scripturae,
pro loco et ratione, diuidunt paruulis exponendo et in⌐tra
conclaui conscientiae cotidie laudibus *ruminantur.* Quod
570   laeti⌐tiae *uinum* inenarrabile gaudium in Ecclesiae *guttur,*
quasi liquor | dulcissimus *malorum granatorum,* inundat,
praedictis *labiis et* I *dentibus* Christi Filii Dei cotidie *rumi-
nandum.* Cui est gloria et I imperium in saecula saeculorum. Amen[b].

EXPLICIT LIBER X

44 a. Cf. Ps. 103,15   b. I Pierre 4,11 ; Cf. Apoc. 1,6

---

1. *audacter... pronuntiabo* : Apponius a conscience de l'importance
de sa déclaration sur la place éminente tenue dans l'Église par « le
bienheureux Pierre et ses vicaires ». Cf. Introd., p. 101. — La formule
solennelle qu'il emploie rappelle celles de saint Augustin, par exemple :
audenter dico (Conf. XI, 14 : *CCL* 27, p. 201, l. 9); *dicam enim
audacter (In Ps.* 70, *sermo* 2, 3 : *CCL* 39, p. 962, l. 57) — et surtout
celles de saint Jérôme, par exemple : *hoc unum audacter dico (Quaest.
in Gen.,* 48, 2 : *CCL* 72, p. 51); *audacter loquor (Alius Prol. in Iob :
Biblia Sacra* [saint Jérôme], IX, p.75); *audenter loquor (Ep.* 22, 5, 2 :

**Pierre,
avec ses vicaires,
est son gosier
d'où coule
un vin excellent**

44. Quant au *gosier* de cette nation, je déclarerai hardiment[1] que c'est le bienheureux Pierre, ainsi que ses vicaires. En eux coule manifestement par la confession de la Trinité, règle de la foi, *le vin excellent* qui réjouit le cœur[a] du sage, en un ruissellement continuel. La douceur très agréable de ce *vin* est célébrée par ces âmes en qui il faut reconnaître *les lèvres et les dents* du Verbe *bien-aimé* auquel a été unie, nous le croyons, l'âme immaculée par laquelle le monde a été racheté. Ces âmes-là ne parlent pas des œuvres des hommes[2], mais elles partagent les paroles de l'Écriture suivant les lieux et les cas, en les exposant aux tout petits, et chaque jour elles les *savourent* en louanges dans le sanctuaire de leur conscience. Et ce *vin* de joie fait ruisseler dans le *gosier* de l'Église une indicible liesse, pareil au jus très doux des *grenades*, à *savourer* chaque jour par *ces lèvres et ces dents* du Christ, le Fils de Dieu. A lui sont la gloire et l'empire pour les siècles des siècles. Amen[b].

CSEL 54, p. 150); *audacter et tota libertate pronuntio* (*Ep.* 120, 9, 11 : *CSEL* 55, p. 496).

2. *opera hominum non loquuntur*; cf. VIII, 847-851 : *non opera hominum... meditando.* Il s'agit, les deux fois, des moines « gosier » du Christ (VIII, 845) ou « lèvres et dents » réjouissant le « gosier » de l'Église (X, 568-571). − Sur ce thème des « dents » qui partagent la parole de Dieu selon les besoins des auditeurs, cf. note à VI, 67.

INCIPIT LIBER XI

1. Ego dilecto meo, et ad me conversio eivs. Haec
uox | illius animae intellegitur quam filiae, reginae et
concubinae | admirando collaudant[a]. Quae *dilecto suo*,
Verbo Dei, ita totum | sui amoris adfectum totamque suam
5 obtulit uoluntatem, ut nec | in cogitationibus alterius
cuiuspiam rei dilectionem admitteret, | sed indiuisibiliter
semper inhaereret ei. Pro quo munere, *ad eam* | *conuersio
eius* facta per incarnationis collegium comprobatur, | ita ut
Verbum caro fieret[b], de quo nunc ait : *Et ad me conuersio* |
eius, et unus in ea Dei Filius praedicatur. In quo mysterio
10 | praesentis uersiculi uaticinium completum cognoscitur.
Ego di|lecto meo : quid, nisi sanctam uoluntatem ? *Et ad me
conuersio* | *eius* : et quae *conuersio*, nisi pro immensa boni-
tate et facturae | redemptione Deus homo fieri dignaretur,
quatenus iustitiae tra|mitem tenens caro uicta, aliquando
15 uinceret hostem et homo | redimeret hominem uenumda-
tum propria uoluntate, de quo | dixit propheta : *Frater non
redimet, redimet homo*[c] ? |

---

1 a. Cant. 6,8   b. Cf. Jn 1,14   c. Ps. 48,8

---

1. *Ego dilecto meo* : sur le sens donné par Apponius à ce datif,
voir note à V, 1.
2. Sur la forme donnée à *Ps.* 48,8, voir note à V, 143.

LIVRE XI

Conversion des nations
et annonce du salut d'Israël

L'amour du Verbe et de l'Âme, source du salut de l'homme

1. « Moi à mon bien-aimé [1], et vers moi il s'est tourné. » Il faut reconnaître ici la voix de cette âme que louent dans leur admiration filles, reines et concubines [a]. Elle a offert *à son bien-aimé*, le Verbe de Dieu, toute l'affection de sa tendresse et toute sa volonté, au point de n'admettre d'amour pour rien d'autre, même en pensée, mais de toujours s'attacher à lui de façon indissociable. En échange de ce don, on voit qu'*il s'est tourné vers elle* par l'union qu'a réalisée l'incarnation, de telle sorte que le Verbe se fît chair [b]. De cette union elle dit maintenant : « *Et vers moi il s'est tourné* », et il est déclaré que le Fils de Dieu est en elle l'unique. C'est dans ce mystère que l'on voit accomplie la prophétie du présent verset. « *Moi à mon bien-aimé.* » Que lui a-t-elle offert, sinon sa volonté sainte ? — « *Et vers moi il s'est tourné.* » Comment Dieu se *serait-il tourné*, sinon en daignant, dans son immense bonté et pour le rachat de la création, se faire homme, afin que la chair vaincue, gardant le chemin de la justice, pût enfin vaincre son ennemi, et qu'un homme rachetât l'homme qui s'était volontairement vendu, selon la parole du prophète : « Le frère ne rachètera pas ; l'homme rachètera [c2] » ?

2. Haec ergo immaculata unita cum Deo hortatur eum
ut ad | redemptionem aliarum gentium quae eum non uide-
runt in car|ne, de aula synagogae et de ciuitate hebraeae
20   gentis, in qua per | suam notitiam uel apparitionem habi-
tabat, *in agrum* gentium | multitudinis *egredi* per discipulo-
rum sermonem dignetur : sicut | in euangelio declarat,
dicendo ad Patrem : *Non solum pro istis* | *rogo, sed pro his*
qui credituri sunt per sermonem eorum [a]. Horta|tur eum per
25   haec utique *egredi in agrum* incultum, gentium | conuersa-
tionem spinosam, *commorari in uillis* dirutis, conuenti|culis
populorum. In quibus creaturas pro creatore adorabant,
sed | nunc, inhabitante in eis et *commorante* cum eis Dei
Filio Christo, | per apostolorum doctrinam aedificatae sunt
30   *uillae*, id est con|uenticula ueritatis in ecclesiarum tecta,
ubi nunc Deus Pater in | Christo per Spiritum sanctum
commoratur. Et ubi in noctem | ignorantiae *egreditur*, per
supradictam doctrinam fit lux *matu|tina* ad lucis ingres-
sum, per quam uel in qua salutaris adhibea|tur cultura
dirutis *uillis* antedictis uel *agro* sentibus occupato | sicut

CXXVI [a]   nunc ait : VENI, DILECTE MI, ET EGREDIAMVR IN AGRVM,   F
(VII, 11-12) | COMMOREMVR IN VILLIS, MANE SVRGAMVS AD VINEAS. |

36   **3.** Cum ergo facturus < erat > Altissimus fabricam
mundi, | quam hominibus ad suam imaginem fabricatis ad
suam laudem | disponebat implere, iam tunc in praescien-
tiam ordinauit principes | angelorum, quibus commissae
40   certo numero regerentur gentes. | Cum quibus etiam datur

2 a. Jn 17,20

---

1. Une question se pose ici pour la coupe et la numérotation des
versets du Cantique chez Apponius. De : *Veni, dilecte mi*, jusqu'à : *si*
floruerunt mala punica, l'exposition brève II *(B)*, seule à donner ici
la numérotation des versets, compte deux versets : *CXXVI. ...Veni... si*
floruerit uinea. CXXVII. Si flores fructus parturiunt. Si floruerunt mala
punica (*CCL* 19, p. 446-447). L'exposition brève I *(J)*, qui ne numérote
pas les versets, coupe le texte de cette même façon (*ibid.*, p. 377). Au
contraire, le texte long (qui n'a pas gardé ici trace de la numérotation)
coupe le même passage en trois versets : *Veni... surgamus ad uineas. /*

2. C'est donc cette âme immaculée
unie à Dieu qui l'exhorte à daigner,
pour le rachat des autres nations qui
ne l'ont pas vu dans sa chair, *sortir*
du palais de la synagogue et de la cité de la nation
hébraïque, dans laquelle il habitait par sa connaissance
et sa présence, pour aller *dans les champs* de la multitude
des nations, grâce à la parole de ses disciples. C'est ce
qu'il déclare dans l'évangile, lorsqu'il dit au Père : « Je
ne prie pas seulement pour ceux-ci, mais pour ceux qui
croiront grâce à leur parole[a]. » Par là, elle l'exhorte donc
à *sortir dans les champs* incultes que sont la vie épineuse
des nations, à *demeurer dans les villages* en ruines que
sont les lieux de réunion des peuples. Dans ceux-ci ils
adoraient des créatures au lieu du créateur, mais maintenant que le Christ, Fils de Dieu, y habite et *demeure*
avec eux, ont été bâtis là, par l'enseignement des apôtres,
les *villages* que sont les lieux de réunion de vérité, sous
le toit des églises ; là *demeure* maintenant Dieu le Père,
dans le Christ, par l'Esprit saint. Et lorsqu'il *sort* dans
la nuit de l'ignorance, à l'entrée de la Lumière paraît,
grâce à cet enseignement, la lumière du *matin*. Par elle
et en elle peuvent être apportés la culture et le salut à
ces *villages* en ruines et à ces *champs* envahis par les
ronces. C'est ce qui est dit maintenant : « Viens, mon
bien-aimé, et sortons dans les champs. Demeurons dans
les villages. Levons-nous le matin pour aller dans
les vignes [1]. »

CXXVI[a]
(VII, 11-1:

3. Dès l'instant où le Très-Haut allait créer ce monde,
qu'il se disposait à remplir, pour sa louange, d'hommes
façonnés à son image, il répartit, dans sa prescience,
selon un nombre déterminé, les princes des anges par
qui seraient régies les nations qui leur seraient confiées.

Le Verbe invité dans les champs des nations...

Videamus... fructus parturiunt. / Si floruerunt mala punica. C'est pour
rendre compte de cette anomalie que nous avons indiqué : *CXXVI[a]*,
CXXVI[b]-CXXVII[a], CXXVII[b], la suite étant normale.

intellegi partitas gentium nationes, de ⏋quibus, sorte
currente, facta est portio eius Iacob, funiculus ⏋ haeredita-
tis eius Israhel[a]. Qui principes in tyrannidem conuersi, ⏋
trahente propria uoluntate, magnam partem de eius por-
tione ⏋ per idolorum culturam ad suam traxerant portio-
45 nem. Quam, | ueniens quasi post multa tempora in ciuita-
tem portionis suae ⏋ Hierusalem, nascendo per Virginem,
quaesiuit perditam ; mo⏋riendo immaculatus pro maculatis,
inuenit ; resurgendo a mor⏋tuis, ascendendo caelos mitten-
doque Paracletum, inuentam ⏋ erutamque de eorum mani-
50 bus credentium multitudinem suae | reddidit dicioni, sicut
ipse ait : *Venit Filius hominis quaerere* ⏋ *quod perierat*[b], et :
Non sum missus, nisi ad oues quae perierunt ⏋ *domus Isra-
hel*[c]. |

4. *Egressus est* namque *ad agrum* gentium supradictum
per ⏋ aduentum Spiritus sancti, qui igne uirtutis suae, per
55 apostolo|rum splendorem, et noctem ignorantiae, in agni-
tione ueritatis, ⏋ in *matutinam* lucem conuerteret, et spinas
turpium cogitatio⏋num comessationumque de praedicto
agro abstergeret. Per haec ⏋ utique *egreditur ad agrum*, gentium conuersationem, de plebe ⏋ arrogante et praesumente
60 de sapientia legis mosaicae, de ciuita|te ubi in propria
uenit et sui eum non receperunt[a]. Et cum eum ⏋ ciuitas sua
non recepisset — cui lamentando improperat : *Hieru⏋sa-*
lem, Hierusalem, quae occidis prophetas et lapidas eos qui ⏋
mittuntur ad te[b] —, *egressus est ad agrum. Commoratur in*
uillis, in ⏋ simplicissimis uidelicet absque ullo disertionis
65 sermone menti|bus hominum. In quibus praesentia Spiri-
tus sancti, ore docto⏋rum, cum ignorantiae tenebrae occi-
dissent, mox *matutina* lux ⏋ coepit *consurgere,* ueritatis agni-
tio — sicut ait : *Mane surgamus* ⏋ *ad uineas* —, loquendo

---

3 a. Deut. 32,8-9   b. Lc 19,10   c. Matth. 15,24
4 a. Jn 1,11   b. Matth. 23,27 ; Lc 13,34

---

1. Sur Israël, *portio* (ou *pars*) *Domini* (*Deut.* 32,8-9), et Michel,
son défenseur (*Dan.* 10,13.21), voir la note à IV, 421.

Il faut comprendre qu'en même temps qu'eux furent aussi réparties les nations. Parmi elles, suivant le sort, Jacob devint son lot, Israël fut sa part d'héritage[a][1]. Mais ces princes, devenus des tyrans, entraînés par leur propre désir, avaient entraîné dans leur lot, par le culte des idoles, une grande part du lot de Dieu. En entrant, comme longtemps après, dans Jérusalem, la cité de son héritage, il est venu, en naissant de la Vierge, chercher cette part qui était perdue. En mourant, lui l'innocent, pour les pécheurs, il l'a trouvée. En ressuscitant des morts, en montant aux cieux et en envoyant le Paraclet, il a remis sous son pouvoir, après l'avoir trouvée et l'avoir arrachée de leurs mains, la multitude des croyants, comme il le dit lui-même : « Le Fils de l'homme est venu chercher ce qui était perdu[b] », et : « Je n'ai été envoyé qu'aux brebis perdues de la maison d'Israël[c]. »

4. *Il est sorti*, en effet, *vers les champs* des nations par la venue de l'Esprit saint, pour que, par le feu de sa puissance, grâce au rayonnement des apôtres, celui-ci, par la connaissance de la vérité, à la fois transforme la nuit de l'ignorance en lumière *du matin*, et fasse disparaître de ces *champs* les épines des pensées honteuses et des orgies. Ainsi, vraiment, *il sort vers les champs*, la vie des nations, quittant ce peuple arrogant qui se prévalait de la sagesse de la loi mosaïque, cette cité où il est venu chez lui et où les siens ne l'ont pas reçu[a]. Et comme sa propre cité ne l'avait pas reçu, elle à qui il reproche en pleurant : « Jérusalem, Jérusalem, toi qui tues les prophètes et lapides ceux qui te sont envoyés[b] », *il est sorti vers les champs. Il demeure dans les villages*, c'est-à-dire dans les cœurs humains les plus simples, privés de toute éloquence. En eux, alors que les ténèbres de l'ignorance s'étaient abattues, bientôt commença, par la présence de l'Esprit saint, par la bouche des docteurs, à se *lever* la lumière *du matin*, la connaissance de la vérité, selon ces paroles : « *Levons-nous le matin pour aller dans les vignes* » — lorsqu'il fait entendre la parole

uerbum euangelii ad eas animas excolendas : quae creduli-
70 tatis suae iam fructum exuberant bonis operibus, et | offi-
cio sancti ministerii aliis sitientibus poculum laetitiae uini
propinare intelleguntur.

CXXVI^b-
CXXVII^a
(VII, 12)
75

5. VIDEAMVS SI FLORVIT VINEA, SI FLORES FRVCTVS
PAR[|]TVRIVNT. Antequam *egrederetur ad agrum* per supra-
dictam apos[|]tolicam doctrinam, una erat *uinea*, domus
Israhel. Nunc autem | tantae sunt *uineae* factae, quantae
gentes in toto mundo in eius [|]fide credere potuerint repe-
riri. Quae tunc uidentur *floribus* deco[|]ratae, cum, derelictis
idolis, ad eius baptismum credendo uene[|]rint. Ipsi uero
flores fructus parturiunt praecepta seruando. Per | *quos
tales botros iustitiae proferunt, de quibus Deus cum ange-
80 |lis suis laetificetur in caelo, cum de illis gentibus ex rapa-
cibus | largos uidemus propria egenis impendere, ex prodi-
gis castos, ex |idolorum cultoribus martyres, ex impiis pios,
ex blasphemis | praedicatores Christi.

CXXVII^b
(VII, 12)

6. SI FLORVERVNT MALA PVNICA. *Flores malorum punico-*
rum, | pro suo roseo colore intacti sanguinis, conseruandae
uirginitatis | desideria mihi uidentur intellegi. Quae deside-
ria de exemplo | beatae Mariae in talium mentibus quasi
pluuia in arboribus | infunduntur. Qui *flores* desideriorum,

---

1. Ce breuvage débordant qui coule du cratère de l'Église, ce
« breuvage du vin de la joie » (X, 110), est celui de la foi droite et
de la vie sainte que les docteurs versent aux âmes, qui à leur tour
le verseront à d'autres (cf. X, 158-160).

2. Noter la similitude d'expression avec S. LÉON, *Tract.* 48, 2 (*CCL*
138 A, p. 281, l. 64-67 ; cf. *SC* 49 *bis*, p. 174), au sujet des pécheurs
convertis (non des païens convertis) : « Siquidem plurimos nouerimus
in optimos mores transisse de pessimis, ex ebriosis sobrios, ex crudelibus
misericordes, *ex rapacibus largos*, ex incontinentibus castos, ex ferocibus
factos esse tranquillos. » — Apponius affectionne ce genre de construction : par exemple, en I, 54-56 : « Ex captiua libera, ex peregrina ciuis,
ex ancilla domina, ex uilissima regina et sponsa creatoris sui... effecta
ostenditur. » Cf. VI 50-53 : « Quae ex rapacitate ad misericordiam, ex
multorum complexuum illuuie ad unum legitimum coniugium castum,
ex omni mendacio ad omnem ueritatem, ex omni lasciuia cantus ad

de l'évangile pour cultiver ces âmes; celles-ci maintenant produisent en abondance le fruit de leur foi par leurs bonnes œuvres et versent aux autres âmes assoiffées, par le service de leur saint ministère, le breuvage du vin de la joie[1].

... où les vignes sont maintenant multiples

5. « ALLONS VOIR SI LA VIGNE A FLEURI, SI LES FLEURS PRODUISENT DES FRUITS. » Avant qu'il ne *sorte vers les champs* grâce à cet enseignement des apôtres, il n'y avait qu'une seule *vigne*, la maison d'Israël. Maintenant, au contraire, sont apparues autant de *vignes* que l'on peut trouver de nations dans le monde entier à croire en lui par la foi. On les voit ornées de *fleurs* lorsque, après avoir abandonné les idoles, elles sont venues, par la foi, à son baptême. Et *ces fleurs produisent*, par l'observation des commandements, *des fruits* grâce auxquels ces *vignes* portent des grappes de justice telles que Dieu et ses anges puissent s'en réjouir dans le ciel. Cela, lorsque nous voyons des hommes de ces nations, de cupides qu'ils étaient, devenir généreux et donner aux pauvres ce qu'ils possèdent; de débauchés, devenir chastes; d'adorateurs des idoles, des martyrs; d'impies, des dévots; de blasphémateurs, des prédicateurs du Christ[2].

CXXVI[b]-
CXXVII[a]
(VII, 12)

... où les fruits sont la chasteté et le martyre

6. « SI LES GRENADIERS ONT FLEURI ». Les *fleurs* des *grenadiers*, à cause de leur couleur vermeille, celle d'un sang intact, me paraissent signifier les désirs de garder la virginité. De l'exemple de la bienheureuse Marie ces désirs se déversent dans les cœurs de tels hommes comme la pluie sur les arbres. Et les *fleurs* de ces désirs deviennent bien plus belles lorsqu'elles

CXXVII[b]
(VII, 12)

unius Domini creatoris laudem... transmigrant. » – Ces conversions sont présentées ici comme « les fruits de la vigne ». Au livre VII, l. 120-125 et 757-771, on rencontre des énumérations analogues, illustrées d'exemples tirés de l'évangile.

cum in pomis conseruatae | uirginitatis adoleuerint, multo
90 pulchriores efficiuntur ; cum au|tem per martyrium aut per
debitum resolutionis corporeae | fuerint confracta, suauis-
simum creatori suo gaudii poculum | praeparant. |

7. Quod suum peculiare agnoscens praedicta anima illa,
electa | genetrici suae [a], de suorum uberum lacte doctrinae
95 manare, et | hoc inter cetera opera sanctitatis dulcissimum
fore Verbo Pa|tris, quaerens inter amoenitatem uinearum,
id est ecclesiarum | fidem, delectabile umbraculum castita-
tis, ubi ei laetitiae ubera | porrigat, dicendo : IBI DABO TIBI
VBERA MEA. *Ibi* proculdubio *in* | *agro*, conuersatione gen-
100 tium, *commorans in uillis*, congregationi|bus credentium
Deo, inter *uinearum* praedictos *flores*, qui ex | conuersa-
tione sua alios laetificare parati sunt, inter *malorum* | *grana-
torum* umbracula — *ibi* porrigit ei *ubera* doctrinae rectae |
fidei, *ibi* porrigit ei *ubera* misericordiae, *ibi* porrigit ei *ubera*
| sancti consilii conseruandae integritatis : de quibus *uberi-*
105 *bus* per | beatum Paulum apostolum dicitur : *De uirginibus*
praeceptum | *Domini non habeo; consilium autem do* [b]. Et
uera ratione esurien|ti salutem humani generis Verbo
Patris praedicta anima haec | *ubera dat*, quoniam quidquid
uni ex minimis factum fuerit, sibi | deputat factum [c]. |

110 **8.** Nam sicut *in agro* diuersa genera arborum diuerso
colore | *flores* uel diuersos odores redolentes et diuerso
sapore *fructus* | producunt, ita et *ager* euangelicae doctri-   B

---

7 a. Cant. 6,8   b. I Cor. 7,25   c. Cf. Matth. 25,40

---

1. Sur cette présentation de la virginité, voir la note à III, 753.
Apponius ne se contente pas de présenter la « bienheureuse Marie »
comme le modèle de la virginité : il voit en elle celle dont l'exemple
suscite la virginité. Elle fut la première, l'initiatrice. Ce thème est
longuement développé au livre IV, l. 363-412, à propos de *Cant.* 2,12 :
Vox turturis audita est in terra nostra : « La voix de la virginité a été
entendue sur notre terre pour la première fois grâce à la bienheureuse
Marie, lorsqu'elle dit à l'ange Gabriel : 'Comment cela se fera-t-il,
puisque je ne connais pas d'homme ?' » (IV, 364-367).
    2. Ce breuvage de la foi droite, de la miséricorde et de la virginité
(103-104), l'âme du Christ l'offre aux hommes — qu'il s'agisse des

sont devenues des fruits, ceux de la virginité conservée [1]. Et lorsque ces *fruits*, par le martyre ou par le tribut de la mort corporelle, ont été broyés, ils procurent à leur créateur un breuvage de joie plein de suavité.

7. Cette âme dont il est question, l'élue pour celle qui l'a mise au monde [a], reconnaissant que ce breuvage est son bien propre et vient du lait de l'enseignement qui coule de ses seins, et qu'il sera, parmi toutes les autres œuvres de sainteté, très doux au Verbe du Père, recherche parmi les agréments des vignes, c'est-à-dire la foi des églises, l'ombrage délicieux de la chasteté où elle pourra lui tendre les seins qui font sa joie, en disant : « C'EST LÀ QUE JE T'OFFRIRAI MES SEINS. » *C'est là*, sans aucun doute — *dans les champs*, la vie des nations ; en *demeurant dans les villages*, les assemblées de ceux qui croient en Dieu ; parmi ces *fleurs des vignes*, ceux qui par leur conduite sont prêts à réjouir les autres ; parmi les ombrages des *grenadiers* —, *c'est là* qu'elle lui tend *les seins* de l'enseignement de la foi droite ; *là* qu'elle lui tend *les seins* de la miséricorde ; *là* qu'elle lui tend *les seins* du saint propos de garder la virginité. C'est au sujet de ces *seins* que le bienheureux apôtre Paul dit : « Pour ce qui est des vierges, je n'ai pas de commandement du Seigneur, mais je donne un conseil [b]. » Et c'est véritablement au Verbe du Père, qui a faim du salut du genre humain, que cette âme *offre ces seins*, puisque tout ce qui est fait pour l'un des plus petits, il l'estime fait pour lui [c2].

CXXVIII (VII, 12)

8. Car, de même que *dans les champs* les diverses sortes d'arbres produisent des *fleurs* de couleur différente ou qui embaument de parfums différents, et des *fruits* de saveur différente, de même en est-il des *champs* de

---

nations *(in agro)*, des communautés chrétiennes *(in uillis)*, des chrétiens exemplaires *(inter uinearum flores)*. Mais offrir ce breuvage aux hommes, c'est l'offrir au Verbe du Père, qui a soif du salut du genre humain.

nae, ubi dicit ad fructi|feras arbores Christus : *Vobis dico,
amicis meis, ut eatis et | fructum multum adferatis* [a] ; ita sunt
115 et *in* isto *agro* arbores diuer|sorum operum *fructibus* ple-
nae. Tamen, inter ceteras arbores, | tres se dicit quasi
nouas *in agro* uidere, quae ante eius aduen|tum non germi-
nauerant : pudicitiae, continentiae, uidelicet quam | inter
licita coniugia ex consensu *florere* uidemus, et castitatis, |
quae post propagationem liberorum conseruat uiduita-
120 tem : Deo | placentes laetitiae *fructus parturiunt*, et *malo-
rum punicorum* | uirginitatis iucundissimos *flores*. In his
enim desideriis ab omni|bus creator cognoscitur non in pas-
sione libidinis [b] sed ad gloriam | posteritatis hominem ad
suam imaginem [c] dispari sexu fecisse. Et | ubi, agnito uero
125 Deo, amor fuerit castitatis, *ibi* est proculdubio | Dei Filius,
ibi lactatur supradictis *uberibus* inuitatus, *ibi* ei | promittit
praedicta unica matri suae *ubera sua datura*, dicendo : | *Ibi
dabo tibi ubera mea.* |

9. Licet in multis Deo acceptis operibus haec *ubera*
intelle|gantur, tamen duo integritatis et martyrii, quae
130 proprie de | pectore eius germinasse probantur, quibus
Sermo Dei lactatur, | alterum mihi uidetur in principe
apostolorum Petro per marty|rii gloriam, alterum uirgini-
tatis in Iohanne euangelista intellegi | eiusque consimili
Paulo. Quae, unita cum Verbo, iam unitis sibi | *ubera*
adtrectanda per doctrinam gentibus *dedisse* proba-

---

8 a. Jn 15,15-16; cf. Jn 15,5   **b.** Cf. I Thess. 4-5   **c.** Cf.
Gen. 1,27

---

1. Sur la finalité du mariage, cf. II, 432; VII, 327.

2. Sur cette *integritas* au sens habituel de « virginité », voir note à
VIII, 952.

3. C'est pour Apponius une idée chère que « les seins » du bien-aimé
(*Cant.* 4,5 et 10) sont les apôtres (ici Pierre et Paul) : « Nous l'avons
dit au début : ses seins (ceux du Christ) sont les apôtres » (III, 225),
parce que « c'est par eux que le Christ nourrit les âmes encore petites »
(I, 301). C'est là leur fonction : « Ils adhèrent à sa poitrine immaculée
(celle du Christ) comme des seins », et « tout ce qui convient à la

la doctrine évangélique, dans laquelle le Christ déclare aux arbres fruitiers : « Je vous le dis à vous, mes amis : allez et portez beaucoup de *fruit*[a]. » De même aussi, il y a *dans ces champs* des arbres couverts de *fruits*, qui sont les œuvres diverses. Pourtant, parmi tous les autres arbres, il déclare voir *dans ces champs* trois arbres comme nouveaux, qui n'avaient pas poussé avant sa venue : celui de la virginité, celui de la continence que nous voyons *fleurir* d'un consentement mutuel au sein des couples légitimes, et celui de la chasteté qui, après la naissance des enfants, fait garder le veuvage. Ces arbres-là *produisent des fruits* de joie qui plaisent à Dieu et les *fleurs* très agréables *des grenadiers*, celles de la virginité. Du fait de tels désirs, en effet, tous peuvent reconnaître que le créateur a fait l'homme à son image[c], de sexe différent, non pour assouvir une passion voluptueuse[b], mais pour acquérir la gloire d'une postérité[1]. Et là où, une fois connu le vrai Dieu, se trouve l'amour de la chasteté, *là* sans aucun doute se trouve le Fils de Dieu ; *là*, après avoir été invité, il est allaité par *les seins* en question ; *là* celle dont il est parlé, l'unique pour sa mère, lui promet de lui *offrir ses seins*, en disant : *« Là je t'offrirai mes seins. »*

9. Bien que ces *seins* puissent être reconnus en beaucoup d'œuvres agréables à Dieu, il y en a pourtant deux, la virginité[2] et le martyre, qui ont spécialement poussé de sa poitrine, et par eux est allaité le Verbe de Dieu : l'un de ces *seins* peut être reconnu, me semble-t-il, dans le prince des apôtres, Pierre, en raison de la gloire de son martyre ; l'autre, celui de la virginité, dans l'évangéliste Jean et dans son émule, Paul. Cette âme, unie au Verbe, les a *offerts comme des seins à toucher* aux nations qu'elle s'est déjà unies, par leur enseignement[3]. Grâce à

nourriture des âmes s'est déversé en eux de la poitrine du Christ et se transfuse par eux chaque jour dans les cœurs de tous les croyants, grâce à leur saine doctrine et à l'exemple de leur vie parfaite » (I,

135 tur. Per | quos creuit et multiplicatus est Dei Sermo in toto
mundo[a], sicut | ipse edocet Paulus dicendo : *Vt crescat*,
inquit, *et multiplicetur | Dei Verbum per nos, orantibus
uobis* [b]. De quibus *uberibus* coti|die, in doctrina populi, Dei
Verbum lactatur. |

10. Qui praedicti utroque, ut *ubera* pectori, ita isti uni-
140 cae | perfectae animae, alius in pectore recubando[a] alius
eius uices | suscipiendo in terris[b], adhaesisse docentur. Per
quae *ubera* ita | creuit Sermo Dei ut, qui in sola iudaea
gente uix agnoscebatur, | nunc totum orbem impleuit et in
omnibus gentibus totus est | semper, cum ab eis, caro fac-
145 tus pro redemptione humana, ubi|que et in omnibus natio-
nibus praedicatur, et uerum Deum in | uera carne et anima
ubera matris Mariae suscepisse lactando | exponitur. Sed
hoc non in iudaea plebe incredula, sed *in* prae|dicto *agro*
lactatum creuisse per suam notitiam Verbum Dei | doce-
tur, ubi martyrum, uirginum, confessorum exuberant *fruc-*
150 |*tus* qui laetificant creatorem : super quod nihil sic gratum
Deo, | nihil tam amabile ; quod, sicut infans *ubera*, ita cum   B
omni | iucunditate amplectitur. |

9 a. Cf. Col. 1,6; Act. 12,24   b. II Thess. 3,1
10 a. Cf. Jn 13,25   b. Cf. Jn 21,15-17

534-537; cf. VI, 294-295). Ainsi le lait qui coule de ces seins, c'est
la doctrine des apôtres, qui vient du Christ. Telle est l'œuvre de l'âme
du Christ, donc de l'épouse unie au Verbe. − Ici, en donnant ses
seins aux nations par l'enseignement des apôtres, elle nourrit le Verbe
de Dieu en lui donnant ses seins à toucher, « puisque tout ce qui est
fait pour l'un des plus petits, (le Verbe) l'estime fait pour lui »
(l.108-109). C'est ainsi que par l'enseignement donné au peuple, le
Verbe de Dieu est allaité et « croît et se multiplie dans le monde
entier » (l. 135, citant *Col.* 1,6; cf. l. 227-229). − Voir aussi I, 308.321;
III, 208; VI, 313, etc. Apponius reste fidèle à son interprétation.
    1. *eius uices suscipiendo in terris* : cf. II, 172-173, et Introd., p. 101-
102.
    2. *in omnibus gentibus totus est semper* : ce qui est dit de Dieu (I,

ces apôtres, la Parole de Dieu a grandi et s'est multipliée dans le monde entier[a], comme l'enseigne Paul lui-même, lorsqu'il dit : « Pour que par nous, avec l'aide de vos prières, le Verbe de Dieu croisse et se multiplie[b]. » C'est de ces seins que le Verbe de Dieu chaque jour est allaité dans l'enseignement donné au peuple.

10. Ces apôtres, nous le savons, ont, des deux côtés, adhéré, comme les *seins* à la poitrine, à cette âme unique et parfaite, l'un en reposant sur sa poitrine[a], l'autre en recevant son vicariat, sur la terre[b][1]. Grâce à ces *seins*, le Verbe de Dieu a si bien grandi qu'il a, lui qui était à peine reconnu dans la seule nation juive, rempli maintenant la terre tout entière, et qu'il se trouve pour toujours tout entier dans toutes les nations[2], maintenant qu'ils prêchent partout et dans toutes les nations qu'il s'est fait chair pour la rédemption des hommes, et qu'ils enseignent que le vrai Dieu, dans une chair et une âme véritables, a pris, lorsqu'elle l'allaitait, *le sein* de sa mère Marie. Mais le texte nous apprend que ce n'est pas dans la nation juive incrédule que le Verbe de Dieu a été allaité et a grandi par la connaissance que les hommes ont de lui, mais *dans les champs* dont nous avons parlé, là où abondent les *fruits* des martyrs, des vierges et des confesseurs qui réjouissent le créateur. Il n'y a rien au-delà d'aussi agréable à Dieu, rien d'aussi aimable, et il s'en saisit avec infiniment de plaisir, comme l'enfant qui prend *le sein*.

---

425) et plus spécialement du Verbe de Dieu (*ubique est totus semper* : III, 352, et la note à ce passage) l'est maintenant de ce même Verbe en tant que, par son incarnation et la prédication apostolique, il est connu et ainsi rendu présent à toutes les nations (cf. I,411; IV, 461 et note; VI, 427; X, 217.534, etc.). − Ce n'est pas pour autant que « toutes les nations » se sont tout entières converties. Commentant le mot de S. Paul sur « la plénitude des nations » (*Rom.* 11,25), Apponius déclarera que dans les derniers temps ne se sera « convertie au Dieu du ciel en entrant dans la foi du Christ » qu'une « quantité » des membres de chacune (XI, 200-202).

11. Mandragorae dedervnt odorem in portis nos-
tris. | *Mandragora* herba est cuius radix per omnia, absque
155 capite, | humanum corpus deformat. Quae, dum sit herba,
mala germinat, | arboribus similis, magni *odoris*, et, per
singula lineamenta mem|brorum, humanis corporibus.
Medicina sucus eius, folia, poma | uel cortex siue puluis
radicis eius ab auctoribus esse describitur | qui medendi
160 arte profutura posteris tradiderunt. Quae herba, | inter
cetera uirtutis suae medicamina, his maxime tribuere |
dicitur medelam qui nauseae infirmitate laborant et nec
conti|nere nec appetere possunt cibos. Et huius herbae,
post omnes | *odores* qui in hoc Cantico nominantur, suaui-
tatis laetitia prae|dicta anima delectatur. Et hi *odores*, non
165 *in agro* inter *uineas* et | *mala punica* uel ubi ceteri *flores*
sunt, sed *in portis*, id est prope | finem mundi, iam prope
ingressum diei iudicii, *dedisse* laudantur | *odorem* suum. |

12. Quae *mandragorae* ferocissimae et quae omnes actus
suos | terrae demersos habuerint gentes intellegi mihi
170 uidentur, quae | per legem naturae rationabilibus homini-
bus similes sunt, caput | uero fidei non habentes, quia
Christum [a] Deum ignorant. Quae | duabus ex causis de suis
sedibus euulsae ab angelis, ad medici|nam animae in nos-

12 a. Cf. I Cor. 11,3

---

1. On a beaucoup écrit sur les vertus de la mandragore et sur la
manière d'en extraire la racine : cf. H. Rahner, *Griechische Mythen
in christlicher Deutung*, Zurich 1957, p. 284-351, où il est fait mention
du présent texte. L'originalité d'Apponius consiste en l'application qu'il
va faire de certains de ces traits aux envahisseurs barbares (l. 168-182).
Il ne fait aucune allusion au fameux passage de *Gen.* 30,14-16 sur
les mandragores offertes par Ruben à Rachel sa mère.

2. Ces nations sont donc pareilles aux mandragores, qui « ont en
tout la forme du corps humain, excepté la tête » (154-155). — Noter

11. « LES MANDRAGORES ONT RÉPANDU LEUR PARFUM À NOS PORTES. »

... où les mandragores, les nations barbares, sont évangélisées

La *mandragore* est une herbe dont la racine a, en tout, la forme du corps humain, excepté la tête. Et bien que ce soit une herbe, elle ressemble aux arbres, en produisant des fruits d'un *parfum* puissant, et ressemble aussi aux corps humains en tous les contours de leurs membres [1]. Ce sont des médicaments que son suc, ses feuilles, ses fruits, son écorce, la poudre tirée de sa racine, d'après la description des auteurs qui ont légué à la postérité les recettes dans l'art de guérir. Cette herbe, parmi toutes ses vertus médicinales, fournit, dit-on, un remède à ceux surtout qui souffrent de nausées et ne peuvent ni garder la nourriture, ni en avoir le goût. Et c'est de la suavité de cette herbe que l'âme en question, après tous les autres *parfums* mentionnés dans ce Cantique, se délecte joyeusement. Ce *parfum-là*, ce n'est pas *dans les champs*, au milieu des *vignes* et des *grenadiers* et là où l'on trouve les autres *fleurs*, qu'il est loué d'avoir *répandu son parfum*, mais c'est *aux portes*, c'est-à-dire au seuil de la fin du monde, tout près déjà du jour du jugement.

12. Ces *mandragores* me semblent figurer les nations très féroces dont toutes les actions sont restées plongées dans la terre : par la loi naturelle, elles ressemblent aux hommes raisonnables, mais elles n'ont pas la tête qu'est la foi [2], puisqu'elles ignorent le Christ [a] Dieu. Et c'est pour une double raison que, arrachées de leur sol par les anges, elles sont amenées sur nos frontières pour la

---

cette mention de la « loi naturelle », commune à tous les hommes raisonnables, même ceux dont « toutes les actions sont restées plongées dans la terre », comme la racine de la mandragore. Voir Introd., p. 97, note 2.

tris terminis adducuntur, sicut praedicta ⎮ herba, propter
175 remedia corporum, non ab homine sed reflexo ⎮ stipe euelli
de suis sedibus refertur. Per quam gentem, ut ⎮ antidoto,
potatae *lacrimis in mensura*, ut ait propheta [b], animae ⎮
habentes Dei notitiam [c] et nec appetebant cibos salutaris
doctri⎮nae Verbi Dei, nec per uim ingestos poterant in sua
mente ⎮ continere, nunc angustiis coartatae, cum magno
180 desiderio in ⎮ tribulatione et penuria uel captiuitatis ergas-
tulo requirant cibos ⎮ quos in deliciis et omnium rerum
abundantia positae fastidie⎮bant. ⎮

---

12 b. Ps. 79,6   c. Cf. Rom. 1,28

---

1. Passage important, le seul où Apponius, qui insiste tant par
ailleurs sur la paix romaine, fait allusion à des invasions barbares
provoquant « angoisses, tribulation, pauvreté, captivité » (180). S'agit-il
des « grandes invasions », ou seulement d'incursions comme l'Empire
romain en a toujours connu à ses frontières ? Certains des détails
donnés semblent plus favorables à cette seconde hypothèse. − Il s'agit
de nations très féroces (168.198), arrachées à leur sol « par les anges »
et amenées *in terminis nostris* (173). Des deux sens possibles du mot
termini : « frontières » et, par extension, « territoire », le premier semble
appelé ici par le parallèle entre *in portis nostris* (« à nos portes ») de
Cant. 7,13 et *in nostris terminis* (noter aussi l'usage de l'ablatif après
in). − Ces nations ne sont pas encore converties, mais déjà l'occasion
leur en est donnée par la présence des « prêtres qu'elles retiennent
captifs » (185). Ainsi l'œuvre providentielle est double : réveiller les
chrétiens par l'épreuve ; offrir une porte de salut aux barbares (même
idée chez Orose, parlant des *barbari Romanis finibus inmissi, Historiae*,
VII, 41 : *CSEL* 5, p. 554). − On peut illustrer ce fait de l'apostolat
des « prêtres captifs », pour une période ancienne, par un renseignement
fourni par Philostorge, *Hist. eccles.*, II, 5 (éd. J. Bidez, *GCS*, 3e éd.,
1981, p. 17) : il rapporte que sous Valérien et Gallien (en 256), les
Scythes ramenèrent de leurs expéditions en Europe et en Asie de
nombreux prisonniers, dont un certain nombre de clercs, lesquels
amenèrent beaucoup d'entre eux à la religion chrétienne. Les aïeux
du célèbre Ulfila étaient parmi ces prisonniers.

2. La mandragore étant une plante magique, l'arracher à la main
entraînerait pour l'homme la mort ou, selon d'autres, la folie. D'où
les diverses techniques imaginées pour l'extraire sans que l'homme

guérison de notre âme[1], tout comme l'herbe susdite, pour guérir les corps, est arrachée, dit-on, de son sol, non par un homme, mais à l'aide d'une tige recourbée[2]. Abreuvées, grâce à ces nations, « de larmes en abondance » — ainsi que dit le prophète[b] —, comme d'un contrepoison, les âmes qui avaient la connaissance de Dieu[c], mais qui n'avaient pas de goût pour les aliments de la doctrine salutaire du Verbe de Dieu ni ne pouvaient les garder dans leur esprit lorsqu'on les y introduisait de force, peuvent, maintenant qu'elles sont pressées par leurs angoisses, rechercher avec un grand désir, dans la tribulation et la pauvreté, ou dans les geôles de la captivité, les aliments qui les dégoûtaient lorsqu'elles étaient dans les délices et avaient tout en abondance.

---

intervienne, au moins directement. C'est ainsi, pense Apponius, que les nations barbares sont arrachées à leur sol, non par les hommes, mais par les anges (172). — Quant au procédé d'extraction de la mandragore ici indiqué : « à l'aide d'une tige recourbée », il est conforme à celui décrit au ch. 131 du *Liber de herbarum medicaminibus* du Pseudo-Apulée (*Corp. Medic. lat.*, IV, p. 222) : l'engin utilisé *(manganum)* consiste en une tige *(pertica) qui, courbée vers l'arrière, se redresse d'elle-même (uirtute sua)*, comme un ressort, en arrachant la plante, précédemment déchaussée. — La forme *stipe* (de *stips*, variante populaire de *stipis*, « racine ») a été conjecturée ici au lieu de *stirpe* (de *stirps*, « branche, bâton »), donné par les mss : quelques précisions ont été fournies à ce sujet dans une Note critique du *CCL* 19, p. 476. — P. Hamblenne est revenu sur cette question (*Scriptorium*, 43, 1989, p. 319-320). Il rappelle que A. Delatte, *Herbarius*, 3ᵉ éd., 1961, p. 186, n. 3, avait proposé de corriger ici *stirpe* en *stipite*. Il note aussi, ce qui est exact, que *stirps* peut parfois être employé au masculin (nous avons rétabli ce masculin en un autre passage : IV, 338 et la note). Mais nous ne le suivrions pas lorsqu'il propose, en gardant la leçon des mss : *reflexo stirpe*, de traduire : « quand (sa) racine a été forcée en arrière », ce qui s'oppose mal à *non ab homine, sed...* (174). — P. Hamblenne également (*Euphrosyne*, N.S. 20, 1992, n. 26, p. 224-225) signale un passage de Marcellus, médecin de Bordeaux (c. 420), qui, comme Apponius, présente la mandragore comme un remède à la nausée (*De Medicamentis*, 20, 143).

13. Altera uero ex causa adducuntur super ingratos : ut,
dum | pro correptione christianus populus disciplinam acci-
185 pit ut emen|det, illae occasionem salutis per ueri Dei noti-
tiam, ore sacerdo|tum quos captiuos obtinent, percipere
gratulentur. Per quod, in | die iudicii, inexcusabiles sint
omnes gentes[a], quae propterea ad | uindictam super eos
inducuntur qui scientes Deum eius manda|ta contemnunt,
190 ut illae discant ueri Dei culturam. Nam poterat | alia uin-
dicta, pestilentia, aut negata cespiti fruge, aut bestia|rum
dente, aut illis quibus Aegyptum castigauit, punire pec-
can|tes, sed propterea homo per hominem flagellatur, ut
alter disci|plinam, alter occasionem salutis accipiat : ut
utrumque iusta sit | causa punitionis, aut hic humiliatus
195 cur non emendat, aut ille | exaltatus quare contempsit
agnoscere creatorem. |

14. Istae ergo *mandragorae*, eo quod agrestes sunt et dis-
simi|les uineis et malogranatis, nec ab homine euelli de suis
sedibus | posse leguntur, congrue ferocissimae gentes, ut
superius dictum | est, intelleguntur. Quae in nouissimis
200 temporibus, prope finem | mundi — quod est *in portis* —
cum plenitudo gentium[a], id est ex | omni gente quae sub
caelo est[b] quantitas ex eis, fuerit conuersa | ad Deum caeli,
ingrediens in fidem Christi, tunc confessionis | suae cre-
dendo *dabunt odorem*. Tunc gaudens gloriosa anima | sae-
pedicta, cum iam tulerit ex omnibus gentibus diabolo
205 reg|num, tradendum Deo Patri[c], uelut gratissima poma,
referto sinu, | diuersarum gentium animas per unitum sibi

---

13 a. Cf. Rom. 1,20
14 a. Cf. Rom. 11,25   b. Cf. Act. 2,5   c. Cf. I Cor. 15,24

---

1. Ci-dessus, l. 174-175.

13. Il y a une seconde raison pour laquelle ces nations sont amenées contre les ingrats. C'est afin que — tandis que le peuple chrétien reçoit une leçon en guise de correction pour qu'il s'amende — elles puissent se réjouir de trouver une occasion de salut par la connaissance du vrai Dieu, de la bouche des prêtres qu'elles retiennent captifs. Ainsi, au jour du jugement, toutes les nations seront inexcusables[a], puisque, si elles sont amenées pour les châtier contre ceux qui, connaissant le vrai Dieu, méprisent ses commandements, c'est afin d'apprendre elles-mêmes la religion du vrai Dieu. Il pouvait en effet punir les pécheurs par un autre châtiment : par la peste, ou en refusant la moisson à la terre, ou par la dent des bêtes, ou par les plaies dont il a châtié l'Égypte. Non, il frappe l'homme par l'homme, afin que l'un reçoive une leçon et l'autre une occasion de salut. Ainsi le châtiment est justifié de part et d'autre : pour celui qui est humilié, parce qu'il ne s'amende pas; pour celui qui est exalté, parce qu'il n'a pas daigné reconnaître son créateur.

14. Donc ces *mandragores*, parce

Le Verbe
reçoit de l'Âme
tous ces fruits
pour les offrir
au Père

qu'elles sont sauvages et différentes des vignes et des grenadiers, et que, dit-on, l'homme ne peut les arracher de leur sol, figurent à juste titre les nations très féroces, comme nous

l'avons dit plus haut[1]. Dans les derniers temps, tout près de la fin du monde — c'est ce que signifie « *aux portes* » —, lorsque la plénitude des nations[a] — c'est-à-dire une quantité de leurs membres tirés de toutes les races qui sont sous le ciel[b] — se sera convertie au Dieu du ciel en entrant dans la foi au Christ, alors, par leur foi, elles *répandront le parfum* de leur confession. Alors, pleine de joie, l'âme glorieuse souvent évoquée, après avoir enfin arraché au diable, de toutes les nations, la royauté pour la remettre à Dieu le Père[c], offre à pleines brassées, comme des fruits très agréables, les âmes des différentes nations, par l'intermédiaire du Verbe qui lui

Verbum offert Deo | Patri, in cuius pectore permanet [d] aeternus dilectus. Qui utpote | manus Patris oblata Patri suscipit munera. Cui dicitur a supra|dicta sequenti uersiculo : OMNIA POMA, NOVA ET VETERA, DILECTE | MI, SERVAVI TIBI. |

CXXX (VII, 13)

15. *Noua* mihi uidetur per baptismum *innouata* animarum | dicere *poma; uetera* uero, paenitentiae marcore, adflictionibus | ieiunii lacrimarumque ab omni decore praesentis laetitiae et | deliciarum fluxu peccati siccata. Vtraque in canistro Ecclesiae | collecta intellegitur *seruare*, et ideo primum *noua*, secundo | *uetera* posuit *seruata dilecto*. Siue illa intellegantur quae in *nouo* | testamento in fidem Ecclesiae, quasi in canistro, colliguntur | cotidie. Et *uetera*, quae in *ueteri* testamento uel per Iohannem | praecursorem eius collecta sunt, non erit alienum intellegi. |

CXXXI (VIII, 1)

16. QVIS MIHI DET TE FRATREM MEVM SVGENTEM VBERA MA|TRIS MEAE ? Optatiuus sermo est, qui bonitatem immensam | creatoris ostendit, eum neminem uelle perire [a]. Cum quo praedic|ta anima unum effecta suae bonitatis adfectum ostendit. Quae | cum uidet praedictarum gentium animas per se congregatas ad | uitam aeternam, et solam remansisse incredulam plebem iu|daeam, *matrem* secundum carnem, optat ita Verbum Dei, qui est | *frater* per adunationem, a synagoga lactari, sicut ab ecclesiis | gentium lactatus in omnium populorum notitiam cotidie multi|plicatur et crescit [b]. |

---

14 d. Cf. Jn 1,18
16 a. Cf. II Pierre 3,9   **b.** Cf. Act. 12,24

1. Sur cette croissance du Verbe de Dieu allaité de la foi des églises, voir ci-dessus note 3, p. 140-142.

est uni, à Dieu le Père, dans le sein duquel il demeure[d], lui l'éternel bien-aimé. Et celui-ci, en tant que main du Père, reçoit les présents offerts au Père. C'est à lui que s'adresse cette âme dans le verset suivant : « J'AI GARDÉ POUR TOI, MON BIEN-AIMÉ, TOUS LES FRUITS, LES NOUVEAUX ET LES ANCIENS. » **CXXX (VII, 13)**

15. Il me semble que par « *nouveaux* », elle désigne les *fruits* des âmes qui ont été *renouvelés* par le baptême, et par « *anciens* », les *fruits* qui, par suite du flétrissement de la pénitence et des afflictions des jeûnes et des larmes, ont été desséchés, ayant perdu toute la beauté de la joie présente et la mollesse des délices du péché. Elle *garde*, on le voit, les uns et les autres rassemblés dans la corbeille de l'Église, et c'est pourquoi elle a mis, comme *gardés pour le bien-aimé*, d'abord « *les nouveaux* », et ensuite « *les anciens* ». Ou alors, il faut voir dans « *les nouveaux* » ceux qui sont rassemblés chaque jour dans le *nouveau* testament, comme dans une corbeille, en vue de la foi de l'Église. Et dans « *les anciens* », il ne sera pas déplacé de voir ceux qui ont été rassemblés dans l'*ancien* testament ou par Jean son précurseur.

L'Âme souhaite encore la conversion d'Israël

16. « QUI POURRAIT ME DONNER QUE TU SOIS MON FRÈRE, ALLAITÉ AUX SEINS DE MA MÈRE ? » C'est là un souhait, qui montre l'immense bonté du créateur, qui veut que personne ne périsse[a]. Ne faisant plus qu'un avec lui, cette âme manifeste les sentiments de bonté qui sont les siens. Lorsqu'elle voit qu'elle a rassemblé les âmes des autres nations pour la vie éternelle, et que seule est restée incrédule la nation juive, sa *mère* selon la chair, elle souhaite que le Verbe de Dieu, qui par son union avec elle est son *frère*, soit allaité par la synagogue de la même manière qu'il est allaité par les églises des nations et que chaque jour il se développe et grandit dans la connaissance qu'ont de lui tous les peuples[1]. **CXXXI (VIII, 1)**

CXXXII
(VIII, 1)

17. Vt inveniam te foris et deoscvler te, et iam me nemo ‖ despiciat. Vsque hodie in littera legis ueteris testamenti iudae‖ae plebi inclusum absconditur Dei Verbum [a], quod credentibus ‖ per incarnationis mysterium palam apparuit et in medio eorum ‖ cotidie conuersatur [b], sicut

235 dixit apostolis : *Vbi duo uel tres con‖gregati fuerint in nomine meo, ego in medio eorum sum* [c], et : *Ecce ‖ ego uobiscum sum omnibus diebus usque ad consummationem ‖ saeculi* [d]. Et cum ad omnium salutem sit missum a Patre [e] — dicente ‖ propheta : *Misit Verbum suum, et sanauit eos* [f] —, illis tantum se ‖ *pro foribus* intellegentiae praebet saluando,

240 qui eum in toto ‖ corde secundum Spiritum uiuificantem exquirunt [g]. ‖

18. Adsumpta ergo in se persona iudaicae plebis, saepedicta ‖ beata anima redemptoris optat ut eum *foris* litteram, in mysterio ‖ agni, excludentem uastatorem Aegypti et tollentem mundi pec‖catum *inueniat* in Aegypto iugula-

245 tum [a]; ut eum in botro a duo‖bus de terra repromissionis populis — iudaeo uidelicet et romano ‖ — in falanga crucis, in torcular mortis exprimendum, portatum [b] ‖ *inueniat* et, corporis eius sacramentum suo corpori iungendo et ‖ sanguinem eius suo sanguini, *deosculetur*; et cognita ueritate — ‖ per ignominiam crucis gloriosam uitam acquiri [c] *inue-*

250 *niri* in corde ‖ plebis iudaicae —, iam palam altisque uocibus, absque ulla ue‖recundia, auctorem salutis et uitae perpetuae praedicet cru‖cifixum, ut quae *despectui* solebat habere Christum nominan‖tem, *iam* eam approbantem

---

17 a. Cf. II Cor. 3,14-15   b. Cf. Bar. 3,38   c. Matth. 18,20   d. Matth. 28,20   e. Cf. Jn 3,17   f. Ps. 106,20 g. Cf. Ps. 118,2.10; Jn 6,64; II Cor. 3,6
18 a. Cf. Ex. 12,13; Jn 1,29   b. Cf. Nombr. 13,24   c. Cf. I Cor. 1,18

---

1. *foris litteram* : sur cette intelligence des mystères du Verbe incarné à découvrir « au-dehors de la lettre », c'est-à-dire par-delà la lettre de l'ancien testament, cf. Introd., p. 70.

17. « Pour que je te découvre au-dehors et t'embrasse, et que désormais personne ne me méprise. » Jusqu'à ce jour, pour la nation juive, le Verbe de Dieu est caché, enfermé dans la lettre de la loi de l'ancien testament[a], lui qui est apparu ouvertement aux croyants par le mystère de l'incarnation et qui vit chaque jour au milieu d'eux[b] — ainsi qu'il l'a dit aux apôtres : « Là où deux ou trois se trouveront réunis en mon nom, je suis au milieu d'eux[c] », et : « Voici que je suis avec vous tous les jours jusqu'à la fin du monde[d]. » Et bien qu'il ait été envoyé par son Père[e] pour le salut de tous — selon les mots du prophète : « Il a envoyé son Verbe et il les a guéris[f] » —, il ne se présente en sauveur *aux portes* de l'intelligence que pour ceux qui le cherchent de tout leur cœur[g] selon l'Esprit vivifiant.

18. Ayant donc pris le personnage de la nation juive, la bienheureuse âme du rédempteur souhaite que celle-ci le *découvre au-dehors* de la lettre[1], dans le mystère de l'agneau, car c'est lui qui, égorgé en Égypte, écarte l'exterminateur de l'Égypte et ôte le péché du monde[a]. Qu'elle le *découvre* dans la grappe, lui qui a été apporté de la terre promise par les deux peuples, le peuple juif et le peuple romain, sur la poutre de la croix pour être écrasé au pressoir de la mort[b2]. Qu'elle *l'embrasse* en unissant le sacrement de son corps à son propre corps et son sang à son propre sang. Qu'une fois connue la vérité — que se *découvre* au cœur de la nation juive que la vie glorieuse s'acquiert par l'ignominie de la croix[c] —, elle proclame désormais ouvertement, à haute voix et sans honte, que le crucifié est l'auteur du salut et de la vie éternelle. Qu'ainsi, elle qui jusqu'ici avait l'habitude de *mépriser* celui qui nommait le Christ, *personne ne la*

---

2. Sur la grappe de Chanaan, figure du Christ en croix, cf. la note à III, 238.

signis et uirtutibus *nemo despi|ciat,* cum testimonio pro-
phetarum probat eius aduentum. |

CXXXIII
(VIII, 2)

19. Apprehendam te et indvcam in domvm matris
meae. | Ibi me docebis, et dabo tibi pocvlvm ex vino
condito et | mvstvm malorvm granatorvm meorvm.
Sicut enim quidquid | triste a carne animaque adsumpta
agitur, sibi factum applicat | Deus Dei Verbum, ita et

260   memorata anima quidquid gaudii | collatum fuerit in ple-
bem iudaeam, sibi adserit prouenisse. Ipsa | utique sola est
in natura humana quae potuit desiderando eum | in tota
uirtute *apprehendere,* et circumdatum carne *in domum* |
matris synagogae *inducere,* et *ibi* ab eo *doceri* ea quae nec
oculus | uidit, nec auris audiuit, nec in cor hominis ascen-

265   derunt[a], ea quae | pro meritis repensanda sunt iustis et
iniustis in die magni | iudicii, uel ea quae *doctum* ad uitam
aeternam perducunt. De | qua circumdatione uel *apprehen-*
sione praedixerat Hieremias, | dicendo : *Quia creauit Domi-*
nus nouum super terram : femina | circumdabit uirum[b]. |

270   **20.** Et ibi *in domo matris,* ubi hoc mysterium celebra-
tum est, | *ibi docetur* haec plebs cuius praedicta anima in se
personam | suscepit. Et quod *docenda* erat, ipse Sermo
Patris clara uoce | exposuit : *Tollite,* inquit, *iugum meum*

---

19 a. I Cor. 2,9   b. Jér. 31,22

---

1. Il ne sera pas inutile de résumer l'exégèse subtile qu'Apponius
vient de donner aux versets 7,13-8,1 du *Cantique* : l'âme du Christ
s'adresse au Verbe en lui offrant, pour qu'il les offre au Père, les
fruits que sont les âmes converties (§ 14-15). Cette même âme nomme
le Verbe « son frère » ; déjà il est allaité par les Églises des nations
(cf ci-dessus note 11) ; elle souhaite qu'il le soit aussi par la synagogue
qu'elle appelle « sa mère » (§ 16). Or le Verbe reste caché pour la
synagogue, qui doit le découvrir. L'âme prête donc sa propre voix à
la synagogue pour formuler le souhait de celle-ci : découvrir ce Verbe
et ses mystères à travers les figures de l'ancien testament maintenant
réalisées. Alors personne ne la méprisera plus, elle qui jusqu'ici
méprisait l'ignominie de la croix, chemin du salut (§§ 17-18).

méprise désormais quand, acquiesçant aux signes et aux miracles, elle prouve sa venue par le témoignage des prophètes[1].

Annonce de cette conversion... **19.** « JE TE SAISIRAI ET JE T'INTRO-DUIRAI DANS LA MAISON DE MA MÈRE. LÀ TU M'ENSEIGNERAS, ET JE TE DONNE-RAI UN BREUVAGE DE VIN AROMATISÉ ET LE JUS DE MES GRENADES. » De même en effet que le Verbe de Dieu, qui est Dieu, s'attribue comme fait à lui-même tout ce qui est subi de pénible par la chair et par l'âme qu'il a assumées[2], de même aussi l'âme dont nous parlons déclare que toute joie accordée à la nation juive l'a été pour elle. Cette nation est la seule, en effet, de toute l'humanité, qui a pu *le saisir* en le désirant de toutes ses forces et *l'introduire*, après qu'il eût embrassé la chair, *dans la maison de sa mère*, la synagogue, et *là* se faire *enseigner* par lui ce que l'œil n'a pas vu, que l'oreille n'a pas entendu, et qui n'est pas monté au cœur de l'homme[a], ce que, suivant leurs mérites, doivent recevoir au jour du grand jugement les justes et les injustes, et l'*enseignement* qui conduit celui qui l'a reçu à la vie éternelle. C'est cet embrassement et cette *saisie* que Jérémie avait prédits par ces mots : « Car Dieu a créé du nouveau sur la terre : la femme embrassera l'homme[b]. »

20. Et c'est là, *dans la maison de sa mère*, où s'est accompli ce mystère, c'est *là* qu'est *enseignée* cette nation dont l'âme en question a pris le personnage. Qu'elle devait être *enseignée*, le Verbe du Père lui-même l'a exposé clairement : « Prenez, dit-il, sur vous mon joug,

CXXXIII (VIII, 2)

---

2. *sibi factum applicat* : sur cette communication, voir note à IX, 570. – *Sicut..., ita..* : il ne s'agit pas d'une parfaite équivalence : d'un côté, l'attribution au Verbe des souffrances de la sainte Humanité ; de l'autre, l'assimilation de l'âme du Christ au peuple d'Israël, duquel elle revêt le personnage et dont elle assume tout l'héritage.

super uos, et discite a me | quia mitis sum et humilis corde, et
275 *inuenietis requiem animabus | uestris*[a] : mitis, non irro-
gando, humilis non irascendo irrogatas | iniurias. Cum ergo
docta fuerit anima per quae opera gradien|dum sit ad
requiem regni caelorum, tunc *dare* poterit, uel unde | *dare*
habebit Deo laetitiae *poculum ex uino condito : ex* illo |
proculdubio *uino*, id est confessione Trinitatis, quod de illa
280 uite | cuius Pater caelestis agricola est[b], per infusionem
sancti Spiritus, | manasse probatur. Hoc est igitur *uinum*
conditum, coaeternae | Trinitatis confessio, quod laetificat
cor[c] doctoris, huius dumtaxat | in quo loquitur Christus[d],
qui rectae fidei tramitem tenet, in quo | est spiritus qui
285 confitetur Iesum in carne uenisse[e] et uerum | Deum uerum
hominem indutum de utero Virginis processisse. |

21. Nam Iudaeus non laetificat huiusmodi doctorem,
cum | solius *uini poculum* solum Patrem Deum porrigit
confitendo, | nec omnis haereticus qui offendit in Trinitatis
aequalitatem. Sed | cum iunxerit mellis dulcedinem Filii
290 caritatis et calidissimum | piper feruentis Spiritus sancti
laetitiae sempiternae, tempera|tum, in aequalitate essen-
tiae trium personarum unam deitatem | confitendo,
poculum ex uino condito Deo porrigere cognoscitur. | Et
postea ipsius confessionis *uini conditi dederit* dilecto, tunc |
— instigante diabolo, qui fornax intellegitur probationis[a]
295 confesso|rum, et, ut uerius dicam, prelum tribulationum
persecutionum|que, ubi probati manifesti fiunt[b] in

---

20 a. Matth. 11,29   b. Cf. Jn 15,1   c. Cf. Ps. 103,15
d. Cf. II Cor. 13,3   e. Cf. I Jn 4,2
21 a. Cf. Sag. 3,6   b. Cf. I Cor. 11,19

---

1. *uerum Deum uerum hominem indutum* : cf. Introd., p. 93, n. 2.
— La confession de la Trinité coéternelle n'appartient qu'à la foi
droite, par laquelle, dans l'Esprit, le croyant confesse Jésus vrai Dieu
devenu vrai homme par sa conception virginale.
2. *in Trinitatis aequalitatem* (288); *in aequalitate essentiae trium*
personarum (291); cf. V, 661 : *aequalitas Trinitatis*. Égalité affirmée
face à l'hérésie d'Arius — pour qui le Fils, étant engendré par le Père,

et apprenez de moi que je suis doux et humble de cœur,
et vous trouverez le repos pour vos âmes[a] » : doux, en
ne faisant pas subir d'injustice ; humble, en ne s'irritant
pas des injustices subies. Quand donc l'âme aura appris
par quelles œuvres il faut marcher pour atteindre le
repos du royaume des cieux, alors elle pourra *donner*,
ou elle aura de quoi *donner* à Dieu le *breuvage* de joie
de vin aromatisé : de ce *vin*, n'est-ce pas, − c'est-à-dire
de la confession de la Trinité − qui a coulé de cette
vigne dont le Père céleste est le vigneron[b], grâce à
l'effusion de l'Esprit saint. Tel est donc *le vin aromatisé* :
la confession de la Trinité coéternelle ; il réjouit le cœur[c]
du docteur, de celui bien sûr en qui parle le Christ[d],
de celui qui garde le chemin de la foi droite, et dont
l'esprit confesse que Jésus est venu dans la chair[e] et
que le vrai Dieu a revêtu un homme véritable et est né
du sein de la Vierge[1].

**... par la foi
en la Trinité
et l'épreuve
du martyre**

21. Un tel docteur, en effet, le Juif
ne le réjouit pas, lorsqu'il présente
un *breuvage de vin* seulement, en ne
confessant que Dieu le Père ; ni
aucun hérétique, qui trébuche sur
l'égalité dans la Trinité[2]. Mais une fois ajoutés la
douceur du miel − celle de l'amour du Fils − et le
poivre brûlant − la joie éternelle de l'ardeur de l'Esprit
saint −, en les mélangeant grâce à la confession de l'unique
divinité dans l'égalité d'essence des trois Personnes, c'est
un *breuvage de vin aromatisé* qu'il présente à Dieu. Et
une fois qu'il a donné au bien-aimé *du vin aromatisé* de
cette confession, alors − à l'instigation du diable en qui
il faut voir la fournaise qui éprouve[a] les confesseurs, et,
pour parler plus juste, le pressoir des tribulations et des
persécutions, où leur valeur devient manifeste[b] aux yeux

lui est inférieur − et à celle de Macedonius − qui plaçait l'Esprit
saint au dessous du Père et du Fils. La première fut condamnée à
Nicée en 325, la seconde à Constantinople en 381.

conspectu caelestium potesta|tum — compressa suauissima castigationum uel castimoniarum | suarum aliorumque bonorum operum *musta* offert dilecto suo, | pro eius nomine gaudens uulnera suscipiendo : sicut illi qui in | Actibus apostolorum, cur nomen eius gentibus praedicarent, | uirgis caesi, gaudentes ibant a conspectu concilii Iudaeorum[c]. |

22. Omnis quidem perfectio huius animae, uel plebis cuius in | se personam saepedictam suscepit, in his duobus exeniis osten|ditur creatoris post offensam amicitias reparasse, *uini conditi et* | *musti malorum granatorum*, confessionis uidelicet coaeternae | Trinitatis et martyrii liquoris *poculo* propinato. Habebit nam|que, licet sera, hebraea plebs, quasi serotina arbuscula, dulcissi|mos fructus supradictos, dum congregationis ipsius qui *mala* | *granata* intelleguntur pro fide Christi coeperint pilo tormento|rum a persecutoribus ministris daemonum ualenter contundi et, | confracto corpore, pretiosa animarum grana dulcissima Deo | exprimi *musta*. |

23. In his igitur uersiculis mihi uidentur labores tribulatio|num prophetati plebis iudaicae illius quae sub finem saeculi | agnitionem redemptionis merebitur. De qua dixit Apostolus : | *Cum autem plenitudo gentium introierit, tunc omnis Israhel* | *saluus erit*[a]. Huius ergo uoce suscepta, loqui ostenditur gloriosa | anima Christi, utpote per quem omnia efficiuntur opera bona. | Quae omnibus pro eius salute gau-

21 c. Cf. Act. 5,40-41
23 a. Rom. 11,25-26

1. *castimoniarum* a été adopté dans *CCL* 19, à la suite de Bottino-Martini, d'après une correction du ms. *R*, à la place de *castimoniorum*, leçon de *S* et de R^{ac}; la liaison avec *suarum*, bien attesté, paraît l'exiger. – Le pluriel *castimoniae, -arum*, très rare (*TLL* III, 537, 95-96) équivaut à *castimonia, -orum :* les deux formes sont présentées dans le même article du *TLL*. – Sur cette alternance *-monia / -monium*, voir Leumann-Hofmann-Szantyr, *Lateinische Grammatik*, I, p. 211. Apponius lui-même emploie, à côté du génitif singulier *sanctimoniae*

des puissances célestes − il offre à son bien-aimé le *jus*
pressé et très doux de ses peines et mortifications[1] et de
ses autres bonnes œuvres, joyeux de recevoir des coups
pour son nom − à l'exemple de ceux qui, dans les Actes
des apôtres, battus de verges parce qu'ils prêchaient son
nom aux gentils, s'en allaient tout joyeux de devant le
conseil des Juifs[c].

22. Toute la perfection de cette âme − ou de cette
nation dont, nous l'avons dit, elle a pris le personnage
− a rétabli, après la faute, le texte le montre, l'amitié
du créateur grâce à ce double présent : *le breuvage versé
du vin aromatisé* et du *jus des grenades* − celui de la
confession de la Trinité coéternelle et celui de la liqueur
du martyre. En effet, la nation hébraïque, bien que
tardivement, portera, comme les arbustes tardifs, les fruits
très doux dont nous parlons : cela lorsque les persécuteurs, serviteurs des démons, se seront mis à écraser
puissamment, pour la foi du Christ, sous le pilon des
tortures, les membres de cette communauté, en qui il
faut reconnaître *les grenades*, et, après avoir brisé leurs
corps, à presser les grains précieux de leurs âmes, comme
un jus très doux pour Dieu.

23. Dans ces versets donc sont pro-
Le repos de l'Âme phétisés, à mon avis, les peines et
pour un temps les tribulations de cette nation juive
après la conversion qui, à l'approche de la fin du monde,
du monde méritera de connaître la rédemption.
C'est d'elle que l'Apôtre a déclaré : « Lorsque la plénitude
des nations sera entrée, alors tout Israël sera sauvé[a]. »
C'est la glorieuse âme du Christ, nous le voyons, qui
parle, en ayant pris la voix de cette nation, puisque c'est
par lui que s'accomplissent toutes les œuvres bonnes.
C'est elle qui se repaît de toutes les joies qu'elle éprouve

(VIII, 728.1108 ; X, 551 ; XII, 139), le génitif pluriel *sanctimoniorum*
(XII, 1352).

320   diis pascitur, eo quod per | singulos confessores uel mar-
      tyres, quasi caput in membris suis, | ipsa cotidie patitur.
      Quae post nimios labores in supradictis | ministrando,
      dilecto iam *introducto in domum matris*, secreto | cubiculi in
      quietem somni collocatur et, ut fatigata nimio la|bore,
      utraque manu a Verbo Dei sustentatur, paululum perse-
325 |cutione cessante, id est imperio creatoris prolongante dia-
CXXXIV   bolo — | ut nunc ait : Laeva eivs svb capite meo et
(VIII, 3)   dextera illivs | amplexabitvr me. *Laeua sub capite* poni-
      tur, repulsis aliquantu|lum impugnationibus hostis diaboli,
      qui semper sinistris operi|bus persuadendo stimulat ani-
330   mam ; *dextera* uero *illius amplexa|tur*, *dextris* desideriis
      caelestibus compungendo : et reuocando a | malis, et ad
      bona trahendo, *laeua sub capite et dextera* intellegi|tur
      amplexari. |

      24. Sed quia in hoc otio impatientes sunt *filiae Hierusa-
      lem*, et | nimio desiderio erga huiusmodi personam quae
335   Dei *amplexus* | promeretur aguntur, uidentes eam scilicet a
      daemonum laqueis | liberatam in terris, ad suum optant
      consortium properare in | caelis, ne inter moras aliquid
      damni patiatur in terris. Sed | quoniam praescius dilectus
      Sermo Patris nouit obscurari mun|dum sine talium lumina-
340   ribus animarum, tamdiu eas uult esse in | hoc mundo,
      quamdiu ipsae uoluerint — ut aiebat beatus Paulus | audi-
      toribus suis : *Desiderium habeo dissolui et esse cum Christo*, |
      multo melius. Permanere autem in carne necessarium propter
      | *uos* [a], et : *Hic mihi fructus operis est* [b]. Adiurat ergo *filias*
      Hierusa|lem, quas contristare in aliquo penitus non uult, ut
345   patiantur | paulisper eam post persecutionum aerumnas
      aliquantulum re|quiescere in somno quietis, dicendo : Ad-

      24 a. Phil. 1,23-24   b. Phil. 1,22

      1. Sur cette impatience des filles de Jérusalem de voir les âmes
      saintes les rejoindre au ciel, voir aussi IV, 22-28; V, 255.

pour le salut de cette nation, puisque c'est elle qui
chaque jour souffre en chacun des confesseurs et des
martyrs, comme la tête dans les membres. C'est elle qui,
après tant de peines dans le service accompli en eux, et
une fois le bien-aimé *introduit dans la maison de sa*
mère, s'endort paisiblement dans le secret de la chambre.
Et, comme elle est fatiguée de tant de peines, le Verbe
de Dieu la soutient de ses deux mains, tandis que la
persécution se calme un peu − c'est-à-dire tandis que
sur l'ordre du créateur le diable se tient éloigné. C'est
ce qu'elle dit maintenant : « De sa gauche, sous ma tête,   CXXXIV
et de sa droite il m'étreindra. » *Sa gauche* est placée   (VIII, 3)
sous sa tête, puisque ont été repoussées quelque peu les
attaques du diable ennemi, qui toujours aiguillonne l'âme
en cherchant à l'entraîner à des œuvres *gauchies*; mais
de sa droite il l'étreint, en la stimulant par des désirs
droits et célestes. C'est ainsi, il faut le comprendre, qu'en
la retirant du mal et en l'attirant au bien, *de sa gauche*
sous sa tête et de sa droite il l'étreint.

24. Mais durant ce repos *les filles de Jérusalem* sont
impatientes [1], et elles éprouvent un grand désir d'une
pareille personne qui mérite *les étreintes* de Dieu. Aussi,
la voyant délivrée sur terre des filets des démons, souhai-
tent-elles qu'elle se hâte de les rejoindre dans les cieux,
de crainte qu'en s'attardant elle ne subisse quelque
dommage sur la terre. Mais dans sa prescience le Verbe
bien-aimé du Père sait que le monde s'obscurcit s'il est
privé de la lumière de telles âmes. Aussi désire-t-il
qu'elles demeurent dans ce monde *aussi longtemps*
qu'elles-mêmes le voudront − ainsi que le disait le
bienheureux Paul à ses auditeurs : « J'ai le désir de partir
et d'être avec le Christ : ce serait bien meilleur. Mais
demeurer dans la chair est nécessaire, à cause de vous [a] »,
et : « C'est ici que j'ai le fruit de mon travail [b]. » *Il conjure*
donc *les filles de Jérusalem*, qu'il ne veut contrister
absolument en rien, de tolérer quelque temps qu'elle se
repose un peu dans le repos du sommeil après les
épreuves des persécutions : « Je vous en conjure, leur

CXXXV
(VIII, 4)

IVRO VOS, FILIAE HIERVSALEM, NE SVSCITETIS ET EVIGI-
LARE FACIATIS DILECTAM DONEC ⏐ IPSA VELIT. ⏐

25. *Filias Hierusalem* illius caelestis intellegimus, quae
350 «pax» ⏐ interpretatur, animas sanctorum, sicut iam retro
dictum est in ⏐ aliis locis. Quae intolerabili desiderio de
agonibus istius mundi ⏐ cupiunt animam Deo dicatam libe-
rari, quippe quam ditatam de ⏐ commercio praesentis uitae
ita desiderant suscipere reuerten⏐tem ad paradisum, sicut
355 diutissime desideratum parentem de ⏐ longinqua prouincia,
acquisitis multis diuitiis, quis cupiat susci⏐pere uenientem
in propria. ⏐

26. Omnia igitur quae a capite huius Cantici usque ad
prae⏐sentem locum figuris narrantur, illa intelleguntur
quae ab incar⏐natione Domini nostri Iesu Christi usque ad
360 conuersionem om⏐nium gentium pro salute humani generis
acta sunt uel aguntur. ⏐ Narrari probantur *quando omnis
plenitudo gentium introierit* in ⏐ fidem Christi *et sic omnis
Israhel*, uidens imminentem mundi ⏐ finem et Antichristi
apertam praesentiam stantem in loco sanc⏐to ª, credendo
Christo *saluus erit* ᵇ, secundum apostolum Paulum. ⏐

365 **27.** Nunc uero a praesenti uersiculo usque ad finem ⏐
huius ⏐ Cantici, ea quae usque ad diem iudicii agenda sunt
ostenduntur ⏐ significari. In quibus diebus *erit tribulatio
omnium hominum* ⏐ *qualis numquam fuit ex quo fuerunt*

---

26 a. Matth. 24,15   b. Rom. 11,25-26

---

1. Sur l'étymologie de « Jérusalem », voir I, 665; VIII, 972. Sur
« les filles de Jérusalem » et l'interprétation qu'en donne Apponius,
voir I, 663; IV, 22-23; V, 255.
2. Sur la personne et le rôle de l'Antichrist dans la pensée
d'Apponius, voir Note complémentaire VIII, p. 289.
3. Toute l'histoire du salut (cf. note à V, 347) maintenant accomplie
(XI, 356-357), Apponius aborde une nouvelle étape de l'histoire du

dit-il, FILLES DE JÉRUSALEM, N'ALLEZ PAS ÉVEILLER ET RÉVEIL-
LER LA BIEN-AIMÉE JUSQU'À CE QU'ELLE-MÊME LE VEUILLE. »

25. Par *filles de Jérusalem*, nous comprenons les *filles*
de cette *Jérusalem* céleste dont le nom signifie « paix »[1],
les âmes des saints, comme nous l'avons dit plus haut
dans d'autres passages. Elles souhaitent d'un désir incoer-
cible que l'âme consacrée à Dieu soit délivrée des combats
de ce monde, car elles désirent l'accueillir, revenant,
comblée de richesses, du commerce de la vie présente,
au paradis, tout comme on désire accueillir un père très
longtemps attendu, à son retour d'une lointaine province,
lorsqu'il rentre chez lui après avoir acquis de grandes
richesses.

26. Ainsi, tout ce qui est raconté en figures depuis le
début de ce Cantique jusqu'au présent passage est à
comprendre de ce qui s'est accompli ou s'accomplit pour
le salut du genre humain depuis l'incarnation de notre
Seigneur Jésus Christ jusqu'à la conversion de toutes les
nations. Ce qui est raconté concerne avec évidence « le
moment où toute la plénitude des nations sera entrée »
dans la foi du Christ, « et où ainsi tout Israël », voyant
la fin du monde imminente et la présence de l'Antichrist[2]
dressée ouvertement dans le saint lieu[a], « sera sauvé[b] »
en croyant au Christ, selon l'apôtre Paul.

27. Maintenant, à partir du présent verset jusqu'à la
fin de ce Cantique, sont clairement signifiés les événements qui doivent s'accomplir jusqu'au jour du jugement[3].
En ces jours-là, il y aura pour tous les hommes « une
détresse telle qu'il n'y en a jamais eu de pareille depuis

dessein de Dieu qu'il découvre dans le Cantique. C'est désormais
l'annonce des derniers temps. L'exégèse des derniers versets du Cantique (8,5-14), qui occupe tout le livre XII, va traiter « des événements
qui doivent s'accomplir jusqu'au jour du jugement ».

homines super terram [a], sicut | praedixit Dominus noster
370 saluator, *sed qui perseuerauerit usque* | *in finem* credendo in
Deum Patrem, doctus a Spiritu sancto, *hic* | *saluus erit* [b]
per Christum Filium eius. Cui est gloria et imperium | in
saecula saeculorum. Amen [c].

EXPLICIT LIBER XI

27 a. Matth. 24-21; Apoc. 16,18   b. Matth. 24,13; 10,22
c. I Pierre 4.11; cf. Apoc. 1,6

qu'il y eut des hommes sur la terre[a] », ainsi que l'a prédit notre Seigneur, le sauveur. « Mais celui qui persévé-rera jusqu'à la fin — en croyant en Dieu le Père, enseigné par l'Esprit saint — sera sauvé[b] » par le Christ son Fils. A lui sont la gloire et l'empire pour les siècles des siècles. Amen[c].

INCIPIT LIBER XII

1. QVAE EST ISTA QVAE ASCENDIT DE DESERTO DELICIIS

AD|FLVENS, NIXA SVPER DILECTVM MEVM ? Scriptum est in
Esaia | propheta de Filio Dei : *Pro eo quod laborauit anima
eius, uidebit | et saturabitur* ᵃ. Laborauit ergo haec saepe-

5 dicta anima pro salute | mortalium per passionis myste-
rium, per illam amarissimam | mortem quae tormentorum
atrocitate ab impiis illata probatur. | Quae omnia utique
laborum pericula non deitas impassibilis, | sed anima quae
condolet carni, sustinuisse manifestum est. De | qua dicitur

10 tempore passionis : *Tristis est anima mea usque ad | mor-
tem* ᵇ. Et de qua dicitur per prophetam : *Eripe a framea |
animam meam, et de manu canis unicam meam* ᶜ. Quae, post
| multos labores qui supra enumerati sunt, quos pro lucro
om|nium gentium, tam per se quam per apostolos siue
quoscumque | sanctorum, in quorum labore eius labor, pro-

---

1 a. Is. 53,11   b. Matth. 26,38   c. Ps. 21,21

---

1. *super dilectum meum* (et non *tuum*) : particularité du texte du
Cantique commenté par Apponius (elle a été omise par oubli dans le
relevé de *CCL* 19, p. lxxvii). Cette variante, propre à Apponius et
importante pour le sens qu'il donne à ce passage, ne se retrouve ni
dans les versions anciennes ni dans les commentaires. On lit bien
chez Origène, *Hom. sur le Cant.*, I, 7 fin (*SC* 376, p. 775) : *super
fratruelem meum*, mais le verset est ici adapté intentionnellement par
Origène à la description qu'il fait de sa propre expérience spirituelle.

2. *in quorum labore, eius labor* : les peines des saints sont les
propres peines du Fils de Dieu ; si les tourments des martyrs sont
allégés, c'est que lui-même souffre à leur place (*patitur ipse* : XII,
279). Déjà en XI, 319-321, il est dit : « C'est elle (l'âme du Christ)
qui chaque jour souffre en chacun des confesseurs et des martyrs,

LIVRE XII

L'achèvement du Royaume
par le retour des exilés d'Israël

**Le retour
d'Assyrie
des dix tribus
d'Israël...**

1. « QUI EST CELLE-CI QUI MONTE DU DÉSERT, COMBLÉE DE DÉLICES, APPUYÉE SUR MON BIEN-AIMÉ[1] ? » Il est écrit dans le prophète Isaïe, au sujet du Fils de Dieu : « En récompense des peines de son âme, il verra et sera rassasié[a]. » Cette âme a donc peiné pour le salut des mortels par le mystère de la passion, par cette mort très amère que lui ont infligée les impies avec d'atroces tourments. Certes, il est évident que tous ces dommages et ces peines, ce n'est pas la divinité impassible qui les a subies, mais l'âme qui souffre avec la chair. C'est d'elle qu'il est dit au temps de la passion : « Mon âme est triste jusqu'à la mort[b]. » C'est d'elle qu'il est dit aussi par le prophète : « Délivre mon âme de l'épée et mon unique de la griffe du chien[c]. » Après les nombreuses peines énumérées plus haut, qu'elle a subies pour gagner toutes les nations, tant par elle-même que par les apôtres et tous les saints dont les peines sont ses propres peines[2], cette âme se trouve,

comme la tête dans les membres ». Cf. Introd., p. 106. − On pense à la parole de Félicité souffrant dans sa prison les douleurs de l'enfantement : « Maintenant c'est moi qui souffre ce que je souffre ; mais là-bas (dans l'arène), il y aura quelqu'un d'autre en moi qui souffrira pour moi, parce que moi aussi, je vais souffrir pour lui » (*Passion de Perpétue et de Félicité*, 15,6 : SC 417, p. 157-159).

15 batur peregisse, | usque ad illud tempus quod Apostolus
dixit : *Qui tenet teneat* | *donec de medio fiat*[d] — quod retro
diximus manifesta Antichristi | tempora —, in securitatis
somno a dilecto Verbo Dei, in ea cuius | uocem inducit,
collocatur. |

2. Et dum illa requiescit paulisper in conuersione plebis
20 quae | nunc est Ecclesia toto mundo, siue Israhel quae
nunc habitat in | medio populi christiani, *dilectus, de deserto*
ubi peccando a | diabolo fuerat deportata, plebem quae sub
Osee rege Ephraim | filio Helam a rege Salmanassar Assy-
riorum in decem tribulus | captiua ducta est in Assyrios[a]   B
25 uel in diuersis gentibus dispersa | est, incumbentem *super*
se ad aulam regni notitiae suae *ascen|dendo* adducit. Quae
de ore daemonum liberata et, gloriosa | agnita uita aeterna,
deliciis adfluens, **nixa super dilectum*[b] | istius praedictae
plebis, cuius personam illa *unica matri suae* suscipit | prae-
30 senti loco. Quae, dum requiescit in sopore securita|tis per-
secutionis, somno euigilans, uidit eam incumbentem, hoc |
est fidentem et credentem et totam spem suam in unum
re|demptorem mundi, *dilectum suum,* ponentem ; et profi-
ciendo *de* | *deserto* incredulitatis *ascendentem,* mirando
repentinam eius | conuersionem ab idolis ad uerum Deum,
35 ostendit dicendo : *Quae* | *est ista quae ascendit de deserto,*
deliciis adfluens, nixa super | *dilectum meum?* Quam etiam
ante conuersionem ignorans, iam | conuersam ab idolorum
cultura ad Christi fidem uenientem | cognoscit dicendo :

---

1 d. II Thess. 2,7
2 a. Cf. IV Rois 17,1-6   b. Cant. 6,8

---

1. Déjà les derniers versets commentés au livre XI faisaient entendre
« la bienheureuse âme du rédempteur » parlant au nom de la nation
juive, non encore convertie (l. 241-242.259-260.302-303.317-318). Cette
nation, enfin convertie, s'est endormie. Et c'est dans son sommeil
qu'elle voit monter du désert ce reste d'Israël, les dix tribus déportées

en la personne de celle qui parle ici, plongée par le Verbe de Dieu bien-aimé dans la sécurité du sommeil, jusqu'à ce temps dont l'Apôtre a dit : « Que celui qui retient retienne, jusqu'à ce qu'il soit écarté [d] », ce temps qui est, nous l'avons déjà dit, celui de la manifestation de l'Antichrist.

2. Et tandis que cette âme trouve un moment de repos après la conversion du peuple qui est maintenant l'Église dans le monde entier, ou celle de l'Israël qui habite maintenant au milieu du peuple chrétien, *le bien-aimé* conduit au palais du royaume de sa connaissance, en la faisant *monter, s'appuyant sur lui, du désert* où elle avait été déportée par le diable par suite de ses péchés, cette nation qui sous Osée, roi d'Éphraïm, fils d'Hélam, avait été avec ses dix tribus emmenée captive en Assyrie par Salmanazar, roi d'Assyrie [a], et dispersée parmi divers peuples. Délivrée de la gueule des démons et *comblée de délices*, une fois connue la gloire de la vie éternelle, la voici, *appuyée sur le bien-aimé* [b] de cette autre nation dont cette âme *unique pour sa mère* prend ici le personnage [1]. Et tandis que cette âme repose endormie à l'abri de la persécution, elle s'éveille de son sommeil et voit cette nation-là *appuyée*, c'est-à-dire mettant sa confiance, sa foi et toute son espérance en lui, l'unique rédempteur du monde, *son bien-aimé*. Elle la montre qui *monte*, s'avançant *du désert* de l'incrédulité, et elle dit, admirant sa conversion subite des idoles au vrai Dieu : « *Qui est celle-ci qui monte du désert, comblée de délices, appuyée sur mon bien-aimé ?* » Celle qu'elle ne connaissait même pas avant sa conversion, maintenant qu'elle est convertie et qu'elle vient du culte des idoles à la foi du Christ,

---

jadis en Assyrie. C'est ainsi que précédemment la première communauté chrétienne voyait avec admiration les nations de la gentilité monter du désert de l'incrédulité (V, 355).

CXXXVII SVB ARBORE MALO SVSCITAVI TE. IBI CORRVP|TA EST MATER
(VIII, 5) TVA, IBI VIOLATA EST GENETRIX TVA. |

40   **3.** Docetur uidelicet in his uersiculis quod plebs *ista quae
| ascendit de deserto*, decem tribus, regnum Ephraim, in
Assyrios | ducta a rege Salmanassar in captiuitatem[a] intel-
legitur. De qua | prophetauit Hieremias dicendo : *Vox in
excelso audita est, la|mentationis, fletus et luctus : Rachel plo-*
45 *rantis filios suos et nolen|tis consolari super eos, quia non
sunt*[b]. Quam sermo Dei consola|tur ; promittens spem futu-
ram in finem, ait : *Haec dicit Domi|nus : quiescat uox tua a
ploratu et oculi tui a lacrimis, quia | reuertentur filii tui ad
terminos suos et reuertentur de terra | inimici, et spes erit*
50 *nouissimis tuis, ait Dominus. Audiens* enim | audiuit trans-
migrantem *Ephraim*[c] — qui fuit filius Ioseph filii | Rachel,
de cuius semine rex Osee. Cuius populi paenitentiae |
uocem inducens, ita in sequentibus ait : *Conuerte me et
reuertar,* | *quia tu es Deus meus. Postquam enim castigasti
me, egi paeni|tentiam*[d]. Et respondetur ei Domini uoce :
55 *Pone tibi speculum,* | *praepara tibi amaritudines, dirige cor*

---

3 a. Cf. IV Rois 17,1-6   b. Jér. 31,15   c. Jér. 31,16-18
d. Jér. 31,18-19   e. Jér. 31,21

---

1. « *sub arbore malo* ». A propos de *Cant.* 2,3, qui se lisait : *sicut
arbor mali* (cf. note à III, 511) dans les vieilles traductions latines,
RUFIN, glosant ici ORIGÈNE, met en garde les *simpliciores* qui risquent
de comprendre : « comme l'arbre du mal » (*Comm. sur le Cant.*, III,
5, 2 : *SC* 376, p. 524). Pour ce même verset 2,3, Apponius lisait
dans la *Vg* : *sicut malum* ; la question ne s'est donc pas posée alors
pour lui (il comprend : *malum granatum*, et, pour lui, c'est du Christ
qu'il s'agit : III, 511-622). — Ici (8,5), où les vieilles latines lisaient
également : *sub arbore mali*, Apponius lit, avec la *Vg* : *sub arbore
malo*, et son commentaire insiste tout au long sur « le mal » qui
caractérise cet arbre, en qui il reconnaît le diable (« arbre de mort »,
opposé à l'« arbre de vie »). — Est-ce à dire qu'il fait de *malo* un
adjectif, ce qui supposerait qu'il admette que *arbor* soit ici au masculin
(lui-même l'emploie toujours au féminin) ? Bien plutôt, il a compris
malo comme une apposition à *arbore* : il s'agit de « l'arbre qui est le
mal », ou « le Malin ». Cette nation était endormie « sous l'arbre »,

elle la reconnaît et dit : « SOUS L'ARBRE DU MAL[1] JE T'AI
RÉVEILLÉE. C'EST LÀ QUE TA MÈRE A ÉTÉ SÉDUITE ; C'EST LÀ
QU'A ÉTÉ VIOLÉE CELLE QUI T'A MISE AU MONDE. »

3. Ainsi, ces versets nous enseignent qu'il faut voir,
dans *cette* nation qui *monte du désert* les dix tribus, le
royaume d'Éphraïm, la nation emmenée en captivité par
le roi Salmanazar en Assyrie[a]. C'est d'elle qu'a prophétisé
Jérémie lorsqu'il disait : « Une voix a été entendue dans
les hauteurs, voix de lamentation, de pleurs et de deuil :
celle de Rachel pleurant ses fils et ne voulant pas être
consolée, car ils ne sont plus[b]. » C'est elle que console
la parole de Dieu lorsqu'elle dit, promettant qu'à la fin
viendra l'espoir : « Ainsi parle le Seigneur : Que ta voix
fasse trêve à ses gémissements et tes yeux à leurs larmes,
car tes fils reviendront dans leur pays ; ils reviendront
de la terre de l'ennemi. Ce sera l'espoir pour tes derniers
temps, dit le Seigneur. En écoutant en effet, le Seigneur
a entendu la transmigration d'Éphraïm[c] » − Éphraïm était
le fils de Joseph, lui-même fils de Rachel ; de lui
descendait le roi Osée. Introduisant alors les paroles de
pénitence de ce peuple, le texte poursuit ainsi : « Fais-moi
revenir et je reviendrai, car tu es mon Dieu. Une fois
en effet que tu m'as châtiée, je me suis repentie[d]. » Et
il lui est répondu par la voix du Seigneur : « Prends-toi
un miroir[2]. Prépare-toi des amertumes. Dirige ton cœur

c'est-à-dire « sous le pouvoir », du Malin (de toute façon, il n'échappe
pas à Apponius que son exégèse part d'un jeu de mots). − Quant à
reconnaître dans cette interprétation d'Apponius l'influence du passage
de Rufin cité ci-dessus (H. KÖNIG, *Vestigia antiquorum magistrorum*,
p.131), cela paraît difficile, puisque précisément Rufin rejette une
pareille interprétation (à propos de *Cant.* 2,3). Il serait surprenant
qu'Apponius soit allé la chercher là, se rangeant ainsi parmi les *simpliciores*.

2. *Pone tibi speculum* : leçon originale (et fautive) ; la forme
speculum (« miroir ») est bien attestée ici. *Vg* donne : *statue tibi
speculam* (« point de vue ») ; *VL* donne : *statue tibi speculatores*. Sur
specula et *speculum*, voir note à I, 101.

tuum in uia directa in qua | *ambulasti, et reuertere, uirgo*
Israhel [e]. |

4. Quam utique sub finem mundi reuertentem reliqua
plebs | credentium, non inuidendo *nixae* super Filium Dei,
sed admi|rando, dicit : *Quae est ista quae ascendit de deserto,*
60   *nixa super* | *dilectum meum?* Et quam, uelut ignotam,
ascendentem miratur, | nunc sequenti uersiculo comperta
fide eius, cognoscit, et eam | sibi etiam aliquando in patri-
bus recolit notam, et eam etiam sua | uoce, fidei uel
conuersationis sanctae de letali incredulitatis | somno *exci-*
65   *tatam* monet ut memor sit, et uitet insidias eius qui | in
peccatis idolatriae *corrupit matrem eius* et in sceleribus, |
effusione sanguinis innocentum, *uiolauit genetricem eius*,
dicen|do : *Sub arbore malo suscitaui te.* Id est : sub potes-
tate diaboli | dormientem — qui est *arbor* mortis —, operi-
bus mortis deditam — | quod est somnus letalis —, sua
70   doctrina uocauit suoque exemplo | uitae *excitauit.* |

5. Nam sicut Christus *arbor* uitae aeternae [a] — *cui dixi-*
mus, ait | Hieremias : *In umbra tua uiuemus in gentibus* [b] ;
et Ecclesia retro | dixit : *In umbra eius, quam desideraue-*
ram, sedi, et fructus eius | *dulcis gutturi meo* [c] —, ita et dia-
75   bolus, ut diximus, *arbor* mortis | probatur, qui uere
« *malus* » et rebus et nomine euidenter doce|tur. Sub cuius
seruitutis umbra quisquis deuenerit, non est | dubium,
quasi conclusum strue lignorum circumdatum, igni |
gehennae pabulum praebiturum. In cuius letali delecta-
tione | seducta aliquando gens cethea, propria uoluntate a

5 a. Cf. Gen. 3,22   b. Lam. 4,20   c. Cant. 2,3

dans la voie droite dans laquelle tu as marché, et reviens, vierge d'Israël[e]. »

4. Et tandis qu'elle revient, à l'approche de la fin du monde, le reste du peuple des croyants, sans jalouser celle qui est *appuyée* sur le Fils de Dieu, mais en l'admirant, déclare : « *Qui est celle-ci qui monte du désert, appuyée sur mon bien-aimé ?* » Et celle qu'il admire, comme inconnue, en train de *monter*, voilà que dans le verset suivant, une fois découverte sa foi, il la reconnaît et même se rappelle que jadis, en ses pères, elle lui était connue. Bien plus, par ses paroles, il l'engage, maintenant qu'elle a été *réveillée* du sommeil mortel de l'infidélité, à ne pas oublier sa foi et une sainte conduite et à éviter les embûches de celui qui, par le péché de l'idolâtrie, *a séduit sa mère*, et qui, par le crime et l'effusion du sang des innocents, *a violé celle qui l'a mise au monde*, en disant : « *Sous l'arbre du mal, je t'ai réveillée.* » C'est-à-dire que, tandis qu'elle dormait sous le pouvoir du diable — qui est *l'arbre* de mort —, tandis qu'elle se livrait aux œuvres de mort — ce qui est un sommeil mortel —, il l'a appelée par son enseignement et l'a *réveillée* par l'exemple de sa vie.

5. Car, de même que le Christ est *l'arbre* de la vie éternelle[a], « lui à qui nous avons déclaré, dit Jérémie : C'est à ton ombre que nous vivrons parmi les nations[b] », et de qui l'Église a déclaré plus haut : « *A son ombre que j'avais désirée je me suis assise, et son fruit est doux à mon gosier*[c] », de même aussi le diable, nous l'avons dit, est manifestement *l'arbre* de la mort, lui qui, nous le savons avec évidence, est vraiment le *Malin*, de fait et de nom. Quiconque tombera sous l'ombre de son esclavage fournira, sans aucun doute, un aliment au feu de la géhenne, car il est comme enfermé et enserré par un amas de bois. Le *Malin*, par ses plaisirs mortels, a jadis attiré la race hittite, et *elle a été séduite* volontaire-

...jadis séduite sous l'arbre du Mal

80 rationabili | sensu *corrupta est*. Quae toxicata doctrina
exemploque dissolu⸍tionis lactauerat hanc plebem, de qua
sermo est, in abominatio⸍nibus suis — sicut improperatur
ei per Hiezechielem prophetam, | cum ait : *Fili hominis,*
notas fac Hierusalem abominationes suas, | *et dic ei : Pater*
85 *tuus Amorreus, et mater tua Cethea*[d]. Quae procul|dubio
gens Amorreorum crudelitatem suam suadendo eam
ge⸍nuit, filios suos daemoniis immolare ; et gens cethea effe-
minatas | superstitiones docendo nutriuit eam in sceleribus
suis. |

6. *Matris* enim nomen non proprium sed commune est,
quod | a mammas porrigendo potius quam generando sorti-
90 tur. Gens | ergo cethea, super quam inducta est plebs Isra-
hel per Iesum | filium Naue, ut deleret eam penitus de terra
pro nefandis | criminibus suis[a], ipsa reseruata contra Dei
praeceptum, lactando | eam operibus suis, *mater* eius nun-
cupatur, eo quod per omnia, | eius facinora imitando, simi-
95 lis facta est ei. Quae ab *arbore* uitae, | hoc est a notitia
creatoris, prolongando, *sub arbore* mortis, prin⸍cipis mundi
redacta est potestate. Qui semel in tyrannidem | uersus,
Christo se per superbiam aequare praesumpsit, qui *arbori* |
mali punici, id est granati, ab Ecclesia comparatur. Cuius
uino | persuasionis inebriata et letali somno oppressa, uelut
100 non sen|tiens *corrupta est* mente a rationabili sensu et sim-

5 d. Éz. 16,2-3
6 a. Cf. Deut. 20,17

___

1. Par le sacrifice de ses enfants aux idoles (*Deut.* 18,10) ; cf. l. 86.
2. L'Écriture parle seulement, à propos des Hittites, des Amorréens,
etc., « des abominations qu'ils pratiquent pour leurs dieux » (*Deut.*
20,18). Mais dans l'énumération des pratiques réprouvées des anciens
habitants de la Palestine, il y a celle de « faire passer au feu son fils
ou sa fille » (*Deut.* 18,10 ; cf. l. 66). Les « efféminés », ou prostitués
sacrés, ne sont mentionnés qu'au temps des rois et des prophètes
(*III Rois* 22,47 ; *IV Rois* 23,7 ; *Os.* 4,14, etc.)

ment, renonçant à son intelligence raisonnable. C'est elle qui, de sa doctrine empoisonnée et de l'exemple de sa dépravation, avait allaité au milieu de ses abominations la nation dont nous parlons. C'est ce que reproche à cette dernière le prophète Ézéchiel, lorsqu'il dit : « Fils d'homme, fais connaître à Jérusalem ses abominations. Tu lui diras : Ton père était amorréen et ta mère hittite[d]. » Il est certain en effet que la race amorréenne l'a enfantée en lui persuadant la cruauté qui était la sienne : d'immoler ses fils aux démons[1] ; et la race hittite, en lui apprenant son culte efféminé, l'a nourrie de ses crimes[2].

6. Le nom de « *mère* » n'est pas un nom propre, mais un nom commun. Il est tiré du fait qu'une mère tend ses « mamelles »[3], plutôt que du fait qu'elle enfante. Ainsi, la race hittite − contre laquelle Josué, fils de Navé, a conduit la nation d'Israël pour la faire totalement disparaître de la terre à cause de ses crimes infâmes[a] −, ayant été épargnée contrairement au commandement de Dieu, est appelée, du fait qu'elle a, de ses œuvres, allaité cette nation, sa « *mère* » : celle-ci en effet, en imitant ses crimes, lui est devenue semblable en tout. Cette race hittite, en se tenant éloignée de *l'arbre* de la vie, c'est-à-dire de la connaissance de son créateur, est tombée sous le pouvoir du prince de ce monde, *sous l'arbre* de la mort. Ce prince, une fois passé à la tyrannie, a osé, dans son orgueil, s'égaler au Christ, que l'Église compare à *l'arbre* qu'est le pommier punique, c'est-à-dire le grenadier. Enivrée par le vin de sa persuasion, écrasée d'un sommeil mortel, la race hittite a été, nous l'avons dit, *séduite* en son esprit, comme à son insu : elle a renoncé à son intelligence raisonnable[4] et à la simplicité qu'elle

3. *matris nomen... a mammas porrigendo... sortitur* : même étymologie, en V, 232. Apponius distingue régulièrement entre *mammae* (chez les mères) et *ubera* (chez les vierges) − ainsi en VII, 317.321 −, ce qui nécessite une traduction différente pour chacun des deux termes.

4. *a rationabili sensu* : voir II, 276.

plicitate, quam | a factore suscepit ne declinaret ab eius
notitia aut auersa | repedaret, unum optimum Deum non
in metallis sed in caelo | commorari recogitando, ut dictum
est, gens cethea. |

105 **7.** *Genetrix* uero huius plebis *uiolata* a diabolo illa intel-
legitur | plebs iudaea in cuius uisceribus captiua ducta est
in Assyrios | cum rege suo Osee, filio Helam[a]. Quae *gene-
trix*, iam in terra | aliena a duabus sceleratis hostibus, id
est pessimae gentis Assy|riorum et diaboli persuasionibus
toxicatis, ad comparationem | gentis cetheae, uelut ui
110 oppressa, supradicto sensu mentis suae | per longam
nequissimam consuetudinem daemonibus inflecten|do
ceruicem, in idolorum cultura intellegitur *uiolata.* |

8. *Mater* ergo huius plebis cethea gens et *genetrix* Israhel
| intellegi datur dici. Ideoque in legalibus praeceptis, cum
iustitiae | iudicia in ueteri testamento traduntur, uirgo in
115 ciuitate *corrupta* | lapidibus, uterque cum adultero, inter-
fici iussa est; in agro uero, | ad ueniam peruenire et solus
adulter occidi, eo quod alteri | potuit uociferanti succurri
in ciuitate, alteri in agro omnino non | potuit[a]. Ideoque,
licet tradatur in manus inimicorum, licet adte|ratur ab ira-
120 cundis gentibus plebs Israhel quae genuit hanc | plebem in
Assyrios quae per Verbum Dei *ascendit de deserto*, ubi | nec
Deus colitur nec hominum mentes, tamen non ita iubetur |
deleri sicut cethea eiusque consimiles deleri sunt iussae. |

7 a. Cf. IV Rois 17,1-6
8 a. Cf. Deut. 22,23-27

avait reçue de son créateur pour l'empêcher de s'éloigner de sa connaissance ou, si elle s'en était écartée, pour y revenir en reconnaissant que le Dieu unique et très bon n'habite pas dans les statues de métal mais dans le ciel.

7. Quant à *celle qui a mis au monde* cette nation et qui a été *violée* par le diable, il faut voir en elle la nation juive, dans les entrailles de qui elle a été conduite en captivité chez les Assyriens avec son roi Osée, fils d'Hélam[a]. *Celle*-ci *qui l'a mise au monde* a été alors, en terre étrangère, si nous la comparons à la race hittite, comme violentée par deux ennemis criminels, c'est-à-dire par les suggestions empoisonnées de la race détestable des Assyriens et par celles du diable. En courbant la tête devant les démons, par une longue et perverse accoutumance au culte des idoles, elle a été, c'est clair, *violée* en cette même faculté de son esprit.

8. Voilà donc, comprenons-le, ce qui nous est dit : *la mère* de cette nation, c'est la race hittite, et *celle qui l'a mise au monde*, c'est Israël. Or, dans les prescriptions de la loi, là où l'ancien testament transmet les règles judiciaires, il est ordonné, au cas où une vierge a été *séduite* en ville, de la lapider, elle et son amant; mais au cas où c'est dans la campagne, de lui pardonner et de ne faire périr que l'amant. En ville en effet, la première, si elle criait, pouvait être secourue; dans la campagne, l'autre ne le pouvait absolument pas[a]. C'est pourquoi, bien que la nation d'Israël soit livrée aux mains de ses ennemis, bien qu'elle soit foulée aux pieds par des peuples furieux, il n'est pourtant pas ordonné de la détruire — elle qui a enfanté parmi les Assyriens la nation qui, grâce au Verbe de Dieu, *monte du désert*, ce lieu où n'est honoré ni Dieu ni l'esprit de l'homme —, comme il a été ordonné de détruire la race hittite et ses semblables.

9. Quam in fine mundi, ut retro dictum est, significat *de*
loco [|] *deserto* per Verbum carnefactum ad ueram fidem
125 adduci. Quae | postea ad eum adducta est, ostendit ei sae-
pedicta anima illa [|] perfecta quomodo, unita Verbo Patris,
per passionis somnum, [|] *sub arbore malo*, id est sub potes-
tate diaboli, dormientem *susci*|*tauerit* eam, *ubi mater eius*
corrupta et genetrix uiolata est. Nunc [|] docet eam, inter
130 cetera, duo haec magna, quibus bellum a | sapientibus agi-
tur ducibus, omni uigilantia custodire, hoc est [|] pruden-
tiam *cordis*, unde consilium gignitur salutare, et robur [|]
brachii, ut semper ex se praesumat, dicendo : PONE ME VT [|]
SIGNACVLVM SVPER COR TVVM, VT SIGNACVLVM SVPER BRA-
CHIVM [|] TVVM. Hoc est, ut crucifixus in cogitatione *cordis*
135 sit semper, | semper in operibus *brachiorum*, si desiderat
anima aduersarii [|] nequitias superare : sicut lex bellantibus
esse probatur certum [|] sermonem a duce traditum secreto
omnium *corde* teneri, quod [|] symbolum nuncupatur, per
quod hostis in conflictu aut collega [|] agnoscitur, et signum
140 certum in *brachio* ponere, quod prohibeat | gladium
commilitonis. [|]

10. In quibus uersiculis docetur frustra sibi plaudere
anima [|] de ueri Dei cultura, si Dominum Christum non
crediderit Dei [|] sapientiam — quod est *signaculum cordis*
— et Dei uirtutem — [|] quod est *brachii* inuictum *signa-*
145 *culum* —, secundum beati Pauli | sententiam, *Christum*
Dei sapientiam et Dei uirtutem[a] signantis, [|] quod est *cordis*
et *brachii* solum inuictum *signaculum* indissepa|rabiliter
positum, quod est Verbum Patris omnipotentis Dei. [|] Hoc
ut credat plebs ista *de deserto* adducta ita esse, saepedicta [|]
anima per quam redemptus est mundus hortatur. |

XXXVIII (left margin)
VIII, 6) (left margin)

BM (right margin)

---

10 a. I Cor. 1,24

1. Aux lignes 21-26.
2. Cf. BÈDE, *In Cant.* V, 264 (*CCL* 119 B, p. 344) : *Pone me super*
cor tuum per cogitationem, pone super brachium tuum per operationem...
3. *indisseparabiliter* : hapax signalé par *TLL* VII[I], 1205, 43.

9. C'est elle que le texte montre,

... maintenant converties, protégées par le sceau du Verbe

comme il a été dit plus haut[1], conduite, à la fin du monde, par le Verbe incarné, de ce lieu *désert* à la vraie foi. Après qu'elle a été conduite jusqu'à lui, cette âme parfaite dont nous avons souvent parlé lui montre comment, unie au Verbe de Dieu, elle l'a, grâce au sommeil de sa passion, *réveillée* alors qu'elle dormait *sous l'arbre du mal*, c'est-à-dire sous le pouvoir du diable, *là où sa mère a été séduite et où celle qui l'avait mise au monde a été violée.* Maintenant, elle lui enseigne, entre autres, à garder avec toute vigilance les deux grandes vertus qui guident les sages généraux à la guerre : la prudence du *cœur*, qui fait naître la décision qui sauve, et la vigueur du *bras*, pour qu'elle mette toujours en elle sa confiance, en disant : « Place-moi comme un sceau sur ton cœur, comme un sceau sur ton bras. » Cela signifie que, si l'âme désire vaincre la malice de l'adversaire, le crucifié doit toujours être dans la pensée de *son cœur*, toujours dans les œuvres de *ses bras*[2]. Pareille est la loi pour les combattants : garder dans leur *cœur*, sans le communiquer à personne, un mot déterminé transmis par le chef, que l'on appelle mot de passe — grâce à lui, on distingue au combat l'ennemi du camarade — et aussi mettre à leur *bras* une marque déterminée qui puisse les protéger du glaive d'un compagnon d'armes.

CXXXVII
(VIII, 6)

10. Dans ces versets, l'âme apprend qu'elle se glorifie en vain d'adorer le vrai Dieu si elle ne croit pas que le Christ Seigneur est la sagesse de Dieu — voilà *le sceau du cœur* — et la puissance de Dieu — voilà *le sceau* invincible *du bras* —, selon l'affirmation du bienheureux Paul, qui désigne le Christ comme sagesse de Dieu et puissance de Dieu[a]. Tel est l'unique *sceau* invincible *du cœur et du bras, placé* de manière indissociable[3] : c'est le Verbe de Dieu le Père tout-puissant. Cette nation amenée *du désert* doit croire qu'il en est ainsi ; c'est à quoi l'exhorte cette âme par qui le monde a été racheté.

150   **11.** Quae ita se docet unitam cum Verbo, per haec quae
sequun|tur, ut sine se labor omnis inanis sit in quaerendo
salutem ; ut ⏐ quicumque ueram carnem de Maria Virgine
et ueram animam ⏐ cum Dei Verbo unam negauerit effec-
tam personam, quantalibet ⏐ sit eius iustitia, non habebit
155   partem in uitam aeternam. Nam, ⏐ sicut omnis natus de
carne non potest recusare corporis *mortem* ⏐ quae per peccatum inducta est in mundum [a], ita et supradicta, ⏐ unum
effecta cum Verbo, manente materia, diuidi non potest.
Ideo ⏐ et talem comparationem praesenti posuit loco,
CXXXIX   dicendo : Qvia for|tis vt mors dilectio, dvra sicvt
(VIII, 6)   infervs aemvlatio. ⏐

160   **12.** Cuius esset *fortitudinis mors* quae inuaserat mundum ⏐ perdocuit, cum eam *dilectioni* quae est inter se et
Verbum ⏐ praedicta comparare non horruit. Cuius *fortitudo*
tanta fuit ac ⏐ talis ut a nullo nisi a sola hac anima potuerit
uinci, cuius uox est ⏐ ad apostolos consolandos : *Fidite, ego*
165   *uici mundum* [a], et : *Veniet* ⏐ *princeps mundi, et in me nihil*
inueniet [b]. Quae sola inter omnes ⏐ animas hoc potuit dicere
et factis probare. Et sicut ita *fortem* ⏐ ostendit *mortem* ut a
nullo, nisi a saepedicta anima unita cum ⏐ Verbo Dei, uin-
ceretur, ita et quam *dura* sit *aemulatio* superbo|rum prae-
170   sumentium posse se Christo Domino nostro aequari ⏐ per
opera bona, demonstrauit : sicut insanus Fotinus — ut in
alio ⏐ libello dictum est — non metuit dicere tantos effici
christos uel ⏐ saluatores, quanti reperti fuerint sermone suo
et uitae exemplo ⏐ conuertisse impios ab errore, dum unus
et solus ab uno Verbo ⏐ sit adsumptus redemptor Christus

11 a. Rom. 5,12
12 a. Jn 16,33   b. Jn 14,30

1. Au livre IX, l. 313-316 (avec la note) ; cf. II, 268-271.

**L'Âme
unie au Verbe
leur enseigne
la force
de l'amour...**

11. Dans ce qui suit, cette âme enseigne qu'elle est tellement unie au Verbe que sans elle tout effort pour chercher le salut est inutile; aussi quiconque nie que la chair véritable née de la Vierge Marie et l'âme véritable sont devenues une seule personne avec le Verbe de Dieu n'aura pas de part à la vie éternelle, si grande que soit sa justice. Car de même que tout homme né de la chair ne peut échapper à *la mort* corporelle, introduite dans le monde par le péché[a], de même cette âme qui, tout en gardant sa nature, ne fait plus qu'un avec le Verbe, ne peut en être séparée. Et voilà pourquoi, dans le passage présent, elle a choisi une telle comparaison : « CAR, dit-elle, L'AMOUR EST FORT COMME LA MORT, ET L'ÉMULATION AUSSI DURE QUE L'ENFER. »

CXXXIX
(VIII, 6)

12. Cette âme a montré de quelle *force* était *la mort* qui avait envahi le monde, lorsqu'elle n'a pas craint de la comparer à *l'amour* qui existe entre elle et le Verbe. Sa *force* a été si grande et telle, que personne, sinon cette âme seule, n'a pu la vaincre. C'est sa voix qui déclare, pour consoler les apôtres : « Ayez confiance, j'ai vaincu le monde[a] », et : « Le prince de ce monde va venir, et en moi il ne trouvera rien[b]. » Elle seule, entre toutes les âmes, a pu dire cela et le prouver par les faits. Et de même qu'elle a fait voir que *la mort* était si *forte* que personne, sinon cette âme unie au Verbe de Dieu, ne pouvait la vaincre, de même elle a montré combien *dure* est *l'émulation* des orgueilleux qui prétendent pouvoir par des œuvres bonnes s'égaler au Christ notre Seigneur. C'est le cas de ce fou de Photin, comme il a été dit dans un autre livre[1] : il n'a pas craint de déclarer qu'il y autant de christs ou de sauveurs qu'on peut trouver de personnes qui ont, par leurs paroles et l'exemple de leur vie, converti des impies de leur erreur. Or un seul et unique Christ a été assumé par l'unique Verbe comme rédempteur et sauveur du monde entier.

175 et totius mundi saluator, de | cuius anima retro dictum B
est : *Vnica est matri suae, electa est* | *genetrici suae*^c. |

13. Extra hanc autem sententiam uel regulam fidei
quisquis | elatus egredi adtentauerit *aemulando*, superbae
duritiae inferni | diaboli comparatur, qui numquam pae-
180 nitendo a sua *duritia* |mollescere potest. *Inferus* enim tor-
mentorum est locus, et tam | *durus* ut neque precibus,
neque lacrimis, neque interuentione | cuiuscuam possit ad
pietatem molliri. De quo dixit propheta : | *In inferno autem*
quis confitebitur tibi^a? et in alio propheta : *Quia* | *non*,
inquit, *infernus confitebitur tibi neque mors laudabit te*^b.
185 | Cuius possessor diabolus per libertatem arbitrii, quod in
natura | suscepit, ita *durus* effectus est in malitia *perdu-*
rando, ut ne|queat a sua *duritia* emolliri. Cui per omnia
coaequati Fotinus uel | omnes haeretici ita ei glutino
peruersionis suae uniti sunt, ut ab | eo penitus separari non
possint. |

190 **14.** Nam, sicut humilis *aemulatio*, quae Christum in
corde, | Christum in operibus pro *signaculo* praefert *brachio-*
rum, subli|mat ad regnum caelorum — quam a se disci
saluator hortatur | dicendo : *Discite a me quia mitis sum et*
humilis corde^a —, ita et | *dura*, id est superba, *aemulatio*
195 deicit in *infernum* — de qua ipse | Dominus dicit : *Qui se*
exaltauerit humiliabitur^b. Magnus utique | erit ille qui se
seruum Christi audeat dicere confidenter, sicut | inter
cetera insignia ad Romanos in epistola sua praenotat |
Paulus, dicendo : *Paulus seruus Christi Iesu, uocatus apos-*
tolus^c, | id est missus. Quod si quis amplius sibi aliquid
200 praesumendum | putauerit, in diaboli collegio deputabitur

---

12 c. Cant. 6,8
13 a. Ps. 6,6   b. Is. 38,18
14 a. Matth. 11,29   b. Matth. 23,12   c. Rom. 1,1

---

1. Cf. l. 134-135.

C'est de son âme qu'il a été dit plus haut : « *Elle est l'unique pour sa mère, l'élue pour celle qui l'a mise au monde* [c]. »

... et l'émulation orgueilleuse de l'enfer

13. Mais quiconque cherche, par une *émulation* altière, à se mettre en dehors de cette affirmation et de cette règle de foi, est comparé à l'orgueil-leuse *dureté de l'enfer*, celle du diable, lequel ne peut jamais, par la pénitence, amollir *sa dureté. L'enfer* en effet est un lieu de tourments, et si *dur* que ni les prières, ni les larmes, ni l'intervention de personne ne peuvent l'amollir ni l'attendrir. De lui le prophète a dit : « En *enfer*, qui te rendra gloire [a] ? » Et il est dit chez un autre prophète : « Car l'*enfer* ne te rendra pas gloire, et la *mort* ne te louera pas [b]. » Son maître, le diable, est devenu, par le libre arbitre qu'il a reçu par nature, si *dur*, à force de *durer* dans la malice, que sa *dureté* ne peut plus s'amollir. Devenus en tout semblables à lui, Photin et tous les hérétiques se sont si bien unis et collés à lui par leur perversion qu'on ne peut absolument pas les séparer de lui.

14. De même, en effet, que l'humble *émulation*, qui porte visiblement le Christ dans le *cœur*, le Christ dans les œuvres [1] comme un *sceau sur les bras*, fait monter jusqu'au royaume des cieux — et le Sauveur nous invite à l'apprendre de lui lorsqu'il dit : « Apprenez de moi que je suis doux et humble de cœur [a] » —, de même aussi *la dure émulation*, c'est-à-dire l'orgueilleuse émulation précipite dans *l'enfer*. D'elle le Seigneur lui-même déclare : « Celui qui s'élèvera sera abaissé [b]. » Il sera grand, certes, celui qui ose se dire avec confiance le serviteur du Christ. C'est ainsi que Paul, dans son épître aux Romains, parmi tous ses autres titres, place celui-là en tête, en disant : « Paul, serviteur du Christ Jésus, appelé à être apôtre [c] », c'est-à-dire envoyé. Mais si quel-qu'un pense qu'il peut se prévaloir de quelque chose de plus, il sera rejeté dans la compagnie du diable ou celle

uel Simonis magi, qui | plenus diabolo Christum se non metuit adfirmare[d]. |

15. Posuit ergo comparationem *dilectionis* insuperabilis quam | habet cum Verbo Dei — ita ut pro eius *dilectione* fieret quod ipsa | erat ut ipsa fieret quod erat Verbum — et
205 immobilem *aemulatio|nem infero* comparatam, ut doceret, quaeque anima agnoscere | desiderat creatorem suum, ut ad aeternam requiem properare | non ea praetermissa gressus suae praeparet uoluntatis, nec | immemor sit eius uocem dicentis : *Sine me nihil potestis*[a], sed | semper se pro
210 *signaculo corde* et *brachio* esse portandam, cum | uadit ad Deum Verbum. Quia, sicut non potest transiri locus qui | sine *signaculo* regis iussus est non transiri, ita docuit se in | cogitatione et opere indesinenter portari, et nec posse aliter | transiri de morte ad uitam[b], nisi quis Christum eiusque crucem | in conscientia intus praetulerit pro *signa-*
215 *culo* semper : quoniam | nullus potest iam inter *dilectionem* suprascriptae animae Verbi|que Patris admitti, quam inuictricem pronuntiat dicendo : *Quia | fortis ut mors dilectio*, nec poterit aliquis ita *aemulator* exsistere | ut Christo sine Christo aequetur, qui secundum apostolum Pau|lum *unus est mediator Dei et hominum, homo Christus Iesus*[c], qui
220 | tradidit semetipsum pro nobis[d] et cui tradidit Pater omne iudi|cium faciendum quia Filius hominis est[e]. |

16. Sed sufficit profecto cuique omnem *dilectionem* omnem|que sanctam *aemulationem* in ea anima ponere

---

14 d. Cf. Act. 8,9-10
15 a. Jn 15,15   b. Cf. I Jn 3,14   c. I Tim. 2,5   d. Éph. 5,2   e. Jn 5,22.27

---

1. Au livre IV de son *Commentaire sur saint Matthieu* (*SC* 259, p. 186-188), Jérôme, commentant *Matth.* 24,5 : *Multi enim uenient... dicentes : Ego sum Christus*, cite les paroles de Simon « le Samaritain » : « *Ego sum sermo Dei*, etc. » — et non pas *Christus*. En revanche, dans les *Clementis Recognitiones*, traduites par Rufin en 406, on lit en II, 7, 1, à propos de Simon : *ita ut... se uelit... Christum putari* (*GCS*, éd. B. Rehm, p. 55).

2. Formule saisissante, qu'on ne peut pas ne pas rapprocher de celle de saint Irénée : ... *Verbum Dei, Iesum Christum Dominum*

de Simon le magicien, qui, plein du diable, n'a pas craint
d'affirmer qu'il était le Christ[d][1].

**Nul ne peut,
sans cette Âme,
parvenir
jusqu'au Verbe**

15. Cette âme donc a pris comme
terme de comparaison avec *l'amour*
insurpassable qui l'unit au Verbe de
Dieu − au point qu'il devienne par
amour pour elle ce qu'elle était, afin
qu'elle devienne ce qu'il était, lui, le Verbe[2] − cette
immuable *émulation* qu'elle compare à *l'enfer*, pour
apprendre à toute âme qui désire connaître son créateur
qu'elle ne doit pas, lorsqu'elle prépare sa volonté à hâter
sa marche vers le repos éternel, la laisser, elle, de côté,
ni oublier ses paroles : « Sans moi vous ne pouvez rien[a] »,
mais elle doit toujours la porter *comme un sceau dans
son cœur et sur son bras* tandis qu'elle va vers le Verbe
Dieu. De même en effet qu'on ne peut franchir un lieu
qu'il est interdit de franchir sans le *sceau* du roi, de
même elle nous a appris qu'il faut sans cesse la porter,
elle, dans notre pensée et notre activité, et qu'on ne
peut passer de la mort à la vie[b] à moins de porter
toujours le Christ et sa croix *comme un sceau* au-dedans
de notre conscience. Personne en effet ne peut désormais
être introduit dans *l'amour* de cette âme et du Verbe du
Père − amour qu'elle affirme invincible lorsqu'elle dit :
« *Car l'amour est fort comme la mort* » −, et personne
ne pourra pousser *l'émulation* au point de s'égaler au
Christ, sans le Christ. Celui-ci est en effet, selon l'apôtre
Paul, « l'unique médiateur entre Dieu et les hommes, lui
l'homme Jésus Christ[c] » qui s'est livré pour nous[d] et à
qui le Père a remis l'exercice de tout jugement, parce
qu'il est le Fils de l'homme[e][3].

16. De toute façon, il suffit à chacun de livrer tout
son *amour* et toute sa sainte *émulation* à cette âme dont

---

nostrum, qui propter immensam suam dilectionem factus est quod sumus
nos, uti nos perficeret esse quod est ipse : Adu. Haer., V, préface, SC
153, p. 14.
3. Sur la citation confluente *Jn* 5,22.27, voir note à IX, 496.

quam audit in | euangelio pro sua positam esse salute [a]. Et
225 *sufficit*, secundum | ipsius Christi sententiam, *ut sit disci-*
pulus sicut magister, et | seruus sicut dominus eius [b] Vbi ergo
dicitur *sicut*, non aequali|tas sed similitudo monstratur,
quia, ut non potest aliqua mate|ria consueta igni pabulum
praebere sine suo detrimento igni | coniungi, ita et quisquis
230 superbe praesumit praedictae animae | aequari. Ideo, pos-
tea dixit *fortem ut mortem dilectionem* et du|ram *ut inferum*

CXL
(VIII, 6)
aemulationem, sequitur : LAMPADES EIVS, IGNIS | ATQVE
FLAMMARVM. |

17. De ista ergo coniunctione *dilectionis, lampades ignis*
— | uiuacitas Verbi deitatis — et *flammam* illuminationis
235 caecorum | mentium — Spiritus sanctus — uelut de *lam-*
pada, adsumpto | homine, procedere praesenti docuit loco :
secundum quod lux | mundi est [a] ista Dei hominisque *dilec-*
tionis coniunctio, quae per | ueram carnem et ueram ani-
mam ueramque deitatem, in modum | *lampadae*, unam effi-
240 cit lucem. De quibus *lampadibus*, pro modu|lo capacitatis,
super credentes illuminationis *flamma* infunditur. | Et ut
ostenderet hanc *dilectionem* uel *aemulationem* humilibus |
et recte credentibus Dei amicitias collocare, superbis uero
et | peruerse de incarnationis mysterio, in quo est omnis

16 a. Cf. Jn 10,15   b. Matth. 10,25
17 a. Jn 8,12

1. Littéralement : il faut « remettre », « déposer » *(ponere)* tout notre
amour en cette âme qui a été « remise », « déposée » *(positam)* pour
notre salut *(ponere animam* est la formule chère à saint Jean pour le
Christ et aussi pour les chrétiens : *Jn* 10,11.15.17-18; 13,37-38;
15,13; *I Jn* 3,16). Ainsi le disciple devient comme son maître et le
serviteur comme son seigneur (l. 225-226), et cela jusqu'au martyre.
Ainsi nous pouvons rendre ce que nous avons reçu : « Le martyre
permet (au disciple) de payer sa dette au Christ en mourant pour le
nom de celui qu'il sait être mort pour ses péchés » (VI, 441-442). Cf.
note à I, 25, avec les références.

2. La forme tardive *lampada, -ae*, qui se rencontre assez souvent
dans la Vulgate, est donnée par les dictionnaires comme synonyme de
lampas, -adis. C'est elle qu'emploie habituellement Apponius (I, 37.399;

il entend dire dans l'évangile qu'elle s'est livrée pour son salut[a][1]. Et « il suffit », suivant la parole du Christ lui-même, « que le disciple soit *comme* son maître, et le serviteur *comme* son seigneur[b] ». Or, quand il est dit : « *comme* », on indique non l'égalité, mais la ressemblance, car de même qu'une matière propre à nourrir le feu ne peut être mise au contact du feu sans dommage pour elle, de même en est-il de quiconque prétend orgueilleusement s'égaler à cette âme. Aussi, après avoir déclaré *l'amour fort comme la mort et l'émulation dure comme l'enfer*, elle poursuit : « SES ÉCLAIRS SONT DE FEU ET DE FLAMMES. »

CXL
(VIII, 6)

L'amour du Verbe incarné illumine et enflamme tous les baptisés

17. Elle nous a donc appris dans le présent passage que de cette union *d'amour* proviennent les *éclairs de feu* − le feu vif de la divinité du Verbe − et la *flamme* qui illumine les esprits aveugles − celle de l'Esprit saint −, cela comme d'une *lampe*[2] − l'homme assumé. En effet, c'est la lumière du monde[a], que cette union *d'amour* entre Dieu et l'homme qui, grâce à une chair véritable, une âme véritable, et la divinité véritable, produit, à la manière d'une *lampe*, une unique lumière. C'est de ces *éclairs* que sur les croyants, selon leur capacité, se répand *la flamme* qui les illumine. Et pour montrer que cet *amour*, ou cette *émulation*, établit des relations d'amitié avec Dieu pour les humbles et ceux qui ont une foi droite, et qu'au contraire, pour les orgueilleux et ceux qui ont une fausse idée du mystère de l'incarnation en lequel est tout notre

XII, 235.239). Il n'utilise *lampades (-dibus)* que lorsqu'il cite et commente *Cant.* 8,6 : *Lampades eius (= amoris), ignis atque flammarum* (XII, 231.233.239.245). Il semble alors interpréter *lampades* comme désignant des « éclairs », des « rayons ». C'est le sens qu'a ce mot dans *Ex.* 20,18, où Jérôme a rendu ainsi l'hébreu, qui parle de « traits de feu ». − Le mot de la *LXX* : *periptera* (étincelles ?) a fait difficulté à tous les traducteurs précédents : *VL* a *pennae* ; la Révision hexaplaire : *circumsepta* ; AMBROISE (*Expos. psalmi CXVIII*, 20,12 : *CSEL* 62, p. 451 ; etc.) : *alae*.

spes nostra, | sentientibus tormentorum *flammas* parare, et
245 de una eademque | luce illuminari iustos, impios autem
cremari, *lampades ignis* | dixit procedere de hac *dilectione.*
Quam etiam *caritatem* esse, |quae Deus est[b], docuit, et
hanc in baptismo generaliter super | omnes credentes
infundi[c], sed unumquemque, aut sanctis operi|bus aug-
menta ministrando in se accensam seruare, aut negle-
250 |gendo *exstinguere,* praecipiente magistro Paulo : *Spiritum*
nolite | *exstinguere; prophetiam nolite spernere*[d]. |

18. Cuius *caritatis* tantam fortitudinem esse perdocuit,
ut | nulla tempestatum uiolentia impiorum nec *multarum*
aquarum | fluctus persecutorum in credentium corde *exstin-*
CXLI 255 *guere* queat, | sicut sequenti uersiculo ait : AQVAE MVLTAE
(VIII, 7) NON POTERVNT | EXSTINGVERE CARITATEM, NEC FLVMINA
OBRVENT ILLAM. De qua | *caritate* dilectioneque beatus
Paulus ita prosequitur : *Quis nos,* | inquit, *separabit a cari-*
tate Dei quae est in Christo Iesu Domino | *nostro ? Tribulatio,*
260 *an angustia, an famis, an nuditas, an pericu|lum*[a]? et
cetera. Haec utique mihi uidentur *aquae multae* quae in |
credentibus Deo *non possunt exstinguere* igneam *caritatem*
Ver|bi carnefacti *quae diffusa est per Spiritum sanctum in*
cordibus | *nostris*[b]. Haec utique *caritas* in credentibus
Christo eique con|iunctis fide accensa, nec multitudine pro-
265 fanorum insanientium | populorum pro idolorum defen-
sione — qui *aquae multae* intelle|guntur — *exstingui potuit*
umquam, neque per crudelissimos | reges uel principes de
quibus terribilis turbida et undosa prae|ceptio tormento-
rum quasi de *fluminibus* inundauit. Sed horum | inunda-
270 tione populorum insanientium non poterit *exstingui ca|ri-*
tas memorata, neque *fluminibus obrui* quae unum effecta

17 b. I Jn 4,8-16   c. Cf. Rom. 5,5   d. I Thess. 5,19-20
18 a. Rom. 8,39.35   b. Rom. 5,5

espoir, il prépare les *flammes* des tourments, et que c'est
la même et unique lumière qui illumine les justes et
consume les impies, elle a déclaré que de cet *amour*
provenaient des *éclairs de feu*. Elle nous a encore appris
que cet amour est la *charité*, qui est Dieu[b], et que, dans
le baptême, elle est répandue universellement sur tous
les croyants[c], mais que chacun, ou bien la garde allumée
en lui en la faisant grandir par de saintes œuvres, ou
bien l'*éteint* en la négligeant. Or Paul, le maître, le
recommande : « N'*éteignez* pas l'Esprit ; ne méprisez pas
la prophétie[d]. »

**Les grandes eaux
de l'épreuve
ne peuvent
l'éteindre**

18. La force de cette *charité* est si
grande, nous a-t-elle enseigné, que
nulle violence des tempêtes de la part
des impies, ni le flot des *grandes
eaux* des persécuteurs *ne peut l'étein-*
dre dans le cœur des croyants, ainsi qu'elle le dit au
verset suivant : « LES GRANDES EAUX NE POURRONT ÉTEINDRE
LA CHARITÉ, ET LES FLEUVES NE LA SUBMERGERONT PAS. »
Au sujet de cette *charité* et de cet amour, le bienheureux
Paul poursuit ainsi : « Qui nous séparera de la *charité*
de Dieu qui est dans le Christ Jésus notre Seigneur ?
La tribulation, ou l'angoisse, ou la faim, ou la nudité,
ou les dangers, etc.[a] ? » Voilà, me semble-t-il, ces *grandes
eaux* qui, en ceux qui croient en Dieu, *ne peuvent
éteindre* le feu de *la charité* du Verbe incarné « qui a
été répandue dans nos cœurs par l'Esprit saint[b] ». En
effet, cette *charité*, allumée par la foi en ceux qui croient
au Christ et qui lui sont unis, n'a jamais *pu être éteinte*,
ni par la multitude des peuples impies pris de folie pour
la défense des idoles — ce sont eux que signifient *les
grandes eaux* —, ni par les rois et les chefs très cruels
de qui a déferlé, comme de *fleuves*, telle une eau
redoutable et tumultueuse, l'ordre de les torturer. Le
déferlement de ces peuples délirants *ne pourra éteindre
la charité* dont nous parlons, ni *submerger* de ses *fleuves*
l'âme qui ne fait plus qu'un avec cette âme qui est

CXLI
(VIII, 7)

fue|rit cum illa anima quae semper *super dilectum* Verbum
nixa^c | est. Qui «torrens» ignis a propheta est appellatus,
dicendo : *Ecce* | *Verbum Domini uenit ardens, sicut torrens
inundans*^d, *confrin|gens montes et liquefaciens petras*^e. |

275   **19.** Hic ergo tantus ac talis habitans in credente anima,
flatu | uirtutis suae in se retorta spumantia repellit *flumina*
et collisa | exterminat, dum aut compendiosus exitus datur
per acerrimam | poenam, aut prolongantur tormenta et
patitur ipse : tantum est | ut eius *dilectionis*, humiliando
280 se, anima *aemulatrix* exsistat. In | peruersis autem, *aquae*
istae uel *flumina* non solum *exstinguunt*, | sed nec inueniunt
scintillam quam *exstinguere caritatis*, quo|niam ipsi eam
iamdudum nequissimis operibus *exstinxerunt* in se. | Carnis
enim amore, animae *caritas exstingui* probatur; et quan|to
creuerit carnis amor in corde, tanto minuitur lux *caritatis*.
285 | Vnde comparationem *dilectionis* quae inter Verbum Dei
et | animam est ex carnis amore euidentissimam posuit, ut
si non | amplius — quod utique iure debetur —, saltem ea
mensura, eo | igne flammata Verbum uitae *diligat* anima
credens Deo, quo | mortalis forma diligitur mulierum,

**CXLII
(VIII, 7)**   dicendo sequenti uersiculo : | Si dederit homo omnem
svbstantiam domvs svae pro dilec|tione, qvasi nihil
despicivnt evm. |

   20. Hic namque *dilectionem* pro «amore» posuisse mons-
tratur, | et non caelestem, qui ducatum praestat ad uitam
aeternam, sed | carnalem, qui iter praebet ad mortem. In
295 quo si quis inciderit, | uelut quadam insania correptus, nec
periculum imminens cogi|tat, nec amissionem pecuniae
metuit, nec, *si dederit omnem* | *censum domus suae* pellici,

---

18 c. Cant. 8,5   d. Is. 30,27-28   e. Cf. III Rois 19,11

---

1. *quasi nihil despiciunt eum* : sur la leçon *eum*, cf. la remarque
de Bède (*In Cant.* V, 427 : *CCL* 119 B, p. 348), faisant sans doute
allusion à Apponius *(ut quidam codices habent).*

toujours *appuyée sur le* Verbe *bien-aimé*[c]. Le prophète a appelé celui-ci « torrent » de feu, en disant : « Voici que vient le Verbe du Seigneur, brûlant, déferlant comme un torrent[d], brisant les montagnes et faisant fondre les rochers[e]. »

19. Ainsi ce feu, tel et si grand, qui habite dans l'âme croyante, repousse par le souffle de sa puissance et fait refluer sur eux-mêmes les *fleuves* écumants, les brise et les détruit, soit qu'une mort rapide résulte d'une souffrance très vive, soit que les tourments s'éloignent et qu'il prenne sur lui la souffrance : il suffit qu'en s'humiliant l'âme vive dans l'*émulation* de son *amour*. Mais chez les méchants, ces *eaux* et ces *fleuves* non seulement *éteignent la charité*, mais même n'en trouvent aucune étincelle à *éteindre*, car il y a longtemps qu'eux-mêmes, par leurs œuvres perverses, *l'ont éteinte* en eux. En effet, l'amour charnel *éteint la charité* de l'âme, et plus croît l'amour charnel dans un cœur, plus diminue la lumière de *la charité*. C'est pourquoi, de manière très éclairante, a été pris dans l'amour charnel un terme de comparaison avec *l'amour* qui existe entre le Verbe de Dieu et l'âme, pour que, si une âme qui croit en Dieu n'*aime* pas le Verbe de vie d'un amour plus grand encore − ce qui lui est dû à juste titre −, elle l'*aime* du moins dans la même mesure, enflammée du même feu que lorsqu'on *aime* la beauté mortelle des femmes. Elle dit donc au verset suivant : « SI L'HOMME DONNE TOUTES LES RICHESSES DE SA MAISON EN ÉCHANGE DE L'AMOUR, ON LE MÉPRISE COMME RIEN[1]. »

CXLII
(VIII, 7)

20. On voit qu'ici le mot « *amour* » a été mis au sens d'« amour humain ». Il ne s'agit pas de l'amour céleste qui conduit à la vie éternelle, mais bien de l'amour charnel qui mène à la mort. Si quelqu'un y tombe, il est comme saisi de folie : il ne pense plus au danger qui le menace ; il ne craint plus de perdre son argent. Et *s'il donne tout le revenu de sa maison* à une courtisane, cela ne lui fait

**Amour humain
ou richesses
ne sont rien
en comparaison**

sentit, quousque desiderium complea|tur amoris turpis-
simi. Et quantum auxerit in pretio turpissi|mus amor pelli-
300 cis, tanto crudelius inflammat amantem se. Et | quanto
amplius *dederit* amator formae eius, tanto *despicietur,* |
quasi nihil dederit umquam. Et quanto amplius per multas
| formas cucurrerit *diligendo,* tanto uilior efficitur et *despec-*
tus. |

21. Ad cuius comparationem, unius caelestis *dilectionis*
ani|mae perfectae inducitur amor praesenti loco. Quae
305 semel cum | repudium dederit malignis spiritibus uitiorum,
qui diuersos | amores alios latenter inuitant, et Verbi Dei
dilectione fuerit | inflammata, et ei toto adfectu adhaeserit,
numquam metuit pro | eius nomine, pro eius fide, neque
ignes, neque bestias, neque | gladii rigorem, neque amissio-
310 nem *uniuersae substantiae domus* | *suae* ; sed nihil aliud toto
corde, tota mente, tota uirtute [a] deside|rat, nisi ut optatus
adueniat corporis finis, sicut martyres fecisse | uel innume-
rabiles turbae sanctorum probantur. Qui unius for|mae
amatores exstitisse docentur sapientiae, de qua dixit idem
| Salomon : *Factus sum amator formae illius, et disposui*
315 *coniugem* | *mihi adsumere eam* [b]. |

22. Omnis enim casta anima non multas sed unam *dili-*
git | formam, et ideo numquam *despicitur* ab ea, sed usque
in finem [a] | *diligitur* ; et non exhaurit *substantiam domus*
suae per multas, | sed augmentat sapientiae mercimoniis
320 thesauros *domus* mentis | suae. De quibus ipse saluator
noster Dominus dicebat : *Bonus* | *homo de bono thesauro*
cordis sui profert bonum [b]. De qua prophe|ta dicit in

---

21 a. Cf. Deut. 6,5 ; Matth. 22,37   b. Sag. 8,2
22 a. Cf. Jn 13,1   b. Matth. 12,35

rien, jusqu'à ce que se réalise le désir de cet amour
plein de honte. Et plus la courtisane fait monter le prix
de son amour honteux, plus cruellement elle enflamme
celui qui l'aime. Et plus l'amant de sa beauté *aura
donné*, plus il *sera méprisé, comme s'il n'avait* jamais
rien donné. Et plus nombreuses seront les beautés après
lesquelles il aura couru dans son *amour*, plus il devient
vil et *méprisé*.

21. C'est en comparaison avec cet amour-là qu'est
introduit dans le présent passage l'amour qu'est la *dilec-
tion* unique et céleste de l'âme parfaite. Une fois qu'elle
a répudié les esprits malins des vices qui invitent sournoi-
sement à d'autres amours variées, une fois qu'elle s'est
enflammée d'*amour* pour le Verbe de Dieu et qu'elle
s'est attachée à lui de toute son affection, cette âme ne
redoute jamais d'affronter pour son nom, pour la foi en
lui, ni le feu, ni les bêtes, ni la rigueur du glaive, ni la
perte de *toutes les richesses de sa maison*. Au contraire,
de tout son cœur, de tout son esprit, de toutes ses
forces[a], elle ne désire rien d'autre, sinon que vienne
cette fin souhaitée de son corps, comme l'ont fait les
martyrs et les foules innombrables des saints. Ils furent,
nous le savons, les amants de la seule beauté de la
sagesse, de qui le même Salomon a déclaré : « Je suis
devenu l'amant de sa beauté, et j'ai décidé de la prendre
pour mon épouse[b]. »

**Tout
véritable amour,
même humain,
est unique**

22. Toute âme chaste en effet
n'*aime* pas plusieurs beautés, mais
une seule, et c'est pourquoi elle n'est
jamais *méprisée* de celle-ci, mais
aimée d'elle jusqu'au bout[a]. Elle
n'épuise pas *les richesses de sa maison* à la poursuite
de plusieurs, mais, par les profits qu'elle tire de la
sagesse, elle fait grandir les trésors de *la maison* de son
cœur. C'est de ces trésors que le Seigneur, notre Sauveur,
disait lui-même : « L'homme bon, du bon trésor de son
cœur, tire du bien[b]. » C'est de cette sagesse que le

psalmo : *Vnam petii a Domino, hanc requiram*[c]. Et | quam
idem Salomon solam omnibus diuitiis anteponens[d], a
Do|mino postulatam accipit in libro regnorum[e], sciens
325 enim omnes | diuitias, omnes honores omnesque ultiones
de inimicis in ea | reconditas permanere. |

23. Impudica uero anima per multas, lenocinantibus
oculis | tracta, non satiabitur formas discurrere, siue a tur-
pissimo amo|re carnis, siue uanae gloriae capiatur laude.
330 Nam philosophi | «amatores sapientiae» appellati sunt, sed
per multas corde ua|gando adinuentiones, ueram et unam
ditantem amatorem appre|hendere nequierunt, et frustra
exhaurierunt *omnem substantiam | domus suae*, mergendo
in mare. Qui quanto ab stultis mortalibus | uanae gloriae
335 laudem se acquirere sunt opinati, tantum ab ipsa | multi-
moda sapientia sunt *despecti*. Nam, ut nobis exempla casti-
|tatis uel sapientiae *dilectio* pingeretur in diuinis libris,
patriar|charum conubia describuntur, ubi amici Dei non
multas sed | singulas coniuges *dilexisse* scribuntur. |

24. Abraham igitur non leuitate tractus, sed propter
340 posteri|tatem, deprecanti Sarrae coniugi ut iungeretur
ancillae, uix | legitur praebuisse consensum[a]. Qui tantum
unam, de qua pro|missionis munus suscepit, semper *dilexit*.
Isaac similiter unam | legimus *dilexisse*, de qua dicitur :
Suscipiens Isaac Rebeccam | dilexit eam, et consolatus est a

---

22 c. Ps. 26,4   d. Sag. 7,8   e. Cf. III Rois 3,9-12 ;
cf. Sag. 7,11-12
24 a. Cf. Gen. 16,2-3

---

1. La traduction exacte de *philosophos* ne suffit pas à prouver
qu'Apponius ait connu le grec ! (cf. Introd., p. 42).

2. *adinuentiones* : terme biblique d'usage fréquent, qui signifie le
plus souvent : « trouvailles mauvaises », conduite pécheresse, égarements.

3. Allusion au philosophe cynique Cratès de Thèbes, dont Jérôme
rappelle qu'il jeta à la mer le prix qu'il avait tiré de propriétés
considérables (*Ep.* 118, 5 ; cf. *Ep.* 66,8) ; l'anecdote avait été rapportée
par Philostrate dans la *Vie d'Apollonius de Tyane*, I, 13.

prophète dit dans le psaume : « Je l'ai demandée elle
seule au Seigneur, c'est elle que je rechercherai[c]. » C'est
elle seule que le même Salomon, la préférant à toutes
les richesses[d], demande et reçoit du Seigneur, au livre
des Règnes[e] : il savait en effet que *toutes les richesses*,
tous les honneurs et toutes les vengeances à tirer de ses
ennemis s'y trouvaient cachés.

23. Au contraire, l'âme impudique, attirée par des
regards cajoleurs, ne se rassasiera pas de courir après de
nombreuses beautés, qu'elle soit captivée par un amour
charnel plein de honte ou par les louanges de la vaine
gloire. De fait, les philosophes ont été appelés « amants
de la sagesse »[1], mais, se fourvoyant dans leur cœur à
travers de multiples égarements[2], ils n'ont pas pu saisir
la sagesse véritable et unique qui enrichit son amant, et
c'est en pure perte qu'ils ont dépensé *toutes les richesses
de leur maison* en les jetant à la mer[3]. Plus ils ont
pensé acquérir de la part de mortels insensés les louanges
d'une vaine gloire, plus ils ont été *méprisés* par la sagesse
multiforme[4] elle-même. De fait, pour nous dépeindre des
exemples de chasteté et l'*amour* de la sagesse, ce sont
les mariages des patriarches que les livres divins décrivent,
et il y est écrit que les amis de Dieu n'ont pas *aimé*
plusieurs épouses, mais une seule.

24. Ainsi Abraham, à ce que nous lisons, ne se laissa
pas entraîner par la légèreté, mais c'est pour avoir une
postérité, et sur la demande de son épouse Sara, qu'il
consentit, et avec peine, à s'unir à sa servante. Mais il
n'*aima* jamais qu'une seule femme, celle dont il reçut le
fruit de la promesse. De même, nous lisons qu'Isaac
n'*aima* qu'une seule femme, dont il est dit : « Isaac prit
Rébecca et l'*aima*, et il fut consolé du deuil de sa

---

4. *multimoda* est ici la transposition de *multiformis* : il s'agit de la
« Sagesse multiforme » de Dieu : *Éph.* 3,10. Citant ailleurs ce verset,
Apponius dit bien *multiformis sapientia* (III, 647.741 ; XII, 497).

345   *luctu matris suae* [b]. Iacob autem, | licet de quatuor suscepe-
      rit liberos, unam tamen legitur *dilexisse* | Rachel ; et quo-
      modo per amorem Rachel ceteris iunctus sit, | narrante
      historia prudens lector docetur [c] : quamquam omnia in |
      mysterio eo tempore acta intellegantur. Illorum enim sin-
      gulae | *dilectae* coniuges ad nostram unicam fidem, unicam
350   sapientiam | *diligendam* portendebant figuram. |

      25. Nam hi de quibus narratur multitudinem *dilexisse*
      uxo|rum, narrantur et culpae, narratur a Deo discessio,
      narratur | idolatriae nefanda cultura [a]. In quibus mulieres
      exstinxerunt cari|tatem, unius Dei notitiam, quam in marty-
355   ribus uel in sanctis | uiris supradictae *aquae multae* et *flu-
      mina* nec exstinguere nec | *obruere potuerunt*, eo quod in
      eorum mentibus *dilectio caritatis*, | quae omnia credit,
      omnia sperat, omnia sustinet [b], radicata con|sistit. Qui
      sapientiam *diligendo*, et castitatem animae et corpo|ris,
      geminum *dilectionis* munus Christo offerentes, unicam
360   re|quiem aeternam promerentur. Quae *dilectio* regnum
      praeparat, | a diabolo separat ac defendit, ad dexteram
      collocat maiestatis [c]. | Nam illa saepedicta gemina carnalis
      dilectio quae captiuos tenet | deceptos, tam insatiabilis est
      ut uix inueniat finem : quae, siue in | amore turpissimo,
365   seu in uanae gloriae laude adstrinxerit quem|piam, secum
      deducit ad inferos. De quibus opinor eumdem | Salomonem
      dixisse : *Amor mulieris et infernus non dicunt :* | *Satis est* [d].
      Turpis enim *dilectio* nec exspoliatum facit sentire | nudita-
      tem, nec exspoliantem satiari diuitiis. Quem quanto
      am|plius exspoliauerit, amplius et detestabilius *despicit*. |

24 b. Gen. 24,67   c. Cf. Gen. 29-30
25 a. Cf. III Rois 11,1-8   b. I Cor. 13,7   c. Cf. Matth.
25,34   d. Prov. 30,16

mère[b]. » Quant à Jacob, bien qu'il ait eu des enfants de quatre femmes, nous lisons qu'il n'en *aima* qu'une seule, Rachel ; et comment c'est par *amour* pour Rachel qu'il s'est uni aux autres, le lecteur avisé l'apprend par le récit de l'histoire[c]. Par ailleurs, tous les événements de ce temps-là sont à comprendre comme prophétiques. C'est ainsi que chacune de leurs épouses *bien-aimées* était une figure prophétique destinée à nous faire *aimer* notre unique foi, notre unique sagesse.

25. Quant à ceux dont il est raconté qu'ils ont *aimé* une multitude d'épouses, leurs fautes aussi sont racontées ; racontée, leur séparation de Dieu ; raconté, leur infâme culte idolâtrique[a]. En eux les femmes *ont éteint la charité*, la connaissance du Dieu unique, alors que chez les martyrs et chez les saints *les grandes eaux* et les *fleuves* que nous disions *n'ont pu* ni *l'éteindre* ni *la submerger*. Dans le cœur de ces derniers en effet se trouve enraciné *l'amour* qu'est *la charité*, qui croit tout, qui espère tout, qui supporte tout[b]. Parce qu'ils *aiment* la sagesse, ils offrent au Christ la chasteté de l'âme et celle du corps, double présent de *l'amour*, et ils méritent l'unique repos éternel. Cet *amour* procure le royaume, sépare et défend du diable, place à la droite de la majesté[c]. Car le double *amour* charnel dont nous parlions, qui garde captifs ceux qu'il a trompés, est tellement insatiable que c'est à peine s'il trouve un terme. Que ce soit dans les chaînes d'un amour honteux ou dans celles des louanges de la vaine gloire qu'il ligote quelqu'un, il le conduit avec lui aux enfers. C'est à leur sujet, je pense, que le même Salomon a déclaré : « L'amour de la femme et l'enfer ne disent jamais : C'est assez[d]. » L'*amour* honteux ne permet pas en effet à celui qui est dépouillé de ressentir sa nudité, ni à celle qui le dépouille, de se rassasier de ses richesses. Et plus elle le dépouille, plus elle le déteste et le *méprise*.

370   **26.** Haec de carnis *dilectione* dicta sint. Animae uero
dilectio, | id est sapientiae uanae gloriae praedictae, quibus
poenis quan|tisque distentionibus agat captiuos suos, quis
possit enumerare ? | Quae in philosophis et in haereticis
maxime debacchatur. Qui et amissionem rerum praesen-
375   tium et castitatem corporis et scien|tiae opera magnanimi-
ter arripientes propter hominum laudem, | sed quia *caritas*
Dei, quae diffusa est [a] fidelium mentibus, uanae | gloriae
obstaculo exclusa est a cordibus eorum, inanis est huius-
|modi labor et in philosophis et in omnibus haereticis. Quo-
rum | *dilectionis* laborem breuiter concludens cassauit bea-
380   tus aposto|lus Paulus dicens : *Si habuero fidem ita ut montes*
transferam, et | *si habuero omnem prophetiam, et si omnem*
substantiam meam in | *cibos pauperum erogauero, et si flam-*
mis tradidero corpus meum | *ut ardeat, caritatem autem non*
habeam, nihil mihi prodest [b]. |

385   **27.** Quiquis ergo pro eius nomine, quem peruerse con|fi-
tetur et praedicat, etiam si *omnem substantiam suam* pau-
peri|bus *dederit*, etiam si pro eius nomine interficiatur,
quasi nihil | *despiciunt eum* fecisse boni operis poenarum
angeli in die iudicii, | cum in locum uenerit tormentorum [a].
Quibus ipse Dominus et | saluator se praedicit dicturum in
390   illa die : *Nescio uos, operarii* | *iniquitatis. Discedite a me* [b].
Cui illi dicturi sunt quidem : *Domine,* | *in plateis nostris*
docuisti [c], *et in tuo nomine uirtutes multas* | *fecimus* [d]. Et
audituri sunt : *Amen dico uobis, nescio uos* [e]. Qui | quidem
uidentur habere in se *caritatem* per hoc quod affabiles | se
hominibus praebent, sed quam *aquae* adulationum et per-
395   secu|tionum *flumina exstinguant* uel *obruant*, eo quod non

---

26 a. Rom. 5,5   b. I Cor. 13,2-3
27 a. Cf. Lc 16,28   b. Lc 13,27   c. Lc 13,26   d. Matth.
7,22   e. Matth. 25,12

---

1. Sur ces « anges des châtiments », cf. IV, 612. − Sur la construction
grammaticale : *despiciunt eum fecisse*, voir la note à IX, 711.

26. Ceci soit dit de l'*amour* de la

L'amour qu'est la charité exclut tout autre attachement

chair. Mais l'*amour* de l'âme, c'est-à-dire de cette vaine gloire de la sagesse, dont nous avons déjà parlé, qui pourrait dénombrer les peines et les déchirements qu'il fait subir à ses captifs ? Et c'est chez les philosophes et les hérétiques qu'il se déchaîne surtout. Ils affrontent avec magnanimité la perte des biens de ce monde, la chasteté corporelle, les travaux de la science, en vue d'obtenir la louange des hommes. Mais parce que la *charité* divine qui a été répandue dans les esprits des fidèles[a] n'a pu pénétrer dans leurs cœurs par suite de l'obstacle de la vaine gloire, de pareilles peines sont inutiles, aussi bien chez les philosophes que chez tous les hérétiques. Ces peines qu'ils ont acceptées pour cet *amour*, le bienheureux apôtre Paul, les résumant en quelques mots, en a montré la vanité quand il a dit : « Si j'avais une foi à transporter les montagnes, si j'avais la plénitude de la prophétie, si je dépensais toute mes richesses pour nourrir les pauvres, si je livrais mon corps aux flammes pour qu'il brûle, mais que je n'aie pas la *charité*, cela ne me sert de rien[b]. »

27. Donc, même *si quelqu'un donne* pour le nom de celui qu'il confesse et prêche faussement *toute ses richesses* aux pauvres, même si pour son nom il se laisse tuer, au jour du jugement, lorsqu'il viendra au lieu des tourments[a], les anges des châtiments[1] *le méprisent, comme* s'il n'avait *rien* fait de bon. Le Seigneur et sauveur lui-même annonce qu'il leur dira en ce jour : « Je ne vous connais pas, ouvriers d'iniquité, éloignez-vous de moi[b]. » Eux lui diront, bien sûr : « Seigneur, tu as enseigné sur nos places[c], et en ton nom nous avons opéré bien des miracles[d]. » Et ils entendront : « En vérité, je vous le dis, je ne vous connais pas[e]. » Sans doute, ils semblent posséder en eux la *charité*, puisqu'ils se montrent affables avec les hommes. Mais c'est une *charité* que les *eaux* des flatteries et les *fleuves* des persécutions *éteignent* ou *submergent*. En effet, dans leurs esprits il n'y a pas la

sit in | eorum mentibus *caritas* Dei, quae non inflatur, non
aemulatur, | non quaerit quae sua sunt, non est ambitiosa ;
quae omnia | sustinet, omnia sperat, omnia credit ; quae
etiam numquam | cadit [f]. Et ubi haec non fuerit, ibi quan-
400   talibet prudentia sit | litteraturae, quantalibet scientia
diuinae scripturae uel absti|nentia cibi, quantalibet humili-
tas sit et morum tranquillitas, | etsi *omnem substantiam
domus suae* in cibos pauperum *dederit,* | etsi flammis tra-   B
diderit corpus suum pro eius nomine, quem | peruerse
405   confitetur, *quasi nihil despiciunt eum* boni operis fecis|se
poenarum angeli, ut dictum est, in die iudicii. |

   28. Cui tamdiu in cogitationibus omnem scientiam dae-
mones | repromittunt, quamdiu exspolient mentem eius
recta fide, quae | omnium bonorum caput est. Vbi uero
410   *omnem substantiam domus* | mentis *suae,* perdendo uerae
caritatis dilectionem, daemonibus | *dederit,* iam captiuum
nudatumque omni praesidio Spiritus | sancti, *pro nihilo
despiciunt eum.* Nam de hoc non est dubium | apostolum
dicere : *Si quis totam legem seruauerit, offendat au|tem in
uno, factus est omnium reus* [a]. Quid enim prodest omnis |
obseruatio legis haeretico, qui ipsum legislatorem perdidit
415 | blasphemando ? Cuius *dilectio* unica excludit omnes
ferales di|*lectiones* quae exinanitum, *pro nihilo despectum,*
suum proban|tur reddere amatorem. Quem euersum a fide
recta iam non | dignantur ulterius daemones in aliis uitiis
impugnare ut fortissi|mum uirum, in quibus sanctos impu-
420   gnant, sed *quasi nihil* redac|tum, qui nec surgere possit,
despiciunt eum. Quibus aenigmati|bus docetur anima ut,
cum de errore *deserti* adducta fuerit per | Verbum Dei ad
baptismum uel ad ueram fidem, circumspecte | sicut susce-
pit renascendo custodiat fidem, in qua Deus est, et | *carita-*

27 f. I Cor. 13,4-8
28 a. Jac. 2,10

1. Ci-dessus, l. 387.

charité de Dieu, celle qui ne se rengorge pas, qui n'est pas jalouse, ne cherche pas son intérêt, n'est pas ambitieuse ; celle qui supporte tout, espère tout, croit tout ; celle qui aussi ne passe jamais[f]. Et là où elle n'est pas, quelle que soit la sagesse et l'érudition, quelle que soit la connaissance de la divine écriture ou l'abstinence de nourriture, quelle que soit l'humilité et la tranquillité de moeurs de pareil homme, *même s'il donne toute les richesses de sa maison* pour nourrir les pauvres, même s'il livre son corps aux flammes pour le nom de celui qu'il confesse faussement, au jour du jugement, nous l'avons dit[1], les anges des châtiments *le méprisent comme s'il n'avait rien* fait de bon.

28. A cet homme les démons promettent d'atteindre en ses pensées la plénitude de la science, cela durant tout le temps qu'il leur faut pour dépouiller son esprit de la foi droite, qui est le premier de tous les biens. Mais une fois qu'il a *donné* aux démons *toutes les richesses de la maison* de son esprit, en perdant *l'amour* qu'est la véritable *charité*, alors *ils le méprisent comme rien*, maintenant qu'il est captif et dépouillé de tout secours de l'Esprit saint. Il n'est pas douteux que c'est de cet homme que l'apôtre déclare : « Si quelqu'un observe toute la loi, mais qu'il pèche sur un seul point, c'est de tous qu'il est devenu justiciable[a]. » Que sert en effet l'observation de toute la loi à un hérétique qui par ses blasphèmes a perdu le législateur lui-même ? L'unique *amour* de celui-ci exclut toutes les *amours* grossières qui laissent celui qui les aime épuisé et *méprisé comme rien.* Après l'avoir détourné de la foi droite, les démons désormais ne daignent plus l'attaquer, comme s'il était un homme très courageux, sur les autres vices sur lesquels ils attaquent les saints. Mais *ils le méprisent, comme* réduit à *rien* au point de ne pouvoir se relever. Par ces figures, l'âme apprend qu'une fois ramenée par le Verbe de Dieu de l'errance du *désert* au baptême et à la vraie foi, elle doit garder soigneusement cette foi, en laquelle Dieu est présent, telle qu'elle l'a reçue au moment de

tem, per quam Christus Dominus noster non *despectum*,
425 | sicut fuerat a diabolo, sed laudabilem, hominem antiquae
pa⌐triae paradiso reddidit. |

29. Soror nostra parua, et vbera non habet. Qvid
fa⌐ciemvs sorori nostrae in die qvando adloqvenda
est ? | *Soror* proculdubio ipsa plebs iudaica sub finem
430 mundi adducta de | praedicto *deserto* appellari intellegitur
— quam diximus in no⌐uissimo tempore conuerti ad Deum
caeli —, *ascendens de* incredu⌐litatis *deserto*, ubi Deus non
colitur, *nixa super* Verbum Dei, | *deliciis adfluens*ª, cognita
fide indiuiduae Trinitatis, sine qua non | solum *deliciae*
435 nullae sunt, sed famis periculum sustinet anima. | *Soror*,
quoniam de semine Abrahae descendit, de quo Christus |
secundum carnem b et Ecclesia secundum fidem, eo quod
gentium | pater a Deo sit constitutus c. De quibus gentibus
Ecclesia, quae | unum corpus Christi per fidem effecta est,
sicut et anima Christi | una persona cum Verbo effecta
440 probatur, cui Sermo Dei Patris | <se> uniuit. Ad quem
pietatis adfectu pro antedicta plebe, | anima Domini nostri
Christi intellegitur dicere : *Soror nostra* | *parua, et ubera
non habet.* |

30. *Parua*, quia in nouissimis diebus renascendo per E
baptis⌐mum ad hanc gloriam fraternitatis uentura est. Per
445 quam nati⌐uitatem Christi fratres efficiuntur credentes in

---

29 a. Cant. 8,5   b. Cf. Rom. 9,5   c. Gen. 17,5

---

1. Cette conception du désert comme lieu de l'incroyance (XII, 33)
naît tout naturellement des images du *Cantique*. Les nations montent
du désert pour trouver Dieu. « Vraiment désert est le lieu où le
nom du Christ n'a pas été prononcé » (V, 365). Le désert est donc
l'endroit « où Dieu (XII, 121.432) — ou le Christ (XII, 1351) — n'est
pas honoré ».
2. Ces « délices » sont celles de la connaissance de la vérité, ici

sa renaissance, et aussi la *charité* par laquelle le Christ notre Seigneur a rendu l'homme, devenu digne de louange et non plus *méprisé* comme il l'avait été par le diable, à son ancienne patrie, le paradis.

La nouvelle « sœur » venue du désert est encore petite	**29.** « NOTRE SŒUR EST PETITE ET N'A PAS ENCORE DE SEINS. QUE FERONS-NOUS POUR NOTRE SŒUR LE JOUR OÙ ELLE SERA INTERPELLÉE ? » Sans aucun	CXLIII (VIII, 8)

doute, c'est cette nation juive amenée de ce *désert* à l'approche de la fin du monde qu'il faut voir désignée par ce nom de « *sœur* », elle qui, aux derniers temps, nous l'avons dit, se convertit au Dieu du ciel. *Elle monte du désert* de l'incrédulité, là où Dieu n'est pas honoré [1], *appuyée sur* le Verbe de Dieu, *comblée de délices* [a][2], après qu'elle a connu la foi en l'indivisible Trinité, sans laquelle non seulement il n'existe aucunes *délices*, mais l'âme subit l'épreuve de la faim. Elle est *sœur* parce qu'elle descend de la race d'Abraham, de qui descend le Christ selon la chair [b] et l'Église selon la foi. En effet Dieu a établi Abraham père des nations [c], et de ces nations est constituée l'Église, qui est devenue par la foi l'unique corps du Christ, de même aussi que l'âme du Christ est devenue une seule personne avec le Verbe, elle à qui le Verbe de Dieu le Père s'est uni. C'est au Verbe que, dans son affection fraternelle pour ladite nation, l'âme du Christ notre Seigneur déclare : « *Notre sœur et petite et n'a pas encore de seins.* »

30. « *Petite* », parce que c'est aux derniers jours qu'en renaissant par le baptême elle doit parvenir à cette gloire de la fraternité [3]. Par cette naissance en effet, deviennent frères du Christ ceux qui croient en lui. Il faut compren-

---

« la foi en l'indivisible Trinité », comme déjà (l. 27) « la connaissance de la gloire de la vie éternelle ».

3. Sur le mot *fraternitas*, voir note à I, 852.

eo. *Soror* autem | Verbi, secundum quod ad imaginem et similitudinem eius[a] facta | est, intellegitur appellari. *Parua*, quia magnis et profundis aposto|licis sensibus expers. Nam quod ait : *ubera non habet*, ostendit eam, | imminente fine mundi, sapientissimos uiros doctores legis
450 diuinae, | sicut aliae gentes, non habituram, nec sacerdotes ex sua proge|nie, per quos nutriat alias animas ad salutem, eo quod, infantiae | tempore necdum ad pubertatem perducta ubi aetas *ubera* dat, | persecutionem Antichristi ei Spiritus sanctus praecinit immine|re. Quem etiam uix
455 plebs illa ualuit sustinere quae plerumque | Hierusalem appellatur, cuius uestigia fidei, utpote genetricis, | sequendo, licet sera, repedauit ad creatoris notitiam. Cuius rudi|menta fidei ne *in adlocutionis die* conturbentur poenarum atro|citate, tractatur consilium, quibus adiutoriis eius credulitas | debeat exornari, ut quae decora facta est cre-
460 dendo, pulchrior | per Dei gratiam appareat adiuuata. |

31. Dicendo ergo uox animae praedictae : *Quid faciemus sorori | nostrae* ? non ignorat quid faciat ei, sed dilectionis pietatisque | adfectum demonstrat. Respondendo uero
CXLIV Sermo Dei : Sɪ ᴍᴠʀᴠꜱ | ᴇꜱᴛ, ᴀᴇᴅɪꜰɪᴄᴇᴍᴠꜱ ꜱᴠᴘᴇʀ ᴇᴀᴍ
(VIII, 9) ᴘʀᴏᴘᴠɢɴᴀᴄᴠʟᴀ ᴀʀɢᴇɴᴛᴇᴀ. Sɪ | ᴏꜱᴛɪᴠᴍ ᴇꜱᴛ, ᴄᴏᴍᴘɪɴɢᴀᴍᴠꜱ ɪʟʟᴠᴅ ᴛᴀʙᴠʟɪꜱ ᴄᴇᴅʀɪɴɪꜱ, beneficiorum | suorum se munera nulli umquam negaturum edocuit : et com|punctionis, per quam excitamur conuerti ad Deum ad benefa|ciendum — quod *propugnacula argentea* intelleguntur : de quibus | ipse Christus dixit : *Sic luceat lux uestra coram hominibus, ut*
470 | *uideant homines opera uestra bona et glorificent Patrem ues-*

---

30 a. Cf. Gen. 1,26

---

1. Cf. XI, 134 et la note : les « seins » représentent les hommes, apôtres ou docteurs, qui nourrissent les âmes par leur enseignement.

dre qu'elle reçoit le nom de « *sœur* » du Verbe pour cette
raison qu'elle a été créée à son image et ressemblance[a].
« *Petite* », parce que privée des grandes et profondes
pensées des apôtres. En disant en effet : « *Elle n'a pas
encore de seins* », cette âme montre que, lorsque la fin
du monde sera imminente, cette nation ne possédera pas,
à l'instar des autres, des hommes très sages comme
docteurs de la loi divine, ni des évêques de sa race, par
qui elle pourrait nourrir d'autres âmes pour leur salut[1].
C'est en effet au temps de son enfance, alors qu'elle ne
sera pas encore arrivée à la puberté où l'âge forme *les
seins* que − l'Esprit saint le prédit − la persécution de
l'Antichrist la menacera. Or c'est déjà avec peine que
cette nation qui est appelée habituellement Jérusalem a
pu tenir bon devant lui. Et c'est en suivant, bien que
tardivement, les traces de la foi de celle-ci, puisqu'elle
est sa mère, qu'elle-même est revenue à la connaissance
du créateur. Aussi, pour que sa foi commençante ne soit
pas troublée par l'atrocité des tortures *au jour où on
l'interpellera*, conseil est tenu pour savoir de quels secours
sa foi doit se parer, afin que, devenue belle en croyant,
elle apparaisse plus splendide encore, aidée par la grâce
de Dieu.

**L'Âme du Christ
doit la fortifier,
tel un mur,
telle une porte...**

31. Lors donc que la voix de cette
âme déclare : « *Que ferons-nous pour
notre sœur ?* », elle n'ignore pas ce
qu'elle doit faire pour elle, mais elle
montre ses sentiments d'amour frater-
nel. Et lorsque le Verbe de Dieu répond : « Si elle est
un mur, construisons sur elle des créneaux d'argent.
Si elle est une porte, renforçons-la de plaques de
cèdre », il enseigne qu'il ne refusera jamais à personne
les présents de ses bienfaits : ni la grâce de la componction par laquelle nous sommes stimulés à nous convertir
à Dieu pour faire le bien − ce que signifient *les créneaux
d'argent*, dont le Christ lui-même a déclaré : « Que votre
lumière brille si bien devant les hommes que, voyant
vos œuvres bonnes, ils glorifient votre Père qui est dans

CXLIV
(VIII, 9)

trum | *qui in caelis est* [a] —, et adiutorii protectionisque gra-
tiam, quibus | uelut imputribilibus *tabulis* anima communi-
tur, ne persuasio|num daemonum tempestate a robore
bonae uoluntatis suae | madefacta depereat. |

475   **32.** Quapropter uidetur mihi in hac plebe eos qui unum
Deum | omnipotentem cognouerint *murum* intellegi,
proximi facti Ver|bo Patris de quo prophetauit Esaias
dicendo : *Vrbs fortitudinis* | *nostrae saluator est. Ponetur in
ea murus et circamurale* [a], hoc est : | uera anima ueraque
480   carne circumdatus ad mundi redemptionem | ostensus. Illi
uero qui iam perfectiores et parati sunt pro eius | nomine
sanguinem fundere, qui exemplo suo incredulis praebent |
ad salutem ingressum, *ostio* comparantur. Licet enim
omnium | hominum naturam induerit Verbum Dei ad libe-
rationem huma|ni generis, tamen ille efficitur *murus* uel   B
485   *ostium* praedictae | ciuitatis, id est Christi, qui eius imagi-
nem portans, intra se | rectam fidem tenendo, sanctis ope-
ribus ipsum Verbum meruerit | retinere, sicut promisit in
propheta : *Inhabitabo*, inquit, *in eis, et* | *ero illorum Deus* [b]. |

33. Iudaeus namque, propter notitiam legis diuinae
490   quae Chri|stum promisit uenturum, propter quod aliis gen-
tibus Deo uici|nior uidebatur, qui se dignatus est dicere
figuraliter ciuitatem [a], | intellegitur *murus* uel *ostium*, qui
ante saluatoris aduentum per | legis doctrinam introduce-
bat alias gentes ad creatoris notitiam. | Sed huiusmodi
495   *murus* necessaria habet *aedificari super* se a | Verbo Dei
Christo, per notitiam Trinitatis, per doctrinam euan|geli-
cam pietatis, per baptismi sacramenta, per spiritum

31 a. Matth. 5,16
32 a. Is. 26,1   b. II Cor. 6,16; cf. Lév. 26,12
33 a. Cf. Is. 26,1

les cieux[a] » —, ni la grâce de son aide et de sa protection par lesquelles l'âme est fortifiée comme par des *plaques* imputrescibles pour que, dans la tempête des suggestions des démons, elle ne pourrisse pas et ne perde pas la solidité de sa bonne volonté.

32. C'est pourquoi il me semble que par « *mur* » il faut comprendre ceux qui dans cette nation ont connu le Dieu unique et tout-puissant et sont devenus très proches du Verbe du Père, duquel Isaïe a prophétisé : « La ville qui est notre force, c'est le Sauveur. Il s'y trouvera mur et avant-mur[a]. » Cela veut dire qu'il est celui qui pour la rédemption du monde s'est montré enclos d'une âme véritable et d'une chair véritable. Et ceux qui sont déjà plus parfaits et prêts à verser leur sang pour son nom, ceux qui par leur exemple offrent aux incroyants l'accès au salut, sont comparés à *la porte*. En effet, bien que le Verbe de Dieu ait revêtu la nature de tous les hommes pour la libération du genre humain, cependant celui qui devient *le mur* ou la *porte* de cette cité, c'est-à-dire du Christ, c'est celui qui porte son image en gardant en lui la foi droite, et qui a mérité par ses œuvres saintes de contenir le Verbe lui-même, comme celui-ci l'a promis par le prophète : « J'habiterai en eux, et je serai leur Dieu[b]. »

... par les créneaux de l'évangile et des sacrements... **33.** Sans doute, par la connaissance que le Juif avait de la loi divine qui avait promis que le Christ viendrait, et parce qu'il apparaissait plus proche que les autres peuples du Dieu qui a daigné se donner en figure le nom de « cité »[a], c'est lui qu'il faut voir dans le *mur* ou la *porte*, puisque, avant la venue du Sauveur, par l'enseignement de la loi, il introduisait les autres peuples à la connaissance du créateur. Mais un tel *mur* exige que soient *construits sur lui* par le Verbe de Dieu, le Christ, *des créneaux d'argent*, grâce à la connaissance de la Trinité, grâce à l'enseignement évangélique de la piété filiale, grâce aux sacrements du baptême,

septi|formen[b] uel multiformem sapientiam Dei[c], *propu-
gnacula argen|tea*. De quibus absconditae a saeculis[d]
redemptionis nostrae | splendor, ut *argenti* de antro, emi-
500 cat, quo uirtus imminuta | repellitur hostis. In quibus *pro-
pugnaculis* tutissimus consistat a | diaboli sagittis rationa-
bilis animae sensus. |

34. Quae *propugnacula* saluatoris manibus *super* cre-
dentes in | eum per incarnationis mysterium fabricantur,
ut perfectus et | decorus *murus* iam qui Deum se nosse
505 plaudebat efficeretur. | Nam sicut *murus* ciuitatis, sine *pro-
pugnaculis*, nec defensionis | auxilium nec decoris praebet
aspectus, et quomodo *ostium* ei | insertum, nisi *tabulis*
aeneis ferreisque laminis *compinctum* fue|rit, non potest
hostilem ignem repellere : ita et perfectum Chri|stianum in
510 scientia legis, nisi haec praedicta munimenta fuerit | cir-
cumdatus, inanis labor consumit. His uero communitum et
| pro Christi nomine mori paratum, tolerantiae adiutorio
fultum, | ita decorat confessionis et signorum splendor,
sicut *propugnacu|la murum* uel *portam* ciuitatis aenearum
tabularum compinctio. |

35. Igitur tanta benignitas est Domini nostri Christi, ut
515 quod | ipse est per naturam diuinitatis, hoc in imagine, per
uirtutem | signorum, martyres eius efficiantur : id est ut,
sicut *compincti* | uirtutibus refulgebant apostoli — quibus
dicitur : *Maiora horum | facietis*[a], et : *Qui uos recipit, me
recipit*[b], et : *Sicut misit me uiuus | Pater, et ego mitto uos*[c],   B▸

---

33 b. Cf. Is. 11,2-3   c. Cf. Éph. 3,10   d. Cf. Éph. 3,9;
Col. 1,26
35 a. Cf. Jn 14,12   b. Matth. 10,40   c. Jn 20,21 ; cf. Jn 6,58

---

1. C'est en effet grâce à l'incarnation que l'humanité a reçu tous
les *propugnacula* énumérés plus haut : connaissance de la Trinité,
évangile, baptême, Esprit saint (495-496).

2. *compinctio* : seul exemple de ce mot cité par *TLL* III, 2071,
80-82. Apponius l'aura formé sur le verbe *compingo* de *Cant.* 8,9, qui
signifie « renforcer ». Le sens du mot est à chercher là. La définition
donnée par *TLL* : « *idem quod pictura, splendor, color et similia* » n'est
donc pas exacte.

grâce à l'Esprit septiforme[b] et à la sagesse multiforme de Dieu[c]. Du haut de ces *créneaux*, la splendeur de notre rédemption, tenue cachée depuis les siècles[d], brille comme celle de *l'argent* extrait d'une caverne : elle amoindrit, puis repousse la puissance de l'ennemi. Derrière ces *créneaux*, l'intelligence raisonnable de l'âme peut se tenir parfaitement à l'abri des flèches du diable.

34. Ces *créneaux* sont, grâce au mystère de l'incarnation[1], *construits* par les mains du sauveur *sur* ceux qui croient en lui, pour que désormais celui qui se glorifiait de connaître Dieu devienne un *mur* achevé et très beau. Car de même que le *mur* d'une cité, sans ses *créneaux*, n'offre ni secours pour la défense ni beauté pour la vue, et de même que la *porte* qui y est encastrée, si elle n'est *renforcée par des plaques* de bronze et des lames de fer, ne peut repousser le feu de l'ennemi, de même aussi le chrétien parfait dans la connaissance de la loi se dépense en efforts inutiles s'il n'est pas entouré des moyens de défense dont nous parlions. Mais lorsqu'il en est muni et qu'il est prêt à mourir pour le nom du Christ, aidé et soutenu par la patience, alors la splendeur de sa confession et de ses miracles l'embellit comme font les *créneaux* pour le *mur*, et le *renfort*[2] *de plaques* de bronze pour *la porte* de la cité.

... par le renfort des exemples des apôtres et des martyrs... **35.** La bonté du Christ notre Seigneur est donc si grande que ce qu'il est, lui, par sa nature divine, ses martyrs le deviennent à son image par la vertu des miracles : ainsi, de même que les apôtres brillaient grâce au *renfort* des miracles — eux à qui il est dit : « Vous ferez des œuvres plus grandes que les miennes[a][3] », et : « Qui vous reçoit me reçoit[b] », et : « Comme le Père qui est vivant m'a envoyé, moi aussi je vous envoie[c] », et : « Celui qui croit

---

3. *Maiora horum facietis* : simple réminiscence de *Jn* 14,12, qui va être cité ensuite.

520 et : *Qui credit in me, opera quae ego facio,* | *et ipse faciet, et
maiora horum faciet* [d] —, ita, eorum exempla ᴵ sequentes,
eis similes fiant. Hic ergo magnus artifex Dei Sermo ᴵ in
apostolorum electione parauit sibi *imputribili materia* ᴵ
tabulas per eorum uitae exempla quos *cedros* in alio libello ᴵ
intellegi diximus. De quibus decisa exempla uirtutum,
525 quae in | se *compincta* eorum posteri susceperunt, imita-
tores Christus ᴵ uestire, uirtutem suam impertiendo, probatur. Qui, quod a Chriᴵsto per eius imitatores susceperunt,
gentilibus etiam impertire ᴵ noscuntur. Tunc enim erit per-
fectus Christi confessor, dum ᴵ apostolorum fidei toleran-
530 tiaeque munimine ad *diem adlocutionis* | ante reges et prae-
sides uenerit [e] circumdatus. ᴵ

36. *Dies* autem *adlocutionis* ille mihi huius plebis uidetur, ubi ᴵ aperta Antichristi praesentia fuerit declarata,
quando ab Antiᴵchristo uel eius ministris *adloquenda est*
plebs christiana an ᴵ eligat, negato Christo, sibi inflecti
535 colla, an atrocissimae morti | succumbat. Tunc enim aut
uerae laetitiae *dies* [a] est, consummato ᴵ martyrio, aut aeternae tristitiae, perdita fide quae aeterno prinᴵcipi Christo
coniungit, quae ducatum praestat sempiternum, ᴵ quae de
regione principis liberat mundi [b], ubi erit fletus et stridor ᴵ
dentium [c]. Nam cum semper cura sit Deo de homine [d],
540 quem ad | suam imaginem creauit [e], tamen tunc illi quam
maxima cura est, ᴵ *quando* ante tribunal iudicum *adloquen-
dus* deducitur Christiaᴵnus. ᴵ

---

35 d. Jn 14,12   e. Cf. Mc 13,9
36 a. Cf. Cant. 3,11   b. Cf. Jn 12,31   c. Cf. Matth. 8,12
d. Cf. I Pierre 5,7   e. Cf. Gen. 1,27

---

1. Pour le chrétien, le grand moyen de progrès, c'est d'imiter ceux
que Dieu lui a donnés pour modèles : d'abord le Christ (cf. XII, 224,
et la note), puis ceux qui ont imité le Christ, c'est-à-dire les apôtres :
« Les imitateurs du Christ (ici les apôtres, représentés par Paul)
enseignent que c'est par l'imitation que (la fille du prince) est devenue
semblable aux imitateurs... » (X, 497-499 ; cf. 504).
2. Voir III, 392-404. En fait, il s'agit là des docteurs qui tiennent

en moi fera lui aussi les œuvres que je fais, et il en
fera de plus grandes que les miennes[d] », — de même
ceux qui suivent leurs exemples deviennent semblables
à eux[1]. Ainsi, ce grand architecte qu'est le Verbe de
Dieu s'est préparé, en choisissant les apôtres, des *plaques*
d'une matière imputrescible, cela grâce aux exemples que
donne la vie de ces hommes en qui — nous l'avons dit
dans un autre livre[2] — il faut voir des *cèdres*. Et les
exemples de vertus taillés dans ces *cèdres* que leurs
successeurs ont accueillis en eux et dont ils sont *renforcés*,
c'est le Christ qui en revêt leurs imitateurs en leur
communiquant sa vertu à lui. Eux à leur tour, ce
qu'ils ont reçu du Christ à travers ses imitateurs, ils le
communiquent aux gentils. Ainsi le confesseur du Christ
sera parfait lorsque, *le jour de l'interpellation* devant les
rois et les gouverneurs[e], il se présentera ceint du rempart
de la foi et de la patience des apôtres.

**... pour le jour
du combat
contre l'Antichrist**

36. Or ce *jour de l'interpellation*
me paraît être pour cette nation celui
où la présence de l'Antichrist se sera
ouvertement manifestée et *où* le peu-
ple chrétien sera *interpellé* par l'Antichrist et ses
ministres, pour savoir s'il choisit, en reniant le Christ,
de se plier sous son joug à lui, ou bien de succomber
à la mort la plus atroce. C'est alors, en effet, ou bien
le jour de la véritable joie[a] par le martyre accompli, ou
bien celui de l'éternelle tristesse par la perte de la foi,
foi qui unit au Christ, le prince éternel, foi qui s'offre
comme perpétuel guide, foi qui libère du domaine du
prince de ce monde[b], jour où il y aura des pleurs et
des grincements de dents[c]. Or, si Dieu a toujours souci
de l'homme[d] qu'il a créé à son image[e], il en a pourtant
un souci spécial *le jour où* le chrétien est amené devant
le tribunal des juges pour y être *interpellé*.

la place des apôtres. En VIII, 825, Apponius parle de ces cèdres
choisis que sont « les rois, les prophètes ou les apôtres ».

37. Tunc illi pro defensione fidei pugnanti, immo ut
murus ׀ stanti ad infirmorum exemplum, *superaedificantur*
545 *propugnacu׀la argentea*, hoc est bonae *uoluntati eius : ser-
mones sapientiae — ׀ quid loquatur in conspectu regum[a]
— ab ipso Domino nostro Iesu ׀ Christo, Patre et Spiritu
sancto, in ore eius ponendo[b], *aedifican׀tur*. Et ut ipse sit
ostium in martyrii gloriam introducens, suae ׀ tolerantiae
550 uisione, incredulos, impios et formidolosos, adiutorii, ׀ ut
sustinere possit, in eo firmamenta *cedrinarum tabularum* ׀
compinguntur, quibus omnifariam circumdatus, altero
latere ׀ scilicet tolerantiae, altero signorum uirtutibus, nec
ignis tor׀mentis nec persuasionum blandimentorumque
ariete   quassetur.   ׀ Quibus *propugnaculis tabulisque*
555 *compinctis*, ignis exstinguitur, ׀ bestiarum atrocitas man-
suescit, uariorum uerberum omnino ׀ non sentiuntur tor-
menta, sanctorum angelorum aspectus conce׀ditur, palmae
et coronae adhuc in colluctatione positis osten׀duntur. ׀

38. Quae omnia in apostolis et eorum imitatoribus mar-
560 ty׀rumque choris *superaedificata*, adiuncta *compinctaque*
proban׀tur. Qui omnes pro diuersis uirtutibus, diuersis operibus sanctis ׀ diuersisque tormentis unam fidem tenentes,
pacem de caelo a ׀ Patre missam diligendo, una Hierusalem ciuitas, quae est Eccle׀sia, effecti sunt. Cuius culmen
565 Christus, cuius patriarchae funda׀menta, cuius *muri* prophetae[a], cuius apostoli *portae*, cuius serae ׀ imitatores
eorum. Cuius filios, hoc est ciues, omnium credentium ׀
praefigurare cognoscitur multitudo. Cui dicitur ore prophetae : ׀ *Lauda, Hierusalem, Dominum. Lauda Deum tuum,*
Sion. Quo׀niam confortauit seras portarum tuarum, benedixit

37 a. Cf. Ps. 118,46   b. Cf. Matth. 10,19; Lc 21,15
38 a. Cf. Éph. 2,20

1. Voir ci-dessus, l. 14, avec la note.
2. Ces divers thèmes des passions « épiques » (cf. III, 773-782) sont
apparus dès avant la fin du ive siècle : H. Delehaye, *Les passions*
des martyrs et les genres littéraires (Subs. hagiogr. 13 B), Bruxelles
1966, p. 207-217 et 223-226.
3 . Cette paix, c'est le Christ (*Éph.* 2,10). Apponius annonce ici

37. Alors, sur lui qui combat pour la défense de la foi, bien plus : qui se dresse comme un *mur* pour servir d'exemple aux faibles, *sont construits des créneaux d'argent*, à savoir sur sa volonté bonne : notre Seigneur Jésus Christ lui-même, le Père et l'Esprit saint *construisent des paroles de sagesse*, en mettant dans sa bouche[b] ce qu'il doit dire en présence des rois[a]. Et pour qu'il soit une *porte* qui introduise à la gloire du martyre par le spectacle de sa patience les incroyants, les impies et les timorés, il est *renforcé* et consolidé, pour pouvoir tenir, par le secours *de plaques de cèdre*. Entouré par elles de partout, d'un côté par la vertu de patience, de l'autre par celle des miracles, ni les tourments du feu, ni les coups de bélier de la persuasion et de la séduction ne peuvent l'ébranler. Pour ceux qui sont *renforcés par ces créneaux et ces plaques*, le feu s'éteint, la cruauté des bêtes s'apprivoise, les tourments des coups variés ne sont aucunement ressentis[1]. La vision des saints anges leur est accordée, les palmes et les couronnes leur sont montrées tandis qu'ils sont encore en plein combat[2].

Comme l'Église, cité fortifiée, est aidée au moment du péril... **38.** Tous ces secours ont été *construits*, ajoutés en *renfort*, pour les apôtres et leurs imitateurs et les chœurs des martyrs. Tous, dans la diversité de leurs vertus, de leurs actes de sainteté et de leurs souffrances, en gardant l'unique foi, en aimant la paix que le Père a envoyée du ciel[3], sont devenus l'unique cité de Jérusalem, qui est l'Église. Le Christ en est le faîte, les patriarches en sont les fondations, les prophètes *les murs*[a], les apôtres *les portes*, leurs imitateurs les verrous. Ses fils, c'est-à-dire ses citoyens, la multitude de tous les croyants les préfigure. C'est à cette cité qu'il est dit par la bouche du prophète : « Loue le Seigneur, Jérusalem. Loue ton Dieu, Sion. Car il a renforcé les verrous de

les développements qu'il fera sur *Cant.* 8,10 : « depuis que j'ai été faite en sa présence comme celle qui retrouve la paix » (l. 640).

570 *filiis tuis in* | *te*[b]. Haec ergo additamenta uirtutum uel
adiutoria *super murum* | bonae uoluntatis et in *ostio* rectae
fidei huic memoratae plebi | ponuntur : quae posita sunt
uel cotidie *super* credentes ab ad|uentu Domini nostri Iesu
Christi ponuntur. |

39. Quae tamen quam maxime, ut retro diximus, tunc
575 magna | cura est artifici praedicta fabricare *super* animam,
cum hostis | diabolus omnia arma aduersus ciues Hierusa-
lem commouerit | expugnandos. Nam, sicut nutrix filium
suum, licet diligat, ta|men corripit inquietum tempore
sanitatis et austera uidetur, | cum uero coeperit infirmari,
580 anxia satagit et cursitat, ut incolu|mis sanitati reddatur ;
ita creator noster, quando nos terreno | gaudio uiderit
occupatos, prolongat et corripit ; cum autem | infirmitate
tristitiae, quae secundum Deum est[a], uallatos uiderit, | et
ipse praesens efficitur, et suggerit quid diabolo interro-
ganti | respondeatur, et angelorum custodiam adhibet ad
585 inimici terro|rem et infirmorum liberationem, ipso Christo
dicente : *Nolite* | *solliciti esse, quomodo aut quid loquamini,*
cum adducti fueritis | *ante reges et praesides, quia dabitur*
uobis in illa hora quid | *loquamini. Non enim uos estis qui*
loquimini, sed Spiritus Patris | *uestri qui loquitur in uobis*[b].
590 Et per prophetam de angelorum | custodia ita ait : *Mittet*
angelos Dominus in circuitu timentium | *eum et eripiet eos*[c]. |

40. Haec sunt namque ornamenta et fortitudo quae
huic | saepedictae plebi a Dei Filio promittuntur, cum ait :
Si murus | *est, aedificemus super eam propugnacula argentea,*
595 hoc est : si | patres prophetas agnoscit, *murum* se profite-

38 b. Ps. 147,12-13
39 a. II Cor. 7,10   b. Matth. 10,18-20   c. Ps. 33,8

tes *portes*. Il a béni en toi tes fils[b]. » Voilà, pour cette nation dont nous parlons, les puissances surajoutées et les secours placés *sur le mur* de la volonté bonne et *sur la porte* de la foi droite. Ils ont été placés et sont placés chaque jour *sur* les fidèles depuis la venue de notre Seigneur Jésus Christ.

39. Pourtant, c'est alors surtout, nous l'avons dit plus haut, que l'architecte a grand souci de *construire* ces défenses *sur* l'âme : lorsque le diable ennemi aura mis en branle toutes ses armes contre les citoyens de Jérusalem pour les vaincre. Une nourrice en effet, bien qu'elle aime son fils, le punit pourtant de sa turbulence, lorsqu'il est en bonne santé, et elle se montre alors sévère. Mais au contraire, lorsqu'il vient à tomber malade, elle se démène et court de côté et d'autre dans son anxiété, pour qu'il retrouve une santé parfaite. De même notre créateur : quand il nous voit absorbés par les joies terrestres, il se tient éloigné et nous punit ; mais lorsqu'il nous voit assiégés par la maladie de la tristesse, celle qui est selon Dieu[a], lui-même se rend présent : il nous suggère ce qu'il faut répondre au diable qui nous interroge, et il nous procure la garde des anges pour terrifier l'ennemi et libérer les faibles. C'est ce que dit le Christ lui-même : « Ne cherchez pas avec inquiétude comment parler ou que dire, lorsque vous serez traînés devant les rois et les gouverneurs : ce que vous aurez à dire vous sera donné à cette heure-là. Ce n'est pas vous en effet qui parlez, mais c'est l'Esprit de votre Père qui parle en vous[b]. » Et il s'exprime ainsi par son prophète au sujet de la garde des anges : « Le Seigneur enverra ses anges tout autour de ceux qui le craignent, et il les délivrera[c]. »

... ainsi tout Israël à l'heure du déchaînement de l'Antichrist...

40. Tels sont donc les ornements et le renfort qui sont promis par le Fils de Dieu à cette nation lorsqu'il dit : « *Si elle est un mur, construisons sur elle des créneaux d'argent* » ; autrement dit : si elle reconnaît pour pères les prophètes,

tur, et *propugnacu|lorum* supradictorum perfectione deco-
randa est. *Si ostium est,* id | est si apostolorum consanguini-
tatem se trahere confitetur, eo|rum sequendo uestigia,
necesse est ut praedicti uirtutibus uel | apostolorum
600 *compingantur* exemplis. Vnde ergo euidenter doce|mur,
inter cetera dona bonorum gestorum, martyrii gloriam non
| propriis uiribus uoluntatis, sed ab artifice Dei Filio *aedifi-
cari* | *super* animae uoluntatem. Et haec quomodo uel
quando uel | quibuscumque uoluerit ferramentis, id est
doctoribus, apostolis | uel prophetis, faciat, demonstrauit. |
605 **41.** Quae dona saepedicta *super* hanc plebem quae in
nouissi|mo tempore significatur ad fidem Christi adduci per
Enoch et | Heliae praedicationem *aedificanda compingen-
daque* intellegun|tur. Quos scriptura signat adhuc debitum
mortis praesentis | necdum cum ceteris hominibus exsol-
610 uisse. Quos opinamur, de|bacchante Antichristo, demons-
trari in terris, ut deceptos ab | eodem, sua praedicatione,
ad Deum patrum suorum conuertant, | sicut dixit Deus per
Malachiam prophetam : *Ecce mittam uobis* | *Heliam prophe-
tam, antequam ueniat dies Domini magnus et* | *horribilis, et*
615 *conuertet cor patrum ad filios et cor filiorum ad* | *patres
eorum* [a]. Et ipse Dominus Christus in euangelio interrogan-
|tibus discipulis de Helia dixit : *Helias quidem ueniet resti-
tuere* | *omnia* [b]. Et quae omnia, nisi omnem plebem Israhel
omniumque | gentium nationes quae repertae fuerint in
illis diebus, quas | diabolus in sua dicione abstulerat ad
620 idola pertrahendo, resti|tuet notitiae creatoris ? Et in Apo-
calypsi Iohannis — si cui tamen | recipiendum uidetur —

---

41 a. Mal. 4,5-6   b. Matth. 17,11

---

1. Si cette nation est « mur », elle doit « reconnaître les prophètes
pour ses pères », puisqu'ils sont « murs » (l. 565) ; si elle est « porte »,
elle doit reconnaître les apôtres pour ses proches, puisqu'ils sont
« portes » *(ibid.).*

elle se déclare un *mur*, et il faut qu'elle soit couronnée
de la parure de ces *créneaux*. « *Si elle est une porte* »,
autrement dit : si elle reconnaît être du même sang que
les apôtres en suivant leurs traces[1], il est inévitable que
ceux dont nous parlons soient *renforcés* par les vertus et
les exemples des apôtres. La leçon est claire pour nous :
entre tous les autres dons que sont les bonnes actions,
la gloire du martyre n'est pas *construite sur* la volonté
de l'âme par les propres forces de la volonté, mais par
l'architecte qu'est le Fils de Dieu. Et le texte a montré
la manière, le moment et tous les outils qu'il choisit
— les docteurs, les apôtres et les prophètes — pour
réaliser cela.

41. Les dons en question, comprenons-le, doivent être
construits et *placés comme renfort sur* cette nation, qui
nous est montrée conduite, aux derniers temps, à la foi
au Christ par la prédication d'Énoch et d'Élie. L'écriture
indique en effet que ceux-ci n'ont pas encore jusqu'à
présent payé ici-bas le tribut de la mort comme tous les
autres hommes. Et nous pensons que lors du déchaînement de l'Antichrist ils se montreront sur terre pour
ramener au Dieu de leurs pères, par leur prédication,
ceux qui se seront laissés tromper par celui-ci, comme
Dieu l'a dit par le prophète Malachie : « Voici que je
vous enverrai le prophète Élie, avant que ne vienne le
jour du Seigneur, grand et redoutable, et il ramènera le
cœur des pères vers leurs fils et le cœur des fils vers
leurs pères[a]. » Et le Christ Seigneur lui-même, dans
l'évangile, a dit à ses disciples qui l'interrogeaient au
sujet d'Élie : « Oui, Élie viendra tout rétablir[b]. » Or, que
signifie « tout », sinon tout le peuple d'Israël et toutes les
nations qui se trouveront en ces jours-là, elles dont le
diable s'était emparé pour les mettre en son pouvoir en
les entraînant au culte des idoles et qu'Élie rétablira
dans la connaissance du créateur ? Et de même, dans
l'Apocalypse de Jean — pour qui du moins veut bien

similiter horum nominatim etiam nouis|simo tempore et praedicatio et martyrium euidenter ostenditur[c]. |

42. Haec namque dona praedicuntur saepedictae plebi confe|renda nouissimo tempore, quando, secundum aposto-
625 lum Pau|lum, omnis *plenitudo gentium introierit* in fidem Christi, *et sic* | *omnis Israhel saluus erit*[b]; quando Antichristum probauerit po|pulus Iudaeorum, quem Christum opinabatur[b]; quando cognoue|rit, credens euangelio, Christum factorem suum, quem patres | eius malefactorem ante
630 Pilatum praesidem adductum concla|mauerunt[c]. Tunc uero, reformata in se imagine creatoris[d], creden|do Christo, *murus* efficietur praedictis *argenteis propugnaculis* | adornatus; tunc decorum *ostium*, pro eius nomine moriendo, | semper erit, sicut angeli in caelo[e], semper immortalis, semper | uiuens, permanens cum apostolis in
635 aeternum, quorum uitam, | quorum fidem secuta et uirtutibus adornata. Quod *ostium*, prop|ter quod cum Christo   B
unum sunt, *tabulis cedrinis compinctis*, | aliis etiam gentibus, quibus nunc commixta est, pro Christi | nomine moriendi praebebit suo exemplo ingressum in regno Dei. |

CXLV   **43.** EGO MVRVS ET VBERA MEA SICVT TVRRIS, EX QVO
(VIII, 10) FACTA | SVM CORAM EO QVASI PACEM REPERIENS. Quidquid igitur in | mysterio praefiguratum est in omnium gentium uel sanctorum | persona, a capite huius Cantici usque ad praesentem uersiculum, | intellegitur esse completum.

---

41 c. Cf. Apol. 11,3-9
42 a. Rom. 11,25-26   b. Cf. Matth. 24,5   c. Cf. Jn 18,30
d. Cf. Gen. 1,27   e. Cf. Matth. 22,30

---

1. En réalité, Énoch et Élie ne sont pas nommés dans l'Apocalypse, mais on les reconnaissait dans « les deux témoins » de *Apoc.* 11, 3-9 : cf. JÉRÔME, *Ep.* 59, 3. Leurs noms figureront dans la première *Apocalypse apocryphe de Jean*, texte grec tardif : Tischendorf, *Apocaly-*

l'accepter — c'est même en citant leurs noms[1] que sont clairement désignés leur prédication et leur martyre aux derniers temps[c].

... et tout Israël sera sauvé

42. En effet, ces dons, est-il prédit, doivent être accordés à cette nation au dernier temps, lorsque, selon l'apôtre Paul, « la totalité des païens sera entrée » dans la foi au Christ, « et ainsi tout Israël sera sauvé[a] » ; lorsque le peuple juif se sera convaincu que celui qu'il pensait être le Christ[b] était l'Antichrist ; lorsqu'il aura reconnnu pour son créateur, en croyant à l'évangile, ce Christ que ses pères ont amené devant le gouverneur Pilate en le proclamant un malfaiteur[c]. Alors cette nation, ayant restauré en elle l'image du créateur[d] en croyant au Christ, deviendra un *mur* orné de ces *créneaux d'argent* ; alors, en mourant pour son nom, elle sera une *porte* toujours belle comme les anges du ciel, toujours immortelle, toujours vivante, et demeurant à jamais avec les apôtres, car elle aura suivi leur vie, leur foi, et sera ornée de leurs vertus. Et cette *porte, renforcée de plaques de cèdre* — puisque ces apôtres sont un avec le Christ — offrira, par l'exemple que cette nation aura donné de mourir pour le nom du Christ, l'accès au royaume de Dieu même aux autres nations auxquelles elle est à présent mêlée.

Le véritable mur, c'est le Christ

43. « Je suis un mur et mes seins sont comme une tour, depuis que j'ai été faite en sa présence comme celle qui retrouve la paix. » Comprenons que tout ce qui a été préfiguré en prophétie au sujet de tous les peuples et de tous les saints depuis le début de ce Cantique jusqu'au présent verset est achevé. Et mainte-

CXLV (VIII, 10)

pses apocryphae, p. 76. — Sur la canonicité de l'Apocalypse, voir note à VIII, 725.

Nunc uero quae sequuntur, proprie | singularis electae, per
645 quam diabolus uictus est et humanum | genus de eius
manibus liberatum est, animae uox loquentis | inducitur,
per quam *pax* terris infusa est, quae iram bellorum et |
nequissima iurgia effugaret, sicut in eius natiuitate angeli
nun|tiant *pacem* in terris hominibus bonae uoluntatis[a]. Et
sicut secun|dum diuinitatis potentiam omnia in omnibus
650 Christus est[b] — ut | Deus deorum et Dominus dominorum
et rex regum[c] et princeps | principum et propheta prophe-
tarum et Christus christorum et | iudex iudicum et impera-
tor imperatorum et sanctus sanctorum | et martyr marty-
rum —, ita nunc, secundum carnis naturam, pro | loco uel
causa, adseruit se *murum* esse murorum. |

655   **44.** De aliis namque sanctorum personis, qui pro merito
hono|ris gratiam recipiunt alterius ore, *muri* appellantur
Hierusalem | uel Sion : sicut ait Deus per Esaiam : *Et dixit
Sion : Dereliquit | me Dominus, et Dominus oblitus est mei*,
et respondetur ei a | Deo : *Numquid obliuisci potest mulier*
660 *infantem suum, ut non | misereatur filio uteri sui? Etsi illa
oblita fuerit, ego tamen non | obliuiscar tui, dicit Dominus.
Ego descripsi te in manu mea, et | muri tui coram me sunt
semper*[a]. Quod utique completum osten|dit in suo aduentu,
dicendo : *Ecce ego uobiscum sum omnibus | diebus*[b]. Et alio
665 loco : *Super muros tuos, Hierusalem, constitui | custodes*[c] :
qui proculdubio angeli intelleguntur sanctarum ani|marum
custodes. Et alio loco : *Occupabit*, inquit, *salus muros | tuos,
et portas tuas laudatio*[d]. Quod utique in sanctis et apostoli-

---

43 a. Lc 2,14   b. Cf. Col. 3,11   c. Cf. Apoc. 17,14
44 a. Is. 49,14-16   b. Matth. 28,20   c. Is. 62,6   d. Is.
60,18

---

1. Jusqu'ici, dans cette première partie du livre XII, qui traite de
« ces derniers temps qui doivent se dérouler jusqu'au jour du jugement »
(annonce faite en XI, 366), l'âme du Christ a réveillé celle qui dormait
sous l'arbre du mal (XII, 4-128), puis lui a appris la prudence du
cœur et la force du bras (128-149), l'invitant à l'amour et à l'imitation

nant, dans ce qui suit[1], sont introduites de manière
particulière la voix et les paroles de cette âme unique
et élue par qui le diable a été vaincu et le genre humain
libéré de ses mains, par qui *la paix* a été répandue sur
la terre, et qui mettrait en fuite la fureur des guerres et
les disputes impies, comme au jour de sa naissance les
anges annoncent *la paix* sur la terre pour les hommes
de bonne volonté[a]. Et de même que, selon la puissance
de sa divinité, le Christ est tout en tous[b], à titre de
Dieu des dieux, Seigneur des seigneurs, roi des rois[c],
prince des princes, prophète des prophètes, Christ des
christs, juge des juges, empereur des empereurs, saint
des saints, martyr des martyrs, de même maintenant,
selon la nature de sa chair, il s'est déclaré, conformément
au lieu et au sujet, *mur des murs*.

44. Sans doute certains parmi les autres saints personnages qui, pour leur mérite, reçoivent de la bouche
d'autrui un titre d'honneur, sont appelés *murs* de Jérusalem ou de Sion. Ainsi Dieu dit par la bouche d'Isaïe :
« Sion a dit : Le Seigneur m'a abandonnée, le Seigneur
m'a oubliée », et le Seigneur lui répond : « Est-ce qu'une
femme peut oublier son enfant, au point de n'avoir pas
pitié du fils de ses entrailles ? Même si cette femme
l'avait oublié, moi je ne t'oublierai pourtant pas, dit le
Seigneur. Moi, je t'ai gravée sur ma main, et tes *murs*
sont toujours devant moi[a]. » Et cela, il l'a montré réalisé
à sa venue, en disant : « Voici que je suis avec vous tous
les jours[b]. » Et ailleurs : « Sur tes *murs*, Jérusalem, j'ai
placé des gardes[c] ». Il s'agit sans aucun doute des anges
gardiens des âmes saintes. Et ailleurs : « Le salut occupera
tes *murs*, et la louange tes portes[d]. » Ceci a été précisé-

(158-426). Elle s'est adressée ensuite au Verbe de Dieu pour lui
recommander sa petite sœur (427-638), ce peuple d'Israël nouvellement
converti, qui va affronter la persécution. Maintenant Apponius annonce
un nouveau développement : l'âme du Christ parle en son nom propre
et révèle sa mission dans le monde.

ᴵcis animabus completum est tempore redemptionis nostrae, in ᴵ quibus saluationis et laudis gratia collata proba-
670 tur ; in quibus | utique tanta salutis et laudis occupatio
uenit, ut, praeter saluᴵtem hominum et laudem Christi Dei
nostri, nihil aliud cogitaᴵrent. ᴵ

45. Hic autem, praesenti uersiculo, cui bruto non cla-
reat ᴵ ipsius praedictae animae uocem, ut se, secundum
675 carnis natuᴵram, similem ceteris sanctis animabus ostende-
ret, cum ait : *Ego* ᴵ *murus, et ubera mea sicut turris?* In quo
mysterio euidentissime ᴵ docet Deum per hominem hominibus subuenisse, sicut dictum ᴵ est per Dauid : *Frater non*
redimet, redimet homo ᵃ. Et quis alius ᴵ homo, nisi solus
680 Christus qui dixit per Esaiam : *Torcular calcaui* | *solus, et*
de gentibus non est uir mecum ᵇ ? De quo credentium ᴵ popu-
lus dicit in Hieremia propheta : *Spiritus oris nostri, Chriᴵs-*
tus Dominus, captus est in peccatis nostris; cui diximus : In
ᴵ *umbra tua uiuemus inter gentes* ᶜ. Cuius anima, unita cum
Verbo, ᴵ dum ab eo defendit qui se solem iustitiae ᵈ menti-
685 tur, protectionis | umbraculum praestat. Crucem por-
tando, uitulus est; ᴵ gratiarum ᴵ charismata impertiendo,
agnus est; morti subiacendo, ouis est ᵉ; uitam tribuendo,
pastor est ᶠ; persecutionum impetus ab Ecclesia ᴵ repel-
lendo uel unamquamque animam ab impossibili impugna-
ᴵtione defendendo, *murus* est. |

690 **46.** Ante eius ergo aduentum, *aedificabatur* quidem Hie-
rusaᴵlem, in figura Ecclesiae, in patriarchis et prophetis uel
in obserᴵuationibus cultorum legis mosaicae, et uidebatur

---

45 a. Ps. 48,8   b. Is. 63,3   c. Lam. 4,20   d. Cf. Mal.
4,2   e. Cf. Is. 53,7   f. Cf. Jn 10,28

---

1. Sur la forme de cette citation de *Ps.* 48,8, voir V, 143.

2. Il est « agneau », parce que le propre de l'agneau est de donner
sa laine. Cf. I, 317; III, 532; V, 276. Dans tous ces passages, il est
question du don « de la grâce de l'Esprit saint ».

ment réalisé dans les âmes des saints et des apôtres au temps de notre rédemption, car en elles a été déposée la grâce du salut et de la louange. Ces âmes, le salut et la louange les ont tellement « occupées » qu'elles ne pensaient à rien d'autre qu'au salut des hommes et à la louange du Christ notre Dieu.

45. Mais ici, dans le présent verset, qui serait assez stupide pour ne pas voir clairement que la voix de cette âme dont nous parlons veut montrer que, selon la nature de la chair, elle est semblable à toutes les autres âmes saintes, lorsqu'elle dit : « *Je suis un mur et mes seins sont comme une tour* » ? Par cette figure, elle nous enseigne avec évidence que c'est par un homme que Dieu est venu au secours des hommes, ainsi que l'a dit David : « Le frère ne rachètera pas, l'homme rachètera[a][1]. » Et quel autre homme, sinon le Christ seul, qui a dit par Isaïe : « Seul j'ai foulé le pressoir, et pas un homme venu des nations n'est avec moi[b] » ? C'est de lui que le peuple des croyants déclare par le prophète Jérémie : « Le souffle de notre bouche, le Christ Seigneur, a été fait prisonnier de nos péchés, lui à qui nous avons déclaré : C'est à ton ombre que nous vivrons parmi les nations[c]. » Son âme, unie au Verbe, en nous défendant de celui qui se prétend faussement le soleil de justice[d], nous fournit l'ombrage de sa protection. Quand il porte la croix, il est jeune taureau ; quand il accorde les charismes de ses grâces, il est agneau[2] ; quand il se soumet à la mort, il est brebis[e] ; quand il nous donne la vie, il est pasteur[f] ; quand il repousse loin de l'Église les attaques des persécutions ou qu'il défend chacune des âmes contre un assaut imparable, il est un *mur*.

Par son incarnation il est pour l'Église cité inexpugnable

46. Avant son avènement, Jérusalem, certes, *était construite*, comme figure de l'Église, dans la personne des patriarches et des prophètes et dans les observances de ceux qui gardaient la loi de Moïse. Elle apparaissait entourée de

ambiri *muris* ; | sed subiacebat periculis crebris, quia non
erant igne Spiritus | sancti roborati *murorum* lapides, qui
695 possint illidentium daemo|num fulmina arietum repellere.
Sed ubi adsumpta humanitas, | manente materia, in robur
deitatis migrauit, *murus* defensionis | effecta est totius
Ecclesiae, de qua praecinebat Dauid : *Stantes,* | inquit,
*erant pedes nostri in atriis Hierusalem, quae aedificatur | ut
ciuitas* [a]. Quae proculdubio ad perfectionis *aedificium* per
700 | incarnationis mysterium producta probatur, et *peraedifi-*
cata in | toto mundo splendet, cum eius laudes, eius fidem
totus resonat | mundus, cum uera sapientia Dei Patris,
uera anima et uera | carne circumdata, inexpugnabilis ciui-
tas ingredientibus se per | fidem apparuit mundo. |

705   **47.** Quibus beatus Petrus dicit : *Vos autem gens sancta,*
popu|lus acquisitionis [a] ; et magister gentium Paulus : *Si*
quo modo, | inquit, *cupiam omnes uos in uisceribus Christi* [b] ;
et ipse Christus : | *Manete,* ait, *in me, et mandata mea*
seruate [c]. Necessario enim qui | per fidem rectam in uisceri-
710 bus Christi est, intra urbem inexpu|gnabilem fortissimo
muro uallatus securus consistit, et huic con|tra hostem
pugnanti dicit adsumpta anima redemptoris : *Ego* | *murus*
et ubera mea sicut turris. Consolationis proculdubio uox |
est pronuntiata quam dixit apostolis : *Fidite, ego uici mun-*
dum [d], | et : *Qui credit in me non morietur in aeternum* [e]. Se   B
715 *murum* | uerissime pronuntiauit, per quod uerus hominum
defensor pro|batur, dicendo : *Ego murus.* |

---

46 a. Ps. 121,2-3
   47 a. I Pierre 2,9   b. Phil. 1,8   c. Jn 15,4 ; 14,15   d. Jn
16,23   e. Jn 11,26

---

1. Apponius, qui en VIII, §§ 25 et 27 cite *Phil.* 1,8 sous une
forme très proche du texte reçu, écrit ici : *Si quo modo* (ou *quomodo*)
cupiam..., leçon difficile à expliquer (formule de souhait ?).

murs, mais elle était exposée à des dangers fréquents,
parce que les pierres de ses *murs* n'avaient pas été
consolidées par le feu de l'Esprit saint pour pouvoir
repousser les violents coups de bélier des démons qui
les heurtaient. Mais lorsque l'humanité assumée, tout en
gardant sa nature, fut introduite dans la force de la
divinité, elle devint le *mur* qui défend toute l'Église, cette
Église dont David prophétisait : « Nos pas faisaient halte
dans les parvis de Jérusalem, elle qui *est construite*
comme une cité[a]. » Sans aucun doute, sa *construction* a
été amenée à la perfection par le mystère de l'incarnation,
et maintenant parachevée, elle resplendit dans le monde
entier, alors que le monde entier retentit de ses louanges
et de la foi en lui, alors que la vraie Sagesse de Dieu
le Père, enclose en une âme véritable et une chair
véritable, est apparue au monde comme une cité inexpugnable pour ceux qui y pénètrent par la foi.

47. C'est à ces derniers que le bienheureux Pierre
déclare : « Vous êtes une nation sainte, un peuple
acquis[a]. » Et Paul, le docteur des nations : « Vraiment,
comme je vous désirerais tous à l'intérieur du cœur du
Christ[b1] ! » Et le Christ dit lui-même : « Demeurez en
moi, et observez mes commandements[c]. » Nécessairement
en effet, celui qui par la foi droite est à l'intérieur du
cœur du Christ se trouve en sécurité, entouré d'un *mur*
très puissant, au-dedans d'une ville inexpugnable. Et
lorsqu'il lutte contre l'adversaire, l'âme assumée du
Rédempteur lui déclare : « *Je suis un mur, et mes seins
sont comme une tour.* » C'est sans aucun doute une parole
de consolation qui est annoncée, celle qu'il a dite à ses
apôtres : « Ayez confiance, j'ai vaincu le monde[d] », et :
« Celui qui croit en moi ne mourra pas, éternellement[e]. »
C'est en toute vérité qu'il s'est nommé « *mur* » : par là,
en disant : « *Je suis un mur* », il montre qu'il est le vrai
défenseur des hommes.

48. *Vbera* autem *sua turrium* imagine demonstrauit, quia | quod ipse est per naturam, hi quos sua uirtute portat uel suos | uicarios ponit, imagine consequuntur. *Vbera* ergo
720 huius, sicut in | capite dictum est, in hoc Cantico apostolici uiri figurari intelle|guntur, qui susceptum uerbum doctrinae a Christo, qui caput | est totius Ecclesiae[a], uelut lac porrigunt paruulis animabus : | quae concipiuntur per bonam uoluntatem, generantur credendo, | nutriuntur doc-
725 trina et efficiuntur pulcherrima proles de ineffa|bili indiuisibilique coniugio inter Verbum et animam Domini | nostri Iesu Christi celebrato. Et sicut dum lacte doctrinae nutrit | paruulas animas, apostoli *ubera* sunt, ita, cum iam grandes | effectae fuerint, et ab hoste diabolo coeperint impugnari multi|formi impugnatione, *turrium* similitudinem gerunt,
730 quia, sicut | per eos nutrit, ita et per eos defendit Ecclesiae ciuitatem, qui, ut | *turris murum*, ita doctrina Christi ornare probantur. Securus | ergo in his *turribus*, diuinae scientiae sanctarum scripturarum | armis circumdatus, inclusus consistit qui in eorum fide immobi|lis permanet. |
735 **49.** Defensor igitur noster *murus* Christus ; apostoli eorumque | consimiles *turres* ; et intra eos, arma spiritalis sapientiae scien|tiaeque, et illa charismatum quae nota

---

48 a. Cf. Éph. 5,23

---

1. Au livre I, 299.

2. *indiuisibilis* (et *indiuisibiliter*) ; ce qui est dit fréquemment de l'unité de Dieu, représentée par le nombre mille, parfait et « indivisible », l'est à plusieurs reprises de l'unité réalisée une fois pour toutes dans le Christ : union de l'âme élue et du Verbe de Dieu (XI, 6) ; du Verbe et de l'âme du Christ (XII, 725) ; du Christ, homme assumé et du Verbe (XII, 965-968) ; de l'homme assumé et de la divinité (XII, 975). − C'est du fait de cette union indissociable que, de la mort de Jésus à sa résurrection, le Verbe de Dieu reste uni, et au corps reposant au tombeau, et à l'âme descendant aux enfers : III, 351-355 (et note) ; V, 108-109 ; IX, 275-278.

**De cette cité,
les apôtres
sont les tours**

48. Quant à *ses seins*, il les a montrés sous l'image de « *tours* », parce que ceux qu'il porte par sa force et établit comme ses vicaires réalisent en image ce qu'il est lui-même par nature. Donc *ses seins*, comme nous l'avons dit au début[1], doivent être compris dans ce Cantique comme la figure des hommes apostoliques qui fournissent, telle du lait, aux âmes encore jeunes, la parole de l'enseignement qu'ils ont reçu du Christ, tête de toute l'Église[a]. Ces âmes sont conçues par la volonté bonnne, engendrées par la foi, nourries par l'enseignement, et elles deviennent la descendance pleine de beauté, née de l'union ineffable et indissociable[2] célébrée entre le Verbe et l'âme de notre Seigneur Jésus Christ[3]. Et de même que, lorsque celui-ci nourrit du lait de son enseignement les âmes encore jeunes, les apôtres sont des *seins*, de même, lorsque ces âmes sont déjà devenues grandes et commencent à subir toute sorte d'attaques de la part du diable ennemi, ils sont semblables à des *tours* : de même que par eux le Christ nourrit la cité de l'Église, de même, par eux aussi, il la défend, puisqu'ils l'ornent par son enseignement à lui comme fait une *tour* pour un *mur*. Celui-là se tient donc enfermé en sécurité dans ces *tours*, entouré par les armes de la science divine des saintes écritures, qui demeure immuable dans la foi des apôtres.

49. Le Christ, notre défenseur, est donc le *mur*; les apôtres et ceux qui leur ressemblent, les *tours*. Au-dedans de ceux-ci se trouvent les armes de la sagesse et de la science spirituelles, ainsi que celles des charismes connus

---

3. Telles sont les étapes de la croissance des âmes chrétiennes, « conçues par la volonté bonne, engendrées par la foi, nourries par l'enseignement », digne descendance de l'union « entre le Verbe et l'âme de notre Seigneur Jésus Christ ». − Sur la fécondité de cette union, sur sa *pulcherrima proles*, voir note à I, 79.

sunt Christianis, quae ǀ traduntur a Deo tempore redemptionis. Nam sicut *turres* porǀtantur a *muro*, et intra *turres*
740 arma reposita cum quibus hosti ǀ resistunt custodes *muro-*
rum, ita per fidem a Christo sustentanǀtur apostoli, et per
apostolos fidelium turba. In quibus uitae ǀ exempla et rectae fidei arma sunt collocata. Quae qui indesinenǀter tenue-
rit uincit; qui dimiserit uincitur. Ideo ait in euangelio ǀ
ipse redemptor : *Vigilate et orate, ne intretis in tentatio-*
745 *nem* [a]. ǀ Certum est enim ut, qui de hac exierit ciuitate ubi
Christus ǀ *murus* est, eum non habere refugii locum, nisi in
tentationis ǀ baratro. ǀ

50. Vt autem luce clarius manifestaretur de adsumpta
carnis ǀ uel animae persona praesenti uersiculo loqui, tem-
750 pus etiam ǀ posuit quando *facta sit*, quod diuinitas non
recipit Verbi, simulǀque ostendit se propter *pacem* mundo
reperiendam, quae praeuaǀricationis et superbiae foetore ǀ
reliquerat mundum, sic mirabiǀllem, sic mirabiliter *factam*,
ut admirarentur uirtutes caelorum, ǀ nescirent daemones,

---

49 a. Matth. 26,41

---

1. « les charismes connus des chrétiens » : Apponius qui emploie
souvent *charisma*, et surtout *charismata*, ne pense pas aux charismes
plus visibles que seraient le don de prophétie, celui de guérison, celui
des langues, etc. Pour lui *charismata* est presque toujours le complément
ou l'équivalent de *dona, gratiae, uirtutes* (cf. Introd., p. 98) : il s'agit
des dons de la Sagesse, des « dons du saint Esprit ». Ses expressions,
surchargées, ne veulent rien laisser perdre de la richesse du don de
Dieu : *uariarum uirtutum charismata* (I, 178); *in diuersis donis
charismatum gratiarum* (VII, 60); *charismata, sancti Spiritus donationes*
(VII, 610); *sapientia... multorum charismatum dona impertit* (VIII,
104-106); *pro diuersis charismatum donis Spiritus sancti* (VIII, 494);
sine charismatum donationis gratia (X, 463); *gratiarum charismata
impertiendo* (XII, 686); ce qui est l'équivalent de : *impertione gratiae
Spiritus sancti* (V, 276).

2. *adsumpta carnis uel animae persona* : noter cet emploi inhabituel
de *persona* pour désigner l'humanité « assumée » par le Verbe. Aux
l. 438-440, Apponius, dans une perspective différente, mais surprenante
aussi, parlait de l'*anima Christi una persona cum Verbo effecta*. — Sur
l'usage de *persona*, voir Introd., p. 91-93.

des chrétiens[1], qui sont accordés par Dieu au temps de
la rédemption. Car de même que les *tours* sont portées
par le *mur*, et qu'à l'intérieur des *tours* sont entreposées
les armes avec lesquelles les gardiens des *murs* résistent
à l'ennemi, de même les apôtres sont, grâce à leur foi,
soutenus par le Christ, et la foule des fidèles l'est grâce
aux apôtres, en qui sont disposés les exemples de vie et
de foi droite qui sont nos armes. Qui les garde continuellement est vainqueur ; qui les abandonne est vaincu. C'est
pourquoi le Rédempteur lui-même déclare dans l'évangile : « Veillez et priez pour ne pas entrer en tentation[a]. »
Il est certain en effet que celui qui sort de la cité dont
le Christ est le *mur* n'a plus d'autre lieu de refuge que
le gouffre de la tentation.

**A la naissance
du Christ,
son Âme
nous rend la paix
avec Dieu**

50. Mais pour manifester de
manière plus claire que le jour que
dans le présent verset il est question
de la personne assumée chair et
âme[2], elle a aussi précisé le temps
où *elle a été faite*[3], ce qui ne peut
se dire de la divinité du Verbe. Elle a montré en même
temps que c'est pour faire *retrouver* au monde *la paix*
— laquelle avait quitté le monde à cause de la puanteur
de sa prévarication et de son orgueil — qu'*elle a été
faite* si admirable, si admirablement, que les vertus des
cieux s'en émerveillent, que les démons l'ignorent, que

3. « elle a été faite » : l'âme du Christ, connue et choisie par Dieu
dans sa prescience, est créée dans le temps, comme toutes les âmes,
mais dès lors elle est toute unie au Verbe (IX, 261-263), « envoyée
dans un corps » (IX, 329), devenant par là médiatrice entre le Verbe
et la chair : c'est grâce à elle que « le Verbe se fait chair » ; « d'un
côté elle est unie au Verbe du Père, qui est Dieu, et de l'autre à
une chair immaculée » (XII, 793-795) ; elle est « médiatrice entre la
force de la divinité et la faiblesse de la chair » (IX, 327). Voir
Introd., p. 86-88.

755 non crederent impii, dicendo : *Ex quo facta | sum coram eo*
quasi pacem reperiens. Docuit utique non illam | *pacem* per-
petuamque tranquilitatem quam fruituri sunt sancti | post
huius saeculi finem — de qua dixit propheta : *Mansueti* |
possidebunt terram et delectabuntur in multitudine pacis [a] —,
sed | tantam quam possit capere mundus se *reperisse* nas-
760 cendo pro|nuntiat : non illam quam iudicando daturus est
dignis, sed illam | quam iudicatus ab indignis *reperit*
mundo. Non enim inconcussa | *pax* est, nec *pacis* multi-
tudo, ubi innumerabilia et antiqua bella | grassantur coti-
die ; ubi dicitur : *Vae mundo a scandalis* [b] ; ubi in | collucta-
tione [c] positi sunt fideles ; ubi non coronatur, nisi qui
765 | legitime certauerit [d] ; ubi adiutorii auxilia a bellatoribus
coti|die implorantur. Sed illa intellegitur repropitiationis
pax inter | Deum et hominem *reperta*. |

51. Per quod docuit, a protoplasto Adam usque ad par-
tum | Virginis bellum fuisse inter creatorem et creaturam.
770 Bellum | enim caelo inferre conatur qui manufacta omni-
potenti compa|rat uel praeponit. Bellum Deo inferre est,
quae fieri iussit | spernere, et quae contradicta sunt perpe-
trare. Et tanto tempore | in his tantis sceleribus, offenso
creatore, nullus repertus est inter | homines a suis culpis
775 omnino liber [a], qui obsecratione sua ab ira | indignationis
Deum *pacificaret* humanae naturae, nisi haec *uni|ca* prae-
dicta *matri, electa genetrici* [b], caelo terrisque admiranda, |

---

50 a. Ps. 36,11   b. Matth. 18,7   c. Cf. Éph. 6,12   d. II
Tim. 2,5
51 a. Cf. Ps. 87,6   b. Cant. 6,8

---

1. « chaque jour se propagent des guerres anciennes et innombrables » : le contexte montre qu'il s'agit du combat spirituel du chrétien
affronté à un monde incapable de faire la paix, mais capable de la
recevoir du Verbe incarné (l. 759), puisqu'en celui-ci ont été réconciliés
Dieu et l'homme. C'est seulement à la l. 798 qu'il sera dit que,

les impies refusent de le croire. Elle dit en effet : « *Depuis que j'ai été faite, en sa présence, comme celle qui retrouve la paix.* » C'est nous apprendre que par sa naissance, elle a *retrouvé*, non cette *paix* et cette tranquillité perpétuelle dont jouiront les saints après la fin de ce monde, et dont le prophète a dit : « Les doux posséderont la terre et se réjouiront dans l'abondance de la paix[a] », mais une *paix* telle que le monde peut la recevoir. Non pas cette *paix* que, lorsqu'il jugera, il donnera à ceux qui en sont dignes, mais celle qu'il *a retrouvée* pour le monde lorsqu'il a été jugé par des indignes. Il n'y a pas en effet de *paix* inébranlable ni d'abondance de *paix* là où chaque jour se propagent des guerres anciennes et innombrables[1] ; là où il est dit : « Malheur au monde à cause des scandales[b] ! » ; là où les croyants sont affrontés aux combats[c] ; là où seul reçoit la couronne celui qui a lutté selon les règles[d] ; là où les combattants implorent chaque jour les secours qui les aideront. Non, il faut voir dans cette *paix* celle de la réconciliation, la *paix retrouvée* entre Dieu et l'homme.

51. Par là elle nous a appris que, depuis Adam, le premier homme créé, jusqu'à la naissance virginale, il y eut guerre entre le créateur et la créature. C'est en effet vouloir faire la guerre au ciel que de comparer ou préférer au Tout-Puissant les œuvres de ses mains. C'est faire la guerre à Dieu que de mépriser ce qu'il nous a dit de faire, et d'accomplir ce qu'il nous a défendu. Or durant tout ce temps, au milieu de tant de crimes, alors que le créateur était offensé, il ne s'est trouvé personne parmi les hommes qui fût totalement libre[a] de ses propres péchés, personne qui par ses supplications pût apaiser Dieu de sa colère indignée contre la nature humaine. Personne, si cette âme que nous avons dite, *l'unique pour sa mère, l'élue pour celle qui l'a mise au monde*[b],

---

par-delà cette « paix des âmes », le Christ a apporté la paix aux nations en apaisant les *bella publica*.

noua nouo ordine *facta* fuisset anima, cui peccatum neque
in | opere neque in cogitationibus dominaretur, sed que-
madmodum | *facta* est immaculata, ita permansit *coram
eo.* |

780   **52.** Quam ostensam terris caelorum uirtutes laudaue-
runt[a], su|blatam in passionis mysterio petrarum scissio[b].
Quae magnitudi|ne humilitatis suae, sola inter creatorem
Deum et hominem, | quem utrumque gestabat, *pacem repe-
rit,* et inuentam angelorum | ore tradidit mundo nascendo,
785   et ascendens caelos pro magno | munere credentibus dereli-
quit, clamantibus angelis in eius ortu : | *Gloria in excelsis
Deo, et in terra pax hominibus bonae uolunta|tis*[c], et ipso,
dicendo : *Pacem meam do uobis. Pacem meam relin|quo
uobis*[d] ; confirmante apostolo Paulo, dum eius uirtutes
expo|nit : *Qui est,* inquit, *pax nostra*[e], et *pacificauit quae*   B
790   *sunt in caelo et* | *in terra, faciens pacem ut reconciliaret nos
Deo per sanguinem* | *suum*[f]. Exquisitam utique *pacem* inue-
nit, celando potentiam, | monstrando infirmitatem, osten-
dendo formam seruilem forma | deitatis indutam[g]. *Reperit
pacem,* inter Deum et homines media|trix exsistens, cum
795   ex altero latere Deo Verbo Patris, ex altero | immaculatae
carni coniungitur ; cum uere uiuit in deitate in | patibulo

---

52 a. Cf. Lc 2,13-14   b. Cf. Matth. 27,51   c. Lc 2,14
d. Jn 14,27   e. Éph. 2,14   f. Col. 1,20 ; cf. Éph. 1,7-10
g. Cf. Phil. 2,7

---

1. *noua nouo ordine facta* : cf. la note à VII, 530.

2. *quem utrumque gestabat* : *TLL* VI[2], 1967, 18 dit de *gestare*, au
sens figuré : « *fere idem quam 'in se habere '* » (Apponius, en I, 770,
parlant de l'Église, prend pour équivalents : *intra se continet* et *intra
se gestat*). *TLL, loc. cit.,* 33, cite TERTULLIEN, *La chair du Christ,* 10,
3, parlant de l'âme *quam gestauit Christus* (SC 216, p. 256 : traduit
là par « prendre », peu précis). En VIII, 353, Apponius parlait lui aussi
du vrai Dieu qui a « déposé » l'âme véritable qu'il « portait » *(ueram
animam quam gestabat... posuit)*. Ici, il va jusqu'à parler de l'âme du
Christ réconciliant Dieu et l'homme, « car elle portait en elle l'un et

admirable pour le ciel et pour la terre, n'avait été *faite*, nouvelle, selon un ordre nouveau[1], telle que le péché ne pourrait la dominer, ni dans ses œuvres ni dans ses pensées. Telle *elle a été faite*, immaculée, telle elle est demeurée *en sa présence*.

52. Lorsqu'elle apparut sur la terre, ce furent les vertus des cieux qui chantèrent ses louanges[a]; lorsqu'elle en fut retirée, dans le mystère de sa passion, ce furent les pierres en se fendant[b]. C'est elle qui, par la grandeur de son humilité, a seule *retrouvé la paix* entre le Dieu créateur et l'homme, car elle portait en elle l'un et l'autre[2]. Après l'avoir trouvée, elle l'a, à sa naissance, transmise au monde par la bouche des anges, et lorsqu'elle monta aux cieux, elle l'a laissée comme un grand présent aux croyants. A sa naissance, en effet, les anges proclament : « Gloire à Dieu au plus haut des cieux et *paix* sur la terre aux hommes de bonne volonté[c][3] », et lui-même a déclaré : « Je vous donne ma *paix*. Je vous laisse ma *paix*[d]. » Ce que confirme l'apôtre Paul lorsqu'il expose son œuvre merveilleuse : « Il est, dit-il, notre *paix*[e] », et : « Il a *pacifié* ce qui est au ciel et ce qui est sur la terre, faisant la *paix* pour nous réconcilier avec Dieu par son sang[f]. » Cette âme en effet a trouvé *la paix* recherchée, en cachant la puissance, en manifestant la faiblesse, en montrant la condition d'esclave qu'avait revêtue la condition divine[g]. *Elle a retrouvé la paix* en étant médiatrice entre Dieu et les hommes, puisqu'elle est unie d'un côté au Verbe du Père, qui est Dieu, et de l'autre à une chair immaculée; elle qui sur le gibet

l'autre *(utrumque gestabat)* ». On voit que ces formules exprimant l'unité de la personne du Christ sont loin d'avoir la netteté de celles de Chalcédoine. – Voir aussi l'usage fait, dans des sens voisins, des verbes *gerere* : XII, 1404; *portare* : IX, 276; X, 512 et la note. Cf. Introd., p. 94.

3. Le *Gloria* des anges de Noël (*Lc*, 2,14) est toujours évoqué comme l'annonce de la paix pour le monde : V, 478; IX, 351; XII, 647.786.845.

crucis, et uere pro odientibus *pacem* [h] libentissime mori|tur in humanitate. |

53. Nam, *ex quo facta est* et mundo ostensa, non solum anima|rum *pax* illuminat mundum, sed publica, etiam ciui-800 lia, romano | imperio exaltato, bella sopita : *pace* omnium gentium barbaro|rum *reperta*, exsultat, et omne humanum genus, quocumque | terrarum loco obtinet sedem, ex eo tempore, uno illigatur uincu|lo *pacis.* In cuius apparitionis die, quod Epiphania appellatur, | Caesar Augustus in spec-805 taculis, sicut Liuius narrat, romano | populo nuntiat, regressus a Britannia insula, totum orbem ter|rarum tam bello quam amicitiis romano imperio *pacis* abundan|tia subditum. Ex quo tempore etiam et Syrorum, instigante | diabolo, bella oriuntur : tamen, interueniente *pace*, hoc est Chri|sti praesentia, quantocius sedari probantur. In cuius 810 fabrica | inenarrabili completum illud propheticum quod praedixit Da|uid : *Suscipiant montes pacem et colles iusti-tiam* [a], et : *Orietur in* | *diebus eius iustitia et abundantia pacis* [b]. |

54. Quod utique in regibus et iudicibus terrae [a] accipien-dum | est. Qui, *ex quo facta est* saepedicta gloriosa anima, 815 quae nobis | creatorem repropitiando *pacis* munus donauit, et reges inter se | *pacis* dulcedinem et iudices iustitiae obtinent suauitatem. Quam|uis enim, ut diximus, fame pecuniae perurgente, nonnulli reges | *pacem* irrumpant, uel iudices excaecati muneribus [b] soluant iusti|tiam, tamen 820 non usque adeo insaniunt uel debacchantur in | malis, sicut ante eius aduentum fecisse reges uel iudices diuersa|rum

52 h. Cf. Ps. 119,7
53 a. Ps. 71,3   b. Ps. 71,7
54 a. Cf. Ps. 2,10   b. Cf. Ex. 23,8; Deut. 16,9

1. Sur la proclamation de la paix par Auguste, l'« Épiphanie » du Christ, et la référence à Tite-Live, voir la Note complémentaire IX : « Paix Romaine et Épiphanie », p. 291.

2. Le *Ps.* 71,7 parle de « paix » et de « justice ». La paix concerne « les rois », qui engagent la guerre; la justice regarde « les juges de la terre »; Apponius rapproche ainsi du *Ps.* 71,7 le *Ps.* 2,10 : « Et maintenant, rois, comprenez, instruisez-vous, juges de la terre. »

de la croix est, dans sa divinité, véritablement vivante, et qui, dans son humanité, meurt véritablement et de son plein gré pour ceux qui haïssent *la paix*[h].

Son « épiphanie » inaugure aussi la paix du monde

53. Et *depuis qu'elle a été faite* et montrée au monde, non seulement *la paix* des âmes illumine le monde, mais les guerres publiques et même civiles se sont apaisées, grâce à l'exaltation de l'Empire romain : *la paix* de tous les peuples des barbares une fois *retrouvée*, cette âme exulte, et tout le genre humain, en quelque lieu de la terre qu'il réside, est depuis ce temps-là unifié par le lien de *la paix*. C'est au jour de son apparition − ce qu'on appelle l'Épiphanie − que César Auguste, au cours de spectacles, annonce au peuple romain, à son retour de l'île de Bretagne, comme le raconte Tite Live, que le monde entier a été, tant par la guerre que par des traités d'amitié, soumis à l'Empire romain, et qu'il goûte l'abondance de *la paix*[1]. Depuis ce temps-là surgissent encore, à l'instigation du diable, des guerres en Syrie : cependant on les voit, par l'intervention de *la paix*, c'est-à-dire par suite de la présence du Christ, s'apaiser tout aussitôt. C'est dans la création ineffable de cette âme que s'est réalisée la prophétie prédite par David : « Que les montagnes accueillent *la paix* et les collines la justice[a] », et : « En ses jours se lèvera la justice et l'abondance de *la paix*[b]. »

54. En vérité, nous devons appliquer cette prédiction aux rois et aux juges de la terre[a2], car *depuis qu'a été faite* cette âme glorieuse qui, en nous réconciliant avec le créateur, nous a donné le présent de *la paix*, les rois gardent entre eux la douceur de *la paix*, les juges la suavité de la justice. De fait, même si, pressés par l'avidité de ‧ l'argent, nous l'avons dit, quelques rois rompent *la paix*, ou même si des juges, aveuglés par des présents[b], enfreignent la justice, ils ne s'abandonnent pourtant pas autant à leur folie et ne se déchaînent pas autant dans leur malice que l'ont fait, avant son avènement, les rois

gentium antiquitatum edocemur historiis. Quantumuis igitur saeuiant contra subiectos praedicti iudices, uel contra
se | crudelissimi reges bella indicant, prohibentur, licet
inuiti, a | malis intentionibus a *pacis* auctore Christo prop-
825   ter miseriam | inopum et gemitum pauperum [c] uel innocen-
tum inuocantium | eum. |

XLVI
VIII, 11)   **55.** Vinea fvit pacifico in ea qvae habet popvlos.   BM
Tradi|dit eam cvstodibvs. Vir adfert pro frvctv eivs
mille ar|genteos. Sicut in spe lucri *uineam* plantat agri-
830   cola, ut post | multos labores de *fructu uineae* suae laete-
tur, ita praesenti | uersiculo docet plebem Israhel a Dei
Filio esse plantatam : in | cuius radicem, post illius aridita-
tem incredulitatis, inserta est | Ecclesia gentium [a] ad futu-
ram laetitiam Filii Dei. Quae plebs | Israhel, caput regni,
835   templum uel altare ritumque caerimonia|rum in Hierusa-
lem habuisse probatur. Quae propter regnum | *populos*
multos intra se *habuisse* manifestum est. |

56. Et hanc *uineam* ideo dicit *in* Hierusalem fuisse, quo-
niam | radix fidei et agnoscendi creatorem ibidem primitus
porrecta | probatur, et per illa quae in mysterio *in ea* acta
840   sunt, totius | mundi redemptio demonstratur : ut Christi
passio in sacrificio | Abrahae per holocaustum Isaac [a], et
chrismatis Spiritus sancti | infusio in lapidis unctione super
quem dormiuit Iacob [b]. In castra | uero angelorum quam
uidit in ipsis finibus regrediens de Meso|potamia [c], castra
845   illa angelorum significabatur quae, *pacifico* Chri|sto nas-

54 c. Ps. 11,6
55 a. Cf. Rom. 11,7
56 a. Cf. Gen. 22,1-3   b. Cf. Gen. 28,18   c. Cf. Gen. 32,1-2

1. Dans ce passage (l. 842-845), *castra* est traité comme un
féminin singulier. D'où les corrections apportées au texte par l'édition
Bottino-Martini. En fait, le féminin *castra* n'est pas inconnu de
certains mss de *VL* dans plusieurs passages de l'Heptateuque : cf.
TLL, III, 548, 46-47. *Gen.* 32,2, auquel il est fait ici allusion, n'y
figure pourtant pas.

et les juges, ainsi que nous l'enseigne l'histoire ancienne
des différents peuples. Quels que soient donc les excès
de ces juges contre leurs subordonnés, quelles que soient
les guerres que se déclarent entre eux les rois les plus
cruels, l'auteur de *la paix*, le Christ, les détourne, bien
que malgré eux, de leurs mauvaises intentions, par égard
pour la misère des indigents, pour les gémissements des
pauvres[c] et des innocents qui l'invoquent.

**Le Christ,
le « Pacifique »,
est aussi le maître
de la vigne...**

55. Une vigne appartenait au
Pacifique en celle qui contient des
peuples. Il l'a confiée à des gardiens. L'homme apporte en échange
de son fruit mille pièces d'argent.

De même qu'un cultivateur plante *une vigne* dans l'espoir
d'en tirer du profit, pour qu'après bien des travaux il
puisse se réjouir du *fruit* de sa *vigne*, de même – c'est
ce que nous apprend le présent verset – le Fils de Dieu
a planté le peuple d'Israël ; et sur la racine de celui-ci,
après l'aridité de son incrédulité, a été greffée, pour la
joie future du Fils de Dieu, l'Église des nations[a]. C'est
en Jérusalem que le peuple d'Israël a possédé la capitale
du royaume, le Temple et l'autel, ses rites et ses cérémo-
nies. Et il est évident qu'elle a, en raison de la royauté,
contenu en elle des *peuples* nombreux.

**... de la vigne
d'Israël
sur laquelle
a été greffé
le peuple
des croyants**

56. Le texte dit que cette *vigne* se
trouvait *en* Jérusalem, parce que c'est
là que s'est propagée initialement la
racine de la foi et de la connaissance
du créateur, et que, à travers ce qui
s'est passé *en elle* en prophétie, est

représentée la rédemption du monde entier : ainsi la
passion du Christ, à travers l'holocauste d'Isaac lors du
sacrifice d'Abraham[a] ; et l'effusion du chrême de l'Esprit
saint, dans l'onction de la pierre sur laquelle a dormi
Jacob[b]. Et dans le camp[1] des anges qu'il a vu à la
frontière même lorsqu'il revenait de Mésopotamie[c] était
signifié ce camp des anges qui, à la naissance du Christ,

cente, clamatura erat : *Gloria in exclesis Deo, et pax in* |
terris hominibus bonae uoluntatis[d] offerenda. Et multa alia
quae | retro in aliis locis iam dicta sunt. |

57. Et haec quidem *uinea* germinata in Aegypto et
transplan|tata in terra repromissionis[a] ad fertilitatis aeta-
850 tem peruenit. | Cuius caput Hierusalem ciuitas, in qua erat
sedes Salomonis — |qui *« pacificus »* interpretatur —, fuisse
docetur. Quae *uinea*, id est | populus habens notitiam Dei
caeli, *fuit pacifico*, per hoc quod | crederet prophetis qui
Christum praenuntiabant uenturum, | quem *pacem nostram*
855 magister gentium Paulus docuit[b]. De qua | *uinea* se origi-
nem secundum carnem trahere Christus adserit, | dicendo
apostolis : *Ego sum uitis uera, et Pater meus agricola;* | *uos,*
palmites[c]. « Vera » : hoc est, ita immaculatum se ab omni-
bus | uitiis esse demonstrat qualis factus fuerat primus
homo Adam. |

58. Nam, sicut ciuitas uel *murus* est[a] cum defendit aut
860 prote|git ab impugnatione daemonum, ita et *uitis* est cum
doctrinae | suae liquorem credentibus porrigit fessis anima-
bus — sicut ait | per Hieremiam : *Quia inebriaui animam*
lapsam, et animam | *esurientem saturaui*[b]. Suam utique uir-
tutem Spiritus sancti in | palmitibus apostolis uel doctori-
865 bus infundit, et per eos chrisma|tum botros paruulis porri-
git. De hac ergo uite Christo tota | *uinea*, domus Israhel[c]   BM
uel omnis humana progenies, quae conuer|sa fuerat in
amaritudinem uitis alienae[d], inserta esse probatur, | cum
in toto mundo uno nomine totus populus credentium |
appellatur uocabulo « christianus »[e]. |

---

56 d. Lc 2,14
57 a. Cf. Ps. 79,9   b. Éph. 2,14   c. Jn 15,1.5
58 a. Cant. 8,9   b. Jér. 31,25   c. Is. 5.7   d. Jér. 2,21
e. Cf. Act. 11,26

---

1. Surtout en II, 297-336.

2. Cf. I, 758.

3. Apponius fait implicitement allusion à *Jér.* 2,21 : *Ego te plantaui*
uineam ueram; quomodo conuersa es in amaritudinem uitis alienae ?
(cité ainsi, d'après *Vg*, en I, 819). La seconde partie de ce verset est

le Pacifique, devait proclamer que seraient apportées la gloire à Dieu au plus haut des cieux et la paix sur la terre aux hommes de bonne volonté[d]. Et bien d'autres traits déjà mentionnés plus haut en d'autres passages[1].

57. Or cette *vigne* qui a poussé en Égypte et a été transplantée dans la terre promise[a] est arrivée à l'âge de la fécondité. Sa capitale, nous le savons, était la ville de Jérusalem, en laquelle se trouvait le trône de Salomon — nom qui signifie « *pacifique* »[2]. Cette *vigne* — c'est-à-dire le peuple qui avait la connaissance du Dieu du ciel — *appartenait au pacifique*, puisqu'elle croyait aux prophètes qui annonçaient que le Christ viendrait, lui *notre paix* selon l'enseignement de Paul[b], le docteur des nations. Le Christ déclare tirer de cette *vigne* son origine selon la chair, lorsqu'il dit aux apôtres : « Je suis la vigne véritable, et mon Père, le vigneron. Vous, vous êtes les sarments[c]. » « Véritable »[3] : il affirme ainsi être aussi pur de tous les vices que l'était à sa création le premier homme, Adam.

58. Car de même qu'il est cité ou *mur*[a] lorsqu'il défend ou protège contre les assauts des démons, de même aussi il est *vigne* lorsqu'il procure aux âmes croyantes fatiguées le vin de sa doctrine, comme il le déclare par Jérémie : « J'ai enivré l'âme épuisée, et j'ai rassasié l'âme affamée[b]. » Il répand en effet la force de son Esprit saint dans les sarments que sont les apôtres et les docteurs, et par eux il offre aux petits enfants les grappes de ses onctions. C'est donc à partir de ce plant de vigne, le Christ, que toute *la vigne* — la maison d'Israël[c] et toute la race humaine —, qui avait tourné à l'aigreur d'une vigne bâtarde[d], a été greffée, lorsque, dans le monde entier, tout le peuple des croyants reçoit un nom unique, l'appellation de « chrétien »[e].

citée plus loin (l. 866-867). Ce texte lui est cher, et il y reviendra en 941-942, où il lit : ... *uineam ueram fructiferam*, se souvenant ainsi de *VL*, qui porte : *uineam fructiferam, totam ueram* (Jérôme, *In Esaiam*, II, 5,1 ; X, 32,12 : *CCL* 73, p. 63 et 409 ; mais Jérôme connaît plusieurs variantes, par exemple : *uineam frugiferam, omnem ueram : In Hier.* I, 29 : *CCL* 74, p. 21 ; de même les autres auteurs).

870   **59.** Huius *uineae* Pater agricola Deus, in ostensione Filii
sui, | incredulis palmitibus desecatis, fertiles doctrinae suae
falce | putauit[a] ut separati credentes ab incredulorum
consortio *fruc|tum* multum adferant. Et putatam *tradidit
eam custodibus* apo|stolis eorumque uicariis doctoribus, ut
875   *fructum* fidei, quod per | Trinitatis confessionem profert,
non a bestiis <.*uel> uolucribus dae|monibus deuoretur,
sed ipsorum monitis, perfecto *argenteorum* | numero, de
eius *fructu* iustitiae domino *uineae adferatur.* Inter | quos
custodes, ille *adfert pro fructu eius mille argenteos* qui *uir* |
880   fortissimus est, sicut beatus Paulus apostolus qui per
exemplum | probatissimae uitae et sanam doctrinam, et
semper paratus | mori pro Christo[b], potest dicere :
Amplius illis omnibus laboraui, | *et non ego solus, sed gratia
Dei mecum*[c]. Qui dicit in epistola sua | ad Romanos : *Saepe
proposui uenire ad uos ut aliquem fructum* | *habeam in uobis*
885   *sicut et in ceteris gentibus*[d]. Is ergo talis *adfert* | *pro* credita
sibi *uinea,* hoc est plebe, *mille argenteos.* |

    60. *Argentum* enim ad splendorem doctrinae uel inter-
preta|tionem scripturae diuinae refertur[a]. *Mille* uero soli-
dus, plenarius | et indiuisibilis numerus est, quem ad fidei
confessionem, in qua | unus integer et perfectus creditur
890   Deus in tribus personis coae|ternis, referre possumus, quia
omnis maximus *fructus* populi | christiani in fidei confes-

---

59 a. Cf. Jn 15,1-2   b. Cf. Act. 21,13   c. I Cor. 15,10
d. Rom. 1,13
    60 a. Cf. Ps. 11,7

---

1. Sur cet emploi de *fructum* au neutre, voir la Note critique à
IX, 505, p. 295.

2. Sur l'addition de *uel*, voir Note critique à ce passage, p. 297.

3. Sur cette responsabilité des évêques et des docteurs, voir la note
à IV, 149.

4. Sur le caractère indivisible du nombre 1000, voir note à VI,
213 (cf. VI, 219-220; IX, 80; XII, 909).

Elle a été confiée à des gardiens pour qu'elle rapporte un revenu...

59. Le cultivateur de cette *vigne*, c'est Dieu le Père. Par la manifestation de son Fils, une fois retranchés les sarments incroyants, il a, de la serpe de la doctrine, émondé[a] ceux qui étaient productifs, pour que les croyants, séparés du contact des incroyants, portent beaucoup de *fruit*. Après l'avoir émondée, *il l'a confiée à des gardiens* — les apôtres et leurs vicaires, les docteurs —, afin que le *fruit* de la foi[1] qu'elle porte grâce à la confession de la Trinité ne soit pas dévoré par les bêtes ou les oiseaux, les démons[2], mais que, grâce aux avertissements de ces *gardiens*[3], *soit apporté* de son *fruit* de justice au maître de *la vigne*, avec le nombre parfait des *pièces d'argent*. Parmi ces *gardiens*, celui qui *apporte en échange de son fruit mille pièces d'argent*, c'est *l'homme* très courageux, tel le bienheureux apôtre Paul, qui par le modèle de sa vie exemplaire, par sa saine doctrine, et parce qu'il est toujours prêt à mourir pour le Christ[b], peut dire : « J'ai travaillé plus qu'eux tous ; pas moi seul, mais la grâce de Dieu avec moi[c]. » Il dit aussi, dans son épître aux Romains : « Je me suis souvent proposé de venir chez vous, afin de recueillir quelque *fruit* en vous, comme dans les autres nations[d]. » Un tel homme *apporte* ainsi, *en échange* de *la vigne*, c'est-à-dire du peuple, qui lui a été confiée, *mille pièces d'argent*.

... qui s'élève au nombre parfait de mille pièces d'argent

60. *L'argent* en effet s'entend de l'éclat de la doctrine et de l'interprétation de la divine écriture[a]. Quant au nombre *mille*, c'est un nombre solide, plénier, indivisible[4], et nous pouvons l'entendre de la confession de la foi, en laquelle on croit au Dieu unique, entier, parfait, en trois personnes coéternelles. Tout l'essentiel du *fruit* du peuple chrétien consiste en effet en la confession de la foi, et, nous est-il

sione consistit, et per hunc *fructum* ¹ dominum *uineae* laetificari edocemur. Et de hoc *fructu* Apostolo ¹ cura est,
dicendo auditoribus suis : *Videte ne quis uos decipiat* ¹ *per
philosophiam et inanem fallaciam* ᵇ, *sed sicut didicistis
895   Chri|stum, ita retinete* ᶜ. Et alio loco : *Vnus Deus*, inquit,
una fides, ¹ *unum baptismum* ᵈ. Quod intelleguntur *mille
argentei*, quod *adfert* ¹ *uir* fortissimus Paulus in conspectu
Domini *pro fructu uineae* ¹ *eius.* Solus est enim qui se dicit
adimplere pro Ecclesia in ¹ corpore suo ea quae deerant
passionibus Christi ᵉ. |

900   **61.** Hoc ergo ordine *adferre* intellegimus *uirum* Paulum
pro ¹ *fructu uineae mille argenteos*, pro gloria plebis cotidie
moriendo ᵃ, ¹ ut — sicut in hebraeo, syro et graeco calculo
per primum elemen|tum litterarum signatur unum, ita in
ipsa littera prima apex ¹ ductus *mille* ostendit — ita et
905   Paulus, habitante et loquente in se | Christo ᵇ, per doctri-
nam indiuiduae Trinitatis, per innumeranda ¹ martyria,
per apostolatus gloriam, *adferre* probatur *pro tradita* ¹ sibi
uinea mille argenteos. Per quod unus Deus habitans auditur
¹ et loquitur in Paulo ᶜ, et perfecta Trinitas Philippo apostolo loqui ¹ probatur in Christo ᵈ. Quod est *millenarius*
910   indiuisibilis numerus. | Per quem numerum unius omni-
potentis Dei, de quo Filius uel ¹ Spiritus sanctus procedit,
confessionis perfectae Trinitatis *fruc|tus* ostenditur. ¹

62. De qua fidei confessione pullulat decies centesimus
apo|stolicus *fructus* per decem uerba praeceptorum deca-

60 b. Col. 2,8   c. Cf. Col. 2,6; Éph. 4,20   d. Éph. 4,5
e. Col. 1,24
61 a. I Cor. 15,31   b. Cf. II Cor. 13,3   c. Cf. II Cor.
13,3   d. Cf. Jn 14,8-10

1. *per hunc fructum dominum uineae laetificari* : Apponius a déjà
déclaré, à la l. 829 : « De même qu'un cultivateur plante une vigne
dans l'espoir d'en tirer du profit, pour qu'après bien des travaux il
puisse se réjouir (= jouir) des fruits de sa vigne, de même le Fils de
Dieu a planté le peuple d'Israël. » Et la greffe est « pour la joie future

dit, ce *fruit* réjouit le maître de la *vigne*[1]. C'est aussi de
ce *fruit* que se soucie l'Apôtre lorsqu'il dit à ses auditeurs :
« Veillez à ce que personne ne vous trompe au nom de
la philosophie ou de vaines tromperies[b], mais gardez le
Christ tel que vous l'avez appris[c]. » Et ailleurs : « Un seul
Dieu, dit-il, une seule foi, un seul baptême[d]. » Voilà ce
que signifient les *mille pièces d'argent qu'apporte* en
présence du Seigneur Paul, *l'homme* très courageux, *en
échange du fruit de sa vigne*. Il est le seul en effet à
déclarer qu'il achevait en son corps, pour l'Église, ce qui
manquait aux souffrances du Christ[e].

61. Telle est donc la façon dont nous voyons *l'homme*
Paul *apporter mille pièces d'argent en échange du fruit
de la vigne*, en mourant chaque jour[a] pour la gloire du
peuple. Ainsi, de même que dans le calcul hébraïque,
syrien et grec le nombre un est désigné par la première
des lettres, et que le trait tracé au-dessus de cette
première lettre indique le nombre *mille*, de même aussi
Paul, en raison de son enseignement de la Trinité indivisible, de ses innombrables martyres et de la gloire de son
apostolat, *apporte* manifestement *mille pièces d'argent en
échange de la vigne* qui lui a été *confiée*, puisque habite
et parle en lui le Christ[b]. En effet en Paul habite, est
entendu et parle le Dieu unique[c]. Et c'est la Trinité
parfaite qui parle en la personne du Christ, ainsi qu'il
est montré à l'apôtre Philippe[d]. Voilà le nombre *mille*
indivisible. Par ce nombre qui est celui du Dieu unique
et tout-puissant, de qui procède le Fils ainsi que l'Esprit
saint, est montré le *fruit* de la confession de la Trinité parfaite.

62. C'est à partir de cette confession de foi que se
multiplie par dix le *fruit* centuple de l'apôtre[2], semé par

du Fils de Dieu » (833). Sur la joie apportée par la moisson, qui est
la conversion des pécheurs, voir note à VII, 749.

2. Allusion à la parabole du semeur (*Matth.* 13,3-9) : les apôtres
ensemencent la bonne terre, la *plebs* fidèle, dont ils tirent le centuple
pour l'offrir à Dieu (cf. l. 919-920).

915 logi semina|tus, ut, decies centum, integrum decalogum
perfecte uiuendo | perfecteque docendo, ab hominibus quos
instruit in ueritatis | fide suscipiens, ad Deum *proferat*,
fructum centesimum[a]. In qui|bus *mille argenteis* apostoli-
cum perfectionis pondus doctrinae | sub significatione
920 monstratur, quod plebs — quae *uinea* figuratur | uel terra
bona — *adfert* audiendo doctorem, et doctor domino |
uineae. *Argenteum* uidelicet pondus duodecim scripulos
habere | probatur — quod inter cetera pondera stater
appellatur. Haec est | ergo *argentea* splendidissima aposto-
lica opera iustitiae quae | iubetur a Christo, ut *argentum*, in
925 tenebrosa conuersatione im|piorum lucere, dicendo : *Sic
luceat lux uestra coram hominibus, ut,* | *uidentes homines
opera uestra bona, magnificent Patrem uestrum* | *qui est in
caelis*[b]. Cuius *uineae fructum* dum *pacificus* Christus a |
colonis doctoribus Iudaeorum requireret, interfectus ab eis
est[c] | secundum carnis, quam adsumpsit, infirmitatem.
930 Quam Deus | Pater, cuius uirtus est Filius, aliis colonis
tradidit custodiendam | uel excolendam, qui reddant ei *fruc-
tum* in tempore suo[d]. Sic | tamen *tradita* narratur *custodi-
bus*, ut ipse praesens sit *uineae* | suae semper et ab eius

**CXLVII
(VIII, 12)** custodia non recedat — sicut sequitur : | Vinea mea coram
me est. |

935 **63.** Non, inquit, sicut ante mittebantur serui prophetae,
qui | exigerent *fructus uineae*, <et> a malis colonis truci-
dabantur[a], sed | talibus *tradita est custodibus* qui digni sunt
audire a domino | *uineae : Ecce ego uobiscum sum omnibus
diebus usque ad con|summationem saeculi*[b]. Et in illa *uinea*
940 quae ex populo Israhel | carneo fuit — cui improperat

---

62 a. Cf. Matth. 13,8.23   b. Matth. 5,16   c. Cf. Matth.
21,38-39   d. Matth. 21,41
63 a. Cf. Matth. 21,33-36   b. Matth. 28,20

---

1. La phrase offre une construction enchevêtrée (cf. Introd., p. 34).
Normalement *fructum centesimum* devrait suivre *suscipiens*.

les dix paroles des commandements du décalogue. De la
sorte, il *apporte* à Dieu dix fois cent : dix fois, en vivant
parfaitement et en enseignant parfaitement le décalogue
intégral ; cent, parce qu'il reçoit un fruit centuple[a1] des
hommes qu'il instruit dans la vérité de la foi. Par ces
mille pièces d'argent nous est montré en figure le poids
de l'enseignement parfait de l'apôtre que le peuple —
figuré par la *vigne*, ou par la bonne terre — *apporte*,
lorsqu'il écoute le docteur, et que le docteur *apporte* au
maître de *la vigne*. Or, la *pièce d'argent* pèse douze
scrupules — c'est celle que parmi les autres pièces on
appelle un statère. Telle est donc l'œuvre de justice de
l'apôtre, *d'argent* resplendissant : le Christ ordonne qu'elle
brille, tel *l'argent*, au milieu des ténèbres de la conduite
des impies : « Que votre lumière, dit-il, brille aux yeux
des hommes, afin qu'en voyant vos œuvres bonnes, les
hommes glorifient votre Père qui est aux cieux[b]. » C'est
tandis que *le Pacifique*, le Christ, réclamait *le fruit* de
cette *vigne* aux métayers, les docteurs des Juifs, qu'il fut
tué par eux[c], en raison de la faiblesse de la chair qu'il
avait assumée. Et Dieu le Père, dont le Fils est la
puissance, *a confié cette vigne à garder* et à cultiver à
d'autres métayers, pour qu'ils lui en livrent *le fruit* au
temps voulu[d]. Cependant, quand il est dit qu'*elle a été
confiée à des gardiens*, c'est de telle sorte que lui-même
reste pourtant toujours présent à sa *vigne* et qu'il n'en
abandonne pas *la garde*, comme le montre la suite : « Ma
vigne est devant mes yeux. »

CXLVII
(VIII, 12)

**Mais le maître
ne la quitte
pas des yeux**

63. Ce n'est pas, dit-il, comme
auparavant, où mes serviteurs, les
prophètes, étaient envoyés pour récla-
mer *les fruits de la vigne* et étaient
massacrés par les mauvais métayers[a]. Non, *la vigne a
été confiée à ces gardiens* qui sont dignes d'entendre de
la bouche du maître de *la vigne* : « Voici que je suis
avec vous tous les jours jusqu'à la fin du monde[b]. » Et
cette *vigne* qui fut constituée du peuple d'Israël selon la

Deus per Hieremiam prophetam, | dicens : *Ego te plantaui uineam ueram fructiferam. Quomodo | conuersa es in amaritudinem uitis alienae* c *?* — desecatis *infructuosis* sarmentis d — de qua minatur per Esaiam : *Derelinquam | uineam meam, et non putabitur neque fodietur* e — insertus est in
945 | eius radicem f, id est in fidem patriarcharum uel prophetarum, | nouellus palmes, populus gentium dilectus a Deo, qui ex aqua | baptismatis, deposito ueteri homine, nouellatus, Christum indultus, Christi membra effectus g, iustitiae et sanctitatis operum, | apostolica doctrina putatus, pro-
950   fert botros. Et merito quasi | unus homo per Esaiam nominatur *homo Iuda* — qui interpretatur «conuersus» —, *nouellum dilectum* h. |

64. Quae plebs, propter ubertatem *fructus*, digna est sub | uocabulo *uineae coram* conspectu Domini *esse* semper. Cuius | gloriosus *fructus*, et *pacificum* adsumptum homi-
955   nem post passio|nis triumphum laetificando ditat, et *custodes* eius usque ad | consulatus caelorum ineffabili gaudio sublimare probatur, ita ut | cum *pacifico* rege Christo super thronos in iudicio sedeant a — | sicut sequenti uersi-

CXLVIII culo demonstratur uoce paterna promitti : | Mille tvi,
(VIII, 12) pacifice, et dvcenti his qvi cvstodivnt frvctvs
960 | eivs. |

65. *Vineam* igitur plebem figuraliter dici iudaicam euidentis|sime Dei Sermo per prophetas ostendit, et ipse per carnem | uestitus in euangelio demonstrauit a. In qua diximus superius | nouellum populum per baptismum, ut pal-

63 c. Jér. 2,21   d. Cf. Jn 15,2   e. Is. 5,6   f. Cf. Rom. 11,17   g. Éph. 4,22.24; cf. Gal. 3,27; Éph. 5,30   h. Is. 5,7
64 a. Cf. Matth. 19,28; Lc 22,30
65 a. Cf. Matth. 21,33-40

1. Wutz, *Onom. sacra*, p. 97, n. 2, et p. 187, n. 1, lit, avec l'édition Bottino-Martini, qui corrige le texte : « *homo Iuda, qui interpretatur conuersus, nouellus, dilectus* »; il renonce à expliquer ces étymologies. En réalité, la citation d'*Is.* 5,7 est : *homo Iuda nouellum dilectum* (*Vetus Latina*, 12, p. 157). Seul le mot *conuersus* constitue l'étymologie

chair − à qui Dieu fait ce reproche par le prophète
Jérémie : « Je t'ai plantée comme une *vigne* véritable et
féconde. Comment as-tu tourné à l'aigreur d'une vigne
bâtarde[c] ? » −, il en a retranché les sarments sans *fruit*[d].
C'est à son sujet qu'il profère cette menace par Isaïe :
« J'abandonnerai *ma vigne*. On ne l'émondera plus, on
ne la piochera plus[e]. » Et sur sa racine, c'est-à-dire sur
la foi des patriarches et des prophètes, a été greffé[f] un
sarment tout nouveau, le peuple des païens, chéri de Dieu.
Renouvelé par l'eau du baptême après avoir dépouillé le
vieil homme, ayant revêtu le Christ, devenu les membres
du Christ[g], émondé par l'enseignement apostolique, il
produit les grappes des œuvres de justice et de sainteté.
Et à juste titre, comme s'il s'agissait d'un seul homme,
ce peuple est appelé par Isaïe « l'homme de Juda » − ce
qui signifie « converti » −, « le plant nouveau et chéri[h 1]. »

64. Ce peuple, en raison de l'abondance de ses *fruits*
est digne d'*être* toujours, sous le nom de *vigne*, *devant*
le regard du Seigneur. Son *fruit* glorieux enrichit, en le
réjouissant, *le Pacifique*, l'homme assumé, après le triomphe de la passion, et il élève aussi ses *gardiens* jusqu'aux
consulats des cieux dans une joie ineffable, si bien qu'au
jour du jugement ils siégeront sur des trônes avec le
Christ[a], le roi *pacifique*, comme la voix du Père le
promet manifestement dans le verset suivant : « Mille
pour toi, Pacifique, et deux cents pour ceux qui
gardent ses fruits. »

CXLVIII
(VIII, 12)

**La rétribution
qui revient
au Christ
pour son labeur**

65. Que le peuple juif soit désigné
en figure par la *vigne*, le Verbe de
Dieu l'a très clairement montré par
les prophètes, et lui-même, revêtu de
la chair, l'a confirmé dans l'évangile[a].
Nous avons dit plus haut que sur cette *vigne*, par le

proposée. « *Conversus* » a-t-il été écrit à la place de « *confessus* », comme
le suggère Wutz, par rapprochement avec Jérôme, *Hebr. Nom.*, 61,
27 : « *Iuda confitens* » ?

965 mitem, in radicem | uitis insertum [b]. Pro qua *uinea* exco-
lenda, *pacificus* Christus ad|sumptus homo, doctrinae,
uitae immaculatae et amarissimae | passionis labore, *mille
argenteos*, honorem maiestatis, accipit, | per quem honorem
cum Verbo Patris unitus indiuisibiliter com|probatur. De
970 quo propheta Danihel praedixit in sua uisione, | dicendo :
*Ecce sedes positae sunt, et uetustus dierum sedit, et | adductus
est in conspectu eius Filius hominis, et usque ad uetu|stum
dierum peruenit* — id est usque ad deitatis potentiam — *et |
dedit ei potestatem, et iudicium fecit, et milia milium
seruiunt ei* [c]. | Haec utique de adsumpto homine sunt prae-
975 dicta : eum usque ad | statum indiuisibilem, deitatis hono-
rem, exaltandum. De quo ipse | in euangelio loquitur, cum
ait : *Pater non iudicat quemquam, sed | omne iudicium Filio
tradidit, quia Filius hominis est* [d]. Et de quo | magister gen-
tium Paulus : *Humiliauit se*, inquit, *usque ad mor|tem cru-
980 cis. Propter quod Deus illum exaltauit, et donauit illi | nomen
quod est super omne nomen*, id est *ut in nomine Iesu* — qui |
interpretatur «saluator» [e] — *omne genu flectatur, caeles-
tium, terre|strium et infernorum* [f]. |

66. Quae trina genuflexio praefigurauit *millesimum*
indiuisibi|lem sacratumque *millenarium argenteorum*
985 numerum qui et | Trinitatis formam et unius deitatis
potentiam multifarie agno|scitur designare. *Millesimus*
enim numerus, qui uenit in parte | *pacifici* Christi, cum per
ter trecentenos et ter ter denos et ter | ternos cucurreris,
mysterium trium reperies personarum. Vnus | uero qui
superest, qui supplet et signat numerum, unus Deus

---

65 b. Cf. Rom. 11,17   c. Dan. 7,9.13-14.10   d. Jn 5,22.27
e. Cf. Matth. 1,21   f. Phil. 2,8-10

---

1. Même citation confluente de *Jn* 5,22 et 27 en IX, 496 et, moins
complètement, en XII, 220-221 et IX, 516. Sur l'intérêt qu'elle présente,
voir note à IX, 496. Elle s'explique bien ici par le rapprochement
avec *Dan* 7,9-14, cité très librement.

2. Le symbolisme assez remarquable de ce calcul : $(333 \times 3) + 1 =$

baptême, un peuple tout nouveau a été greffé[b], comme un sarment sur la racine du plant. Pour la culture de cette *vigne* grâce au labeur de son enseignement, de sa vie immmaculée et de sa passion très amère, *le Pacifique*, le Christ, l'homme assumé reçoit *mille pièces d'argent*, l'honneur dû à la majesté, honneur par lequel se manifeste qu'il est uni de manière indissociable avec le Verbe du Père. C'est de lui que le prophète Daniel a parlé d'avance dans sa vision, lorsqu'il dit : « Voici que des trônes furent placés, et l'Ancien des jours s'assit, et en sa présence fut amené le Fils de l'homme, lequel parvint jusqu'à l'Ancien des jours » — c'est-à-dire jusqu'à la puissance de la divinité — « et celui-ci lui donna le pouvoir, et il rendit le jugement, et des milliers de milliers le servent[c]. » Voici donc ce qui a été prédit de l'homme assumé : il devait être élevé, de manière indissociable, jusqu'à l'honneur de la divinité qui lui était assigné. Il en parle lui-même dans l'évangile, quand il dit : « Le Père ne juge personne, mais il a remis tout le jugement au Fils, parce qu'il est ' le Fils de l'homme '[d][1]. » Et Paul, le docteur des nations, dit de lui : « Il s'est humilié jusqu'à la mort de la croix. C'est pourquoi Dieu l'a élevé et lui a donné le nom qui est au-dessus de tout nom, cela pour qu'au nom de Jésus — ce qui signifie ' sauveur '[e] — tout genou fléchisse au ciel, sur terre et dans les enfers[f]. »

66. Cette triple génuflexion a désigné en figure le nombre indivisible de *mille*, le nombre sacré des *mille pièces d'argent*, qui, on peut le voir en bien des passages, désigne la splendeur de la Trinité et la puissance de l'unique divinité. Lorsqu'en effet on décompose ce nombre *mille*, qui est la part du *Pacifique*, le Christ, en trois fois trois cents, et trois fois trente, et trois fois trois, on retrouve le mystère des trois Personnes. Et dans l'unité qui reste, qui complète et accomplit le nombre, apparaît le Dieu unique[2] « qui réconcilie le monde avec lui dans

---

1000, manifestant à la fois, à travers ce nombre 1000, la Trinité et l'Unité divines, paraît être une découverte d'Apponius.

990 | monstratur in Christo mundum reconcilians sibi[a],
secundum ma|gisterium beati Pauli apostoli. Haec est
utique multiplex *mi|lium* gratia quae ex *fructu uineae* pro
laboribus a Deo domino | *uineae* collata in Christo proban-
tur — sicut praedixerat de eo | Esaias propheta in suo
995 uolumine : *Propter quod*, inquit, *laborauit* | *anima eius,
uidebit et saturabitur, quia tradidit in mortem ani|mam suam
et cum iniquis deputatus est*[b] — hoc est : inter duos |
latrones, ut sceleratus, ab impiis crucifixus est[c]. Hic est
procul|dubio *argenteorum* splendoris *millenarius* numerus
collatus *pa|cifico*, ut solus quidquid perfecti hominis est,
1000 quidquid perfectae | diuinitatis, plenus esse probetur, quod
diuidi a sua iam unione | nullatenus potest. Cui in *mille
argenteorum* figura collatis *milia* | seruiunt *milium*, quod
praedixerat Danihel[d]. |

67. Diximus namque superius pondus unius *argentei*
duo|decim scripulos habere. Hoc centies faciunt *mille*
1005 [milia] du|centos. Qui *ducenti*, qui super sacratum nume-
rum ueniunt, in | apostolorum eius uel eorum similium
munere cedunt, de quibus | uidetur mihi dictum : *Et
ducenti his qui custodiunt fructus eius.* | Hoc est : ut hic
homo *pacificus* in die iudicii sedeat super solium | gloriae
Deus, et *custodes* sedeant ut amici[a]. Terra enim bona,
1010 | secundum ipsum saluatorem, primum *fructum*, hoc est
eminen|tiorem, dedit centesimum[b], id est perfectam

---

66 a. II Cor. 5,19   b. Is. 53,11-12   c. Cf. Matth. 27,38
d. Dan. 7,10
67 a. Cf. Matth. 19,28   b. Cf. Matth. 13,8

---

1. *quidquid perfecti hominis est, quidquid perfectae diuinitatis...* Bel
énoncé de l'union réalisée, dans le Christ, de l'humanité parfaite et
de la divinité parfaite (cf. Introd., p. 93, note 2). — H. König, *Apponius*,
p. 49*, n. 50, le rapproche des formules du Symbole de Chalcédoine :
« *eundem perfectum in deitate, eundem perfectum in humanitate... in
duabus naturis inconfuse, immutabiliter, indiuise, inseparabiliter agnos-
cendum* » (*Conciliorum Oecumenic. Decreta*, Bologne 1973, p. 86).

le Christ[a] », selon l'enseignement du bienheureux apôtre
Paul. Telle est donc la grâce multiple des *mille* que
Dieu, le maître de *la vigne*, a, *du fruit de sa vigne*,
réunis, dans le Christ, en récompense de ses travaux —
comme le prophète Isaïe l'avait prédit de lui dans son
rouleau : « Puisque son âme a peiné, il verra et sera
rassasié, parce qu'il a livré son âme à la mort et qu'il
a été compté au nombre des pécheurs[b] » — c'est-à-dire
parce qu'il a été crucifié par les impies entre deux
larrons[c], comme un scélérat. Sans aucun doute, ce nombre
de *mille*, celui des *pièces d'argent* réunies pour *le Pacifique*, est d'une telle splendeur qu'il manifeste que lui seul
est rempli de tout ce qui appartient à l'homme parfait,
de tout ce qui appartient à la divinité parfaite, ce qui
ne peut plus être séparé de cette unité en lui[1]. Et les
mille pièces d'argent réunies pour lui figurent les *milliers*
de *milliers* qui le servent[d], selon la prédiction de Daniel.

**La rétribution
qui revient
aux apôtres
et à leurs
imitateurs**

67. Nous avons dit plus haut
qu'une *pièce d'argent* pèse douze
scrupules[2]. Ce chiffre, multiplié par
cent, donne *mille deux cents*. C'est à
la rétribution des apôtres du Christ
et de leurs semblables que servent
ces *deux cents* qui sont en plus du nombre sacré. C'est
à leur sujet, me semble-t-il, qu'il a été dit : « *Et deux
cents pour ceux qui gardent ses fruits.* » Ainsi cet homme
pacifique, au jour du jugement, siégera sur le trône de
gloire comme Dieu, et les *gardiens* siégeront à titre
d'amis[a]. Car la bonne terre, au dire du sauveur lui-même,
a donné un premier *fruit* de *cent*[b], c'est-à-dire un fruit

---

Apponius n'emploie pourtant pas le vocabulaire précis de Chalcédoine :
« *... in duabus naturis... salua proprietate utriusque naturae et in unam
personam atque subsistentiam concurrente...* », de même qu'il ignore le
mot *consubstantialis*.
   2. Ci-dessus, l. 921.

uitam, quae coro|nam mereatur. Martyrii uero complet uel
acquirit intra momen|tum temporis alium centesimum
fructum, quidquid perfecta | uirginitas perfectaque uita in
1015 omni cursu quo uixit in saeculo | acquisiuit. |

68. Quod apostoli utique et eorum imitatores utrumque
adep|ti probantur, pro eo quod peruigili cura *fructus
uineae*, rectam | fidem uel dona Spiritus sancti, in plebe
credita sibi sua doctrina | suoque uitae exemplo *custodiunt*,
1020 ne ab aeriis uolucribus, im|mundis spiritibus, uel bestiis
saeuissimis, persecutoribus haere|ticisque, *uinea* Domini
deuastetur. Era uidelicet *ducentorum* | duplicem coronam
designat quam sunt *custodes uineae* percep|turi : alteram
immaculate uiuendo, alteram recte docendo ; alte|ram
quam dixit saluator pro dimissis adfectibus et substantia
1025 | saeculi centuplum in praesenti saeculo reddi, alteram
quam | uitam aeternam in futuro saeculo[a] nominauit :
quam propheta | Esaias praedixit Deum diligentibus dan-
dam et apostolus memo|rat Paulus dicendo : *Oculus non
uidit, nec auris audiuit, nec in* | *cor hominis ascendit praeter
1030 te, Deus, quae praeparasti diligenti|bus te et exspectantibus
nomen tuum*[b]. |

69. Redditur ergo iusta merces utrisque : plantanti
morienti|que pro *uinea* adsumpto homini *pacifico*, in cuius
ore dolus non | fuit[a], et *custodibus uineae* supradictis. Illi,
ascendendo crucem et | pro omni genere hominum
1035 moriendo, iusto pro iniustis[b], integer | *millenarius* nume-
rus saepedictus, diuinitatis gloria. Apostoli | uero eorum-
que consimiles ipsam crucem redemptionis haeredi|tario
susceptam possident iure. Quoniam, sicut per hebraeam, |
syram et graecam linguam, per primam litteram unum et

---

68 a. Cf. Matth. 19,29 ; Mc 10,29-30   b. I Cor. 2,9 ; Is. 64,4
69 a. Is. 53,9   b. I Pier. 3,18

plus excellent, qui est la vie parfaite, et elle mérite une couronne. Et celle du martyre complète la somme, en acquérant en un instant un second *fruit* de *cent*, tout ce que la virginité parfaite et la vie parfaite ont acquis dans tout le cours de la vie d'ici-bas.

68. Les apôtres et leurs imitateurs ont manifestement obtenu l'un et l'autre, étant donné qu'avec un soin vigilant, par leur enseignement et par l'exemple de leur vie, *ils gardent* dans le peuple qui leur a été confié *les fruits de la vigne* : la foi droite et les dons du saint Esprit. Ils empêchent que *la vigne* du Seigneur soit dévastée par les oiseaux du ciel, les esprits impurs, ou par les bêtes très cruelles que sont les persécuteurs et les hérétiques. Le nombre de *deux cents* désigne en effet la double couronne que doivent recevoir *les gardiens de la vigne* : la première, pour la pureté de leur vie ; la seconde, pour la rectitude de leur enseignement ; la première, que le Sauveur a désignée par le centuple rendu dans le monde présent pour avoir quitté les affections et la richesse du monde ; la seconde, qu'il a appelée vie éternelle dans le monde à venir[a]. Cette vie, le prophète Isaïe a prédit qu'elle serait donnée à ceux qui aiment Dieu, et l'apôtre Paul le rappelle lorsqu'il dit : « L'œil n'a pas vu, l'oreille n'a pas entendu, le cœur de l'homme n'a pas atteint − mais toi seul, Dieu −, ce que tu as préparé à ceux qui t'aiment et qui attendent ton nom[b]. »

69. Ainsi est donnée une juste récompense à l'un et aux autres : à celui qui plante et qui meurt pour *la vigne, le Pacifique,* l'homme assumé, dans la bouche de qui il n'y avait pas de tromperie[a], et aux *gardiens de la vigne* dont nous parlons. A lui revient, pour être monté sur la croix et être mort pour tout le genre humain, juste pour les injustes[b], ce nombre entier de *mille*, la gloire de la divinité. Les apôtres, eux, ainsi que leurs semblables, possèdent la croix même de la rédemption, reçue par droit d'héritage. Car, de même que dans les langues hébraïque, syrienne et grecque, « un » est désigné

mille | signantur, ducto apice, ita per X litteram graecam,
1040 quae cru|cem deformat et est similis latinae litterae X
uicesimae pri|mae, *ducenti* signantur. Quae littera latinum
decimum numerum | monstrat. *Pacificus* namque ad *mille-
narium* numerum splendo|ris essentiae maiestatis per sae-
pedicta peruenit ; *custodes* autem | *uineae* ad *ducentesimum*,
1045 quod est quinta pars de *mille* uel | quintus gradus. Sed
aliud est indiuisibilem, aliud diuisibilem | numerum ; aliud
unum consolidumque esse in contubernio ma|iestatis, aliud
maiestati proximum fieri. |

70. Ideo sollicite commonet eos ne, praeter crucem,
sequentes | se aliquid amplius aut tollant de mundo aut
1050 diligant, quia in | ipsa nouit omnes diuitias animae colloca-
tas, dicens : *Si quis uult* | *post me uenire* — id est in gloriam
maiestatis —, *abneget se sibi et* | *tollat crucem suam et sequa-
tur me*[a]. Perceperunt proculdubio | laboris sui duplicatam
coronam praedicti, omnem spem suam | ponendo in
Domini cruce[b], ut et iudicio careant et ipsi aliorum
1055 | iudices, super duodecim thronos cum Christo sedentes[c],
effician|tur. |

71. Qvae habitas in hortis, amici avscvltant. Fac
CXLIX   me | avdire vocem tvam. Omnia quaecumque ab incarna-
(VIII, 13) tione Do|mini nostri Iesu Christi acta sunt uel aguntur, a
1060 capite Cantici | huius usque ad hunc uersiculum in persona
Ecclesiae aenigmati|bus dicta sunt uel figuris. Nunc uero,
prope finem Cantici, ea | quae agenda sunt dum finem
acceperit mundus, exponit Spiri|tus sanctus. Haec ergo

---

70 a. Matth. 16,24   b. Cf. Ps. 72,28   c. Cf. Matth. 19,28

---

1. Cf. VI, 232-238.

2. Comment le X grec peut-il signifier le nombre 200 ? Nous ne
saurions le dire. L'explication tentée par les éditeurs Bottino et
Martini, p. 243, note *c* — le X, coupé verticalement, donne deux C,
dont le premier inversé — ne semble pas satisfaisante, d'autant plus
qu'il s'agirait alors de caractères latins et non grecs.

3. *consolidus* est ignoré des dictionnaires (une variante *consolidae*

par la première lettre, et *mille* par cette même lettre
marquée d'un trait [1], de même la lettre grecque « X », qui
a la forme d'une croix et est semblable à la vingt et
unième lettre latine, « X », signifie *deux cents* [2] — alors
que cette lettre, en latin, indique le nombre dix. *Le*
Pacifique est donc parvenu, par le chemin que nous
avons dit, au nombre de *mille*, celui de la splendeur de
l'essence de la majesté ; et *les gardiens de la vigne*, au
nombre de *deux cents*, qui est la cinquième partie, ou
le cinquième, de *mille*. Mais autre chose est pour un
nombre d'être indivisible, autre chose d'être divisible ; autre
chose de cohabiter avec la majesté dans une unité indissociable [3], autre chose de devenir proche de la majesté.

70. Aussi le Seigneur leur recommande-t-il avec insistance, lorsqu'ils le suivent, de n'emporter du monde ou
de n'aimer rien d'autre que la croix, car il sait qu'en
elle résident toutes les richesses de l'âme, et il dit : « Si
quelqu'un veut venir à ma suite » — c'est-à-dire dans la
gloire de la majesté —, « qu'il se renonce lui-même, qu'il
porte sa croix et qu'il me suive [a]. » Ceux dont nous
parlons ont reçu, sans aucun doute, la double couronne
de leur labeur pour avoir mis tout leur espoir dans la
croix du Seigneur [b]. Ainsi, à la fois ils échappent au
jugement et ils deviennent eux-mêmes juges des autres,
siégeant avec le Christ sur douze trônes [c].

Dans son repos
l'Église est invitée
à faire entendre
sa voix...

71. « TOI QUI HABITES DANS LES JAR-
DINS, DES AMIS ÉCOUTENT. FAIS-MOI
ENTENDRE TA VOIX. » Tout ce qui,
depuis l'incarnation de notre Seigneur
Jésus Christ, s'est accompli ou

CXLIX
(VIII, 13)

s'accomplit, a été exprimé en énigmes et en figures au
sujet de l'Église depuis le début de ce Cantique jusqu'à
ce verset. Et maintenant, à l'approche de la fin du
Cantique, l'Esprit saint expose ce qui doit s'accomplir

chez Arnobe n'est pas retenue par *CSEL* 4, p. 171 : cf. *TLL* IV,
479, 23).

sponsa, id est congregatio sanctarum | animarum, ut saepe
1065 dictum est, ex omni natione quae sub caelo | est[a], ad noti-
tiam nominis Christi *ex deserto* idolatriae ueniens, ab | omni
labore nequitiae requiescens *in hortis*, hoc est in conuenti-
|culis orationum in toto mundo crescentibus numero et
sanctita|te per fidem apostolicam — quae omne quod desi-
derauerat | inueniens, iam requiescens in sempiterna spe,
1070 et in terris ambu|lans, *conuersatio eius in caelis est*[b],
secundum beati Pauli senten|tiam — nunc, omni mysterio
uocationis omnium gentium com|pleto destructoque ini-
mico Antichristo uel religato, ad gloriam | resurrectionis
uocatur. |

72. Ad quam gloriam ducatum praestant humilitas et
1075 recta | apostolica fides, *qua in tribus personis coaeternis
unus creditur | Deus. Et haec docetur ut, dum persecutio
procul est, illam | humilitatis, quam cupit Christus *audire*,
totis uiribus expromat | *uocem*, dicendo cum propheta :
*Dominus adiutor meus et protec|tor meus, et in ipso sperauit
1080 cor meum, et adiutus sum*[a], et : *Oculi | mei semper ad Domi-
num, quia ipse euellet de laqueo pedes meos*[b], | et : *Benedic
anima mea Dominum, qui sanat omnes languores | tuos, qui
satiat in bonis desiderium tuum, qui coronat te in | misera-
tione et misericordia*[c]. Et illam apostolicam *uocem*, quando
| uirgis caesi prohibebantur Christi nomen praedicare[d],
1085 dicentes : | *Domine, respice ad minas eorum, et da seruis tuis
cum fiducia | loqui uerbum tuum*[e]. Vel illam quam ipse
redemptor in passione | emisit ad Patrem : *In manus tuas*

---

71 a. Act. 2,5   b. Phil. 3,20
72 a. Ps. 27,7   b. Ps. 24,15   c. Ps. 102,1.3.5   d. Cf.
Act. 5,40   e. Act. 4,29

---

1. L'épouse, en effet, est l'Église (VI, 291; VIII, 4.151; etc.), et
l'Église est l'assemblée *(congregatio)* du peuple de Dieu (I, 85; V,
311; VI, 432). Elle rassemble les saints (I, 767), mais aussi les
pénitents (I, 765).

2. *quae... conuersatio eius in caelis est.* Sur cette construction
complexe, où le relatif au nominatif est repris par un démonstratif

lorsque le monde prendra fin. Voici donc l'épouse — il s'agit, nous l'avons souvent dit, de la communauté des âmes saintes prises de toutes les nations qui sont sous le ciel[a1] — ; elle vient *du désert* de l'idolâtrie à la connaissance du nom du Christ, elle se repose de toute la souffrance de l'iniquité *dans les jardins*, c'est-à-dire dans les lieux de réunion de prière qui, grâce à la foi reçue des apôtres, grandissent en nombre et en sainteté dans le monde entier. Découvrant tout ce qu'elle avait désiré, se reposant déjà dans l'espérance éternelle, alors qu'elle marche encore sur la terre, son existence est dans les cieux[b2], suivant l'expression du bienheureux Paul. Et maintenant, une fois accompli tout le mystère de la vocation de tous les païens, une fois détruit ou ligoté l'ennemi, l'Antichrist, elle est appelée à la gloire de la résurrection.

... voix d'humilité et de fidèlité   **72.** Vers cette gloire la guident l'humilité et la foi droite reçue des apôtres, par laquelle on croit en un Dieu unique en trois personnes coéternelles. Elle est invitée à *faire entendre* de toutes ses forces, tandis que la persécution est éloignée, cette *voix* de l'humilité que désire *entendre* le Christ, en disant avec le prophète : « Le Seigneur est mon secours et mon protecteur ; en lui mon cœur a espéré et j'ai été secouru[a] » et : « Mes yeux sont toujours tournés vers le Seigneur, car c'est lui qui arrachera mes pieds du filet[b] », et : « Bénis le Seigneur, ô mon âme, lui qui guérit toutes tes maladies, qui rassasie de bienfaits tes désirs, qui te couronne dans sa compassion et sa miséricorde[c]. » Et aussi cette *voix* des apôtres qui disaient, lorsqu'on voulait les empêcher de prêcher le nom du Christ, après les avoir battus de verges[d] : « Seigneur, regarde leurs menaces, et donne à tes serviteurs de prêcher ta parole avec confiance[e] ». Ou encore cette *voix* que le rédempteur lui-même, durant la passion, fit monter vers le Père : « En tes mains je remets mon

---

mis à un autre cas, voir *CCL* 19, p. lxiii, citant I, 544-547 : *Qui... constituti, semper sensus cordis eorum rectus fuit.*

commendo spiritum meum [f], et : | *Non mea, sed tua fiat
uoluntas* [g]. Et illam Esaiae : *Praeter te, Domine, alium nes-*
1090 *cimus* [h]. Et illam Dauid : *Emitte manum tuam | de alto,
eripe me et libera me de aquis multis* [i]. Et multa his | similia
quae diuini apices continent. |

73. In quibus docetur anima, quamdiu mortali sarcina
cir|cumdatur, nec in secreto mentis elationis *uocem* emit-
tere de | iustitia gloriando, quam horret Christus *audire* in
1095 pharisaeo super|bo [a], dicendo discipulis : *Cum omnia feceri-
tis, dicite quia serui inuti|les sumus* [b]. Sed hanc sufficit in
misericordia Domini confidentem | emittere *uocem : Mihi
uiuere Christus est, et pro Christo mori* | *maximum lucrum* [c].
Significat igitur Spiritus sanctus quod nouis|sima perse-
cutione, in fine mundi, in omni gente Ecclesia uelut in
1100 | singulis membris *uocem* confessionis nominis Christi in
martyri|bus *auditam faceret* Christo in conspectu omnium
sanctorum | angelorum, patriarcharum, prophetarum uel
martyrum, qui | cum magna admiratione magnoque gau-
dio desiderant *audire* | huius multitudinis *uocem* confessio-
1105 nis unius omnipotentis Dei, | cuius horridam blasphemiae
nuncusque in idolorum cultura | *audierant.* |

74. Tunc enim complebitur iste confessionis *uocis audi-
tus* qui | per turbam martyrum omni mundo *in hortis*, id
est conuenticu|lis fidelium resonabit, quando gehennae tra-
1110 dendus de carcere | inferni productus fuerit princeps
mundi [a], et sicut leo rabidus | saltum facturus est ad prae-
dictos *hortos* uastandos. Nulla enim | tam suauis, tam
sonora *uox* est, quae caelos transcendat, nisi illa | quae

72 f. Lc 23,46   g. Lc 22,41   h. Cf. Is. 45,5-6; Judith
8,19   i. Ps. 143,7
73 a. Cf. Lc 18,11-12   b. Lc 17,10   c. Phil. 1,21
74 a. Cf. Apoc. 20,7

esprit[f] », et : « Que se fasse non ma volonté, mais la tienne[g]. » Et celle d'Isaïe : « Hormis toi, Seigneur, nous n'en connaissons pas d'autre[h]. » Et celle de David : « Tends ta main d'en haut, retire-moi et délivre-moi des grandes eaux[i]. » Et bien d'autres paroles semblables que contiennent les divines écritures.

73. Par toutes ces paroles, l'âme est invitée, tant qu'elle est enveloppée de cette chair pesante et mortelle, à ne pas *faire entendre*, fût-ce dans le secret de son cœur, *la voix* de l'orgueil, en se glorifiant de sa justice, cette *voix* que le Christ déteste *entendre* chez le pharisien orgueilleux[a], lui qui dit à ses disciples : « Quand vous aurez tout fait, dites : Nous sommes des serviteurs inutiles[b]. » Mais il suffit de faire entendre cette *voix* qui met sa confiance dans la miséricorde du Seigneur : « Pour moi, vivre, c'est le Christ, et mourir pour le Christ, mon plus grand profit[c]. » L'Esprit saint veut donc dire que, lors de la dernière persécution, à la fin du monde, l'Église, en toutes les nations comme en chacun de ses membres, *fera entendre* au Christ, en ses martyrs, *la voix* de la confession du nom du Christ, en présence de tous les saints : anges, patriarches, prophètes et martyrs. C'est avec grande admiration et grande joie que ceux-ci désirent *entendre la voix* de cette multitude confesser un seul Dieu tout-puissant, alors que jusque là ils l'avaient *entendu* blasphémer horriblement dans le culte des idoles.

Mais voici l'heure de l'Antichrist, l'heure de la confession

74. Un jour en effet se fera *entendre* en plénitude *la voix* de cette confession qui, de la bouche d'une foule de martyrs, résonnera pour le monde entier *dans les jardins*, c'est-à-dire dans les lieux de réunion des fidèles. Ce sera lorsque le prince de ce monde[a] sera tiré de la prison de l'enfer pour être livré à la géhenne, et que, tel un lion en furie, il bondira pour dévaster ces *jardins*. Nulle *voix* en effet n'est assez douce, assez sonore pour traverser les cieux, sinon celle qui dira, à l'imitation

latronem in cruce fuerit imitata, dicendo : *Memento mei,* |
Domine, in regno tuo [b], quoniam nihil aliud desiderat *audire*
1115 ab ea | eius creator, nisi confessionis *uocem* per quam uitam
suam | Christum, quam negando perdiderat, inueniat confi-
tendo : ut, | quanto auidus fuerat sanguinem Christi fun-
dere blasphemando | Iudaeus uel in martyribus persecutor,
tanto auidius suum san|guinem optet pro Christo effundi,
1120 qui dixit : *Si quis me confessus* | *fuerit coram hominibus,*
confitebor eum coram Patre meo qui in | *caelis est; et qui me*
negauerit coram hominibus, negabo eum | *coram Patre meo*
qui in caelis est [c]. |

75. Vult utique *audire uocem* confessionis eius, ut confi-
tendo | sanentur uulnera eius, quae sibi ipsa factorem
1125 suum uel medi|cum inflixerat denegando. Et hanc *uocem*
non erubescat coram | populo proferre in terris, ubi officina
misericordiae patet, si | desiderat in caelis gloriosa inter
angelorum multitudinem appa|rere, si desiderat agminibus
patriarcharum, prophetarum uel | martyrum coniuncta
1130 gaudere, quos *amicos* praesenti nominat | loco, cum ait :
Fac me audire uocem tuam. Amici auscultant. |

76. Qui proculdubio ita gaudent in eius confessione,
cum | uiderint germina sua, Christum confitendo, purpura
sui sangui|nis perfusa stola radiare, sicut uehementer in
eius incredulitate | fuerant contristati. Qui licet securi de
1135 sua iustitia, tamen quam | dolenter opinamur eos deflesse,
cum aspicerent prolem suam | Christum in cruce leuare.
Quos omnes non est dubium manibus | aures oculosque
clausisse, ne tam horridam *uocem audirent* | dicentium :
Crucifige talem [a], et : *Sanguis eius super nos et super* | *filios*
nostros [b], aut ne tantum nefas intenderent, quod etiam sol

---

74 b. Lc 23,42   c. Matth. 10,32-33
76 a. Lc 23,21   b. Matth. 27,25

---

1. *uox horrida* : cf. IV, 564; V, 9; XII, 1105.
2. *Crucifige talem* : voir note à II, 568.

du larron en croix : « Souviens-toi de moi, Seigneur, dans ton royaume[b]. » Son créateur en effet ne désire *entendre* d'elle rien d'autre que *la voix* de la confession, qui lui fera trouver, en le confessant, le Christ, sa vie, cette vie qu'elle avait perdue en le reniant. Ainsi, autant le Juif avait été avide de répandre le sang du Christ par ses blasphèmes, ou le persécuteur celui des martyrs, autant faut-il qu'elle souhaite, avec plus d'avidité encore, répandre son propre sang pour le Christ, lui qui a dit : « Si quelqu'un m'a confessé devant les hommes, je le confesserai devant mon Père qui est aux cieux, et celui qui m'aura renié devant les hommes, je le renierai devant mon Père qui est aux cieux[c]. »

75. Le Christ veut donc *entendre la voix* de sa confession, pour que, en le confessant, elle soit guérie des blessures qu'elle s'était faites à elle-même en reniant son créateur et son médecin. Et qu'elle ne rougisse pas de *faire entendre cette voix* publiquement sur terre, là où est ouverte la réserve de la miséricorde, si elle désire apparaître, au ciel, glorieuse parmi la multitude des anges ; si elle désire être unie dans la joie aux bataillons des patriarches, des prophètes et des martyrs — qu'il nomme en ce passage des *« amis »*, en disant : *« Fais-moi entendre ta voix. Des amis écoutent. »*

76. Ces *amis*, à coup sûr, éprouvent autant de joie de sa confession, lorsqu'ils voient leurs descendants, en confessant le Christ, rayonner dans leur robe trempée de la pourpre de leur sang, qu'ils avaient éprouvé de vive tristesse de son incrédulité. Bien qu'assurés de leur propre justice, combien douloureusement ils ont pourtant dû pleurer, pensons-nous, en voyant leur postérité élever le Christ en croix ! Il n'est pas douteux que tous ils se sont, de leurs mains, bouché les yeux et les oreilles pour ne pas *entendre la voix* si horrible[1] de ceux qui disaient : « Crucifiez un tel homme[a2] ! » et : « Que son sang soit sur nous et sur nos fils[b] ! », et pour ne pas être spectateurs d'un si grand crime, devant lequel même le soleil et les

1140   et | astra absconsa sunt[c] ne uiderent. Nunc autem, ex ini-
        micis *amici* | praedictae plebis effecti conuersae ad facto-
        rem suum, dulcissimam confessionis eius *uocem auscultant*.
        Et quae nomen Christi | in terra opprimere conabatur, ne
        exaltaretur gentium laude, | iam nunc, quantum sequens
1145   uersiculus significat, super caelos | extollit, dicendo :
CL   FVGE, DILECTE MI, ET ADSIMILARE CAPREAE | HINVLOQVE
(VIII, 14) CERVORVM SVPER MONTES AROMATVM. |

        77. Haec uidelicet sponsa, praedicta plebs, uocata a
        Christo | ore doctorum, hanc reddit *uocem* responsionis
        suae, quae eum | ad hoc confiteatur de caelorum *montibus*
1150   descendisse in conuallem huius mundi, ut, prostrato hoste
        qui per carnem tenebat | mortis imperium[a], adsumptam
        carnem immaculatam per quam | triumphans secum ad
        caelum leuaret. Similiter et gens pagana, | quem ante ride-
        bat per uterum Virginis mundo ostensum, agnoscens eum
1155   hominis creatorem, credens per suam facturam, | quando
        uel quomodo uoluisset, adsumendo transisse et, *peracta* |
        salutis humanae mysteria, de lutulenta conuersatione
        hominum | impiorum, conuallem huius mundi *fugientem*,
        caelorum portis | ingressus praebentibus, *super montes aro-*   F
        matum, id est caelos, | ascendisse. |

1160   **78.** *Aromata* autem, ut saepe in aliis locis iam dictum
        est, ex | multis odorantissimis speciebus in tenuissimo
        puluere redactis | conficiuntur : quae uiuis medicinam et
        mortuis corporibus, fugato foetore, tribuunt incorruptio-
        nem, absque ea quae deliciosis | magnam delectationem

---

76 c. Cf. Lc 23,44-45
77 a. Cf. Hébr. 2,14

1. *astra absconsa sunt* : cf. IX, 399-402.
2. *peracta salutis... mysteria* : sur cette leçon, voir Note critique au présent passage, p. 297.
3. En III, 357; V, 385.409.467; VII, 699.

astres se sont cachés[c] pour ne pas le voir[1]. Mais maintenant, devenus, d'ennemis qu'ils étaient, des *amis* de cette
nation qui est revenue à son créateur, *ils écoutent la
voix* très douce de sa confession. Et elle qui s'efforçait
d'étouffer le nom du Christ sur la terre, pour qu'il ne
soit pas glorifié par les louanges des nations, elle exalte
désormais ce nom au-dessus des cieux autant que l'indique le verset suivant : « Fuis, mon bien-aimé, et deviens   CL
semblable à la biche et au faon des cerfs au-dessus   (VIII, 14)
des montagnes des aromates. »

**Elle confesse
le Christ descendu
dans le monde
et remonté
aux cieux**

77. Voici donc que cette épouse,
cette nation, appelée par le Christ
par la bouche des docteurs, *fait entendre* en réponse cette *voix* qui confesse
qu'il est descendu des *montagnes* des
cieux dans la vallée de ce monde,
afin qu'après avoir terrassé l'ennemi qui détenait par le
moyen de la chair l'empire de la mort[a], il élevât avec
lui jusqu'au ciel la chair immaculée qu'il avait assumée,
en triomphant par elle. De même aussi la race des
païens : elle qui autrefois se moquait de ce qu'il fût
apparu au monde en passant par le sein d'une vierge,
elle reconnaît qu'il est le créateur de l'homme ; elle croit
qu'il a passé par sa créature quand et comme il l'a
voulu, en l'assumant, et que, après avoir accompli les
mystères du salut de l'homme[2], quittant la vie fangeuse
des impies, *fuyant* la vallée de ce monde, il est monté,
les portes des cieux s'ouvrant devant lui, *au-dessus des
montagnes des aromates*, c'est-à-dire au-dessus des cieux.

**Des cieux
il envoie
tout remède
par la venue
de l'Esprit saint**

78. *Les aromates*, nous l'avons déjà
dit souvent ailleurs[3], sont composés
à partir de multiples ingrédients très
odorants, réduits en poudre très fine.
Ils procurent aux vivants un remède,
et ils donnent aux cadavres l'incor-
ruptibilité en en chassant la puanteur, sans parler de la
grande délectation que leur parfum apporte aux gens

1165 odoris conferre probatur, ut supradicti | *montes* caelorum
uel cherubin — quod «multitudo scientiae» | interpretatur
— hominibus influxisse spiritalem animae medici|nam pro-
bantur. De illa enim caelesti sede cherubin, scientiae |
sapientiaeque *aromaticus* ros super stultam tumidamque
su|perbiae morbo uulneratam in philosophis uel omnium
1170 animabus | incolentium mundum descendisse docemur,
secundum eiusdem | Salomonis sententiam : *Omnis sapien-*
tia, inquit, *a Domino Deo | est, et cum illo fuit semper et est*[a],
et alio loco : *Mitte illam,* ait, | *sancte Pater, de excelsis tuis*[b].
Quam sapientiam Verbum, quem | Iohannes euangelista
1175 carnem factum[c] adseruit, apostolus Paulus | sapientiam et
uirtutem Dei Patris[d] testatur. De quo praedixit | propheta
Dauid : *Misit Verbum suum et sanauit eos, et eripuit | eos de*
interitu eorum[e]. |

79. Hi sunt ergo *montes* caelorum *aromatici* de quibus
anima|rum medicina per aduentum Christi descendit. Quae
1180 *aromatica* | scientia uel sapientia Dei trinam principalem,
extra alia innu|merabilia, medelam confert animabus :
sanis uidelicet diuitibus, | id est sanctis, magnam delecta-
tionem ministrat — de quibus | dixit propheta Esaias :
Diuitiae animae sapientia eius[a] —; infir|mis autem sanita-
1185 tem — de qua dicitur a propheta : *Domine | Deus meus,*
clamaui ad te, et sanasti me[b], et : *Benedic, anima mea,* |
Dominum, qui sanat omnes infirmitates tuas[c] —; eas uero
quae, | nimio morbo peccati oppressae, mortuae erant Deo,
per con|strictionem paenitentiae, per abstinentiae contri-
tionem, per con|temptum rerum praesentium, a uerme
1190 uitiorum uel tormen|torum futurorum gehennae defendit
— de qua medicina precatur | Dauid propheta : *Bonitatem*
et disciplinam et scientiam doce me, | *quia in mandatis tuis*
credidi[d]. |

---

78 a. Sir. 1,1 b. Sag. 9,10 c. Jn 1,14 d. I Cor.
1,24 e. Ps. 106,20
79 a. Is. 33,6 b. Ps. 29,3 c. Ps. 102,1.3 d. Ps. 118,66

---

1. *Hebr. Nom.*, 35, 7. Cf. l. 1194.

délicats. De même, ces *montagnes* des cieux, ou chérubins
— dont le nom veut dire : « multitude de science [1] » —
ont déversé sur les hommes le remède spirituel de l'âme.
En effet, c'est de la demeure céleste des chérubins, nous
le savons, que la rosée *aromatique* de la science et de
la sagesse est descendue sur la sagesse insensée et
infatuée, blessée du mal de l'orgueil dans la personne
des philosophes et dans les âmes de tous ceux qui
habitent le monde — selon la sentence du même Salomon : « Toute sagesse, dit-il, vient du Seigneur Dieu ; elle
a toujours été et elle est toujours avec lui [a] », et ailleurs :
« Envoie-la, Père saint, de tes hauteurs [b]. » Cette sagesse,
c'est le Verbe, celui de qui Jean l'évangéliste a dit qu'il
s'est fait chair [c], et dont l'apôtre Paul témoigne qu'il est
la sagesse et la puissance de Dieu le Père [d]. C'est de lui
que le prophète David a prédit : « Il a envoyé son Verbe
et il les a guéris, et il les a arrachés à leur perte [e]. »

79. Telles sont donc *les montagnes aromatiques* des
cieux d'où est descendu le remède des âmes par la venue
du Christ. Cette science ou sagesse *aromatique* de Dieu
apporte principalement aux âmes, en plus d'autres innombrables bienfaits, un triple remède : à celles qui sont
bien portantes et riches, c'est-à-dire saintes, elle procure
une grande délectation — c'est d'elles que le prophète
Isaïe a dit : « La richesse de l'âme, c'est sa sagesse [a] » ; à
celles qui sont malades, elle apporte la santé — c'est de
cette santé qu'il est dit par le prophète : « Seigneur mon
Dieu, j'ai crié vers toi, et tu m'as guéri [b] », et : « Bénis,
ô mon âme, le Seigneur, lui qui guérit toutes tes maladies [c] » ; quant aux âmes qui, par trop accablées du mal
du péché, étaient mortes à Dieu, elle les préserve, grâce
aux restrictions de la pénitence, grâce à l'épuisement de
l'abstinence, grâce au mépris des biens présents, du ver
des vices et des tourments futurs de la géhenne — c'est
ce remède que demande dans sa prière le prophète
David : « Enseigne-moi la bonté, la discipline et la science,
car j'ai cru en tes commandements [d]. »

80. Hae utique diuitiae medicinaque animarum nostra-
rum de | *montibus* praedictorum *aromatum*, «multitudinis
1195   scientiae», in|fluunt in terram mentis humanae per Spiritus
sancti aduentum. | De quo praedixit Salomon : *Spiritus,*   BM
inquit, *Domini replebit* | *orbem terrarum* ᵃ. Quem sciens
sponsa, iam edocta sacramento|rum mysteriis, non influere
in omnem terram, nisi Christus ad | caelos per passionis
1200   gloriam reportauerit ᵇ omnia illa quae cele|brata sunt sub
apostolis, credendo hortatur eum per haec | aenigmata
similari capreae et hinulo ceruorum, et non in deiectis | locis
uel quibuscumque *montibus* collibusque, sicut retro in aliis
| locis crebrius dictum fuerat, sed *super montes aromatum*,
unde | uenerat carnem adsumere, repedare. *Capreae* eum
1205   hortatur | comparari exemplo, quae tutissimis locis abs-
condit paruulos | fetus suos, et sic arduos et excelsos
montes, si fuerit necesse, | ascendit, et pleno ubere celeri
cursu ad fetus suos repedare | festinat, sicut Dominus nos-
ter Christus se promisit esse factu|rum, dicendo adhuc
1210   uelut tenellis fetibus discipulis suis : *Nolite* | *metuere* ᶜ. *Non*
uos derelinquam orphanos, sed uado, et uenio ad | *uos* ᵈ, et :
Tollam uos ad meipsum ᵉ. Qui utique per unitatem Spiri|tus
sancti paternaeque uirtutis, et praedictos *aromatum* praesi-
|det *montes*, et de terris ab Ecclesia non recedit, per hoc
quod se | dixit in propheta *caelum et terram implere* ᶠ. |

1215   **81.** *Hinulo* autem *ceruorum* eum *adsimilari* precatur,
multam | eius super peccatores et impios patientiam implo-
rando, ut non | cornua potentiae proferat, iudicando ter-
ram, exasperatus latra|tibus, blasphemiis impiorum, sicut
armati cornibus *cerui* aduer|sus hostes suos facere

---

80 a. Sag. 1,7   b. Cf. Jn 7,39   c. Lc 12,32   d. Jn
14,18.28   e. Jn 14,3   f. Jér. 23,24

---

1. Allusion à *Jn* 7,39 et 16,7 : il fallait que le Christ soit glorifié
pour que l'Esprit saint fût donné.

80. Or cette richesse et ce remède de nos âmes se déversent de ces *montagnes des aromates, montagnes* de la « multitude de science », sur la terre de l'esprit humain par la venue de l'Esprit saint, de qui Salomon a prédit : « L'Esprit du Seigneur remplira l'univers[a]. » Déjà instruite par les mystères des sacrements, l'épouse, sachant que l'Esprit saint ne peut se répandre sur la terre entière à moins que le Christ n'ait porté au ciel, grâce à la gloire de la passion[b], tout ce qui a été accompli du temps des apôtres[1], exhorte, dans sa foi, celui-ci, en se servant de ces figures, à *devenir semblable à la biche et au faon des cerfs*, et à ne plus demeurer dans les lieux bas ou sur des *montagnes* ou collines quelconques − comme il a été dit souvent plus haut dans d'autres passages −, mais à retourner *au-dessus des montagnes des aromates*, d'où il était venu pour prendre chair. Elle l'exhorte à imiter l'exemple de *la biche*, qui cache ses petits encore jeunes dans les endroits les plus sûrs, et alors gravit, si c'est nécessaire, des *montagnes* raides et élevées, puis, les mamelles gonflées, se hâte, d'une course rapide, de retourner vers ses petits. Le Christ notre Seigneur a promis de faire ainsi, lorsqu'il disait à ses disciples, pareils à des petits encore frêles : « N'ayez pas peur[c]. Je ne vous laisserai pas orphelins, mais je m'en vais et je reviens vers vous[d] », et : « Je vous prendrai auprès de moi[e]. » En effet, par son union avec le saint Esprit et la puissance du Père, il trône *sur ces montagnes des aromates*, sans pour autant quitter la terre et abandonner l'Église, puisqu'il a déclaré par le prophète qu'il remplit le ciel et la terre[f].

81. Elle le prie de *devenir semblable au faon des cerfs*, en implorant sa grande patience à l'égard des pécheurs et des impies : qu'il ne montre pas les cornes de sa puissance, en jugeant la terre, exaspéré par les aboiements que sont les blasphèmes des impies − comme *les cerfs* armés de cornes ont coutume d'agir contre leurs

Voilà ce
qu'elle confesse
devant
le tribunal
du persécuteur

1220 consueuerunt, sed patientiam *hinulorum*, | qui exasperati
uel comprehensi non retribuunt talionem, ita, ut | tenuit
iudicatus, teneat iudicando ; et, sicut pepercit blasphe-
|mantibus uerberantibusque, uerum hominem demons-
trando in | cruce, parcat et ueram deitatis potentiam
ostendendo, Patris | iudicium promulgando. |

1225 **82.** Vocat ergo Christus Ecclesiam toto mundo *in horto-
rum* | *conuenticulis*, ut saepe diximus, *habitantem*,
dicendo : *Venite ad* | *me, omnes qui laboratis et onerati estis,
et ego reficiam uos* [a]. De | qua uocatione dicitur : *Fac me
audire uocem tuam* [b]. Et haec est | *uox* quam *audire* deside-
1230 rat Christus : ut, sicut eum uerum homi|nem crucifixum
credidit, quando uenit *habitare in hortis* [c], id est | in coetu
fidelium, ita eum uerum Deum credat in maiestate |
paterna, cum ante tribunal persecutoris adducta fuerit ad
ne|gandum, quando dicitur ei, ore persecutoris loquente
diabolo : | Pro cuius nomine mori contendis, qui sibi, cum   BM
1235 a Iudaeis cru|cifigeretur, non potuit subuenire [d] ? In quo
conflictu hanc mone|tur *auditam facere uocem suam* [e] : Mor-
tuum quidem ex infirmitate [f] | quam adsumpserat carnis,
ne se diabolus quereretur potentia, non | ratione, deuic-
tum, ut per carnem uinceretur quam uicerat in | Adam, sed
uiuere ex uirtute paterna [g] in sempiternum cum Patre. |

1240 **83.** Dicendo enim : *Fuge, dilecte mi, auditam fecit uocem
suam* | quam desiderat Christus *audire*. Per quod confitetur
eum solum | in terra, solum inter omnes homines — homi-

---

82 a. Matth. 11,28   b. Cant. 8,13   c. Cant. 8,13   d. Cf.
Matth. 27,42   e. Cant. 8,13   f. II Cor. 13,4   g. II Cor. 13,4

---

1. Même interprétation de la patience et de la douceur du « faon
des biches » en IV, 190-196 : « Dépourvu de cornes, il montre ce
qu'il a d'aimable à voir plutôt que ce qu'il a de terrible, comme l'a
fait le Christ notre Seigneur à son premier avènement. »

2. Les jardins du Seigneur sont les âmes des croyants (VIII, 942.948)
ou leurs assemblées (XII, 1066.1108.1231).

3. Sur ce caractère « raisonnable » de la victoire du Christ, qui
devait vaincre par « la chair » celui qui avait vaincu « la chair » en
Adam, cf. IX, 267, et la note. Remarquer aussi la rencontre avec saint

ennemis —, mais qu'il garde en jugeant, comme il l'a gardé étant jugé, la patience des *faons*[1], qui lorsqu'on les irrite ou qu'on les capture, n'usent pas du talion ; et que, de même qu'il a épargné ceux qui l'insultaient et le frappaient lorsqu'il manifestait sur la croix la vérité de son humanité, il les épargne aussi lorsqu'il montrera, en promulguant le jugement du Père, la vérité de sa puissance divine.

82. Le Christ appelle donc l'Église qui, par le monde entier, *habite*, nous l'avons dit souvent, *dans* les lieux de réunion que sont les *jardins*[2], en disant : « Venez à moi, vous tous qui peinez et qui êtes surchargés, et je vous soulagerai[a]. » C'est au sujet de cet appel qu'il est dit : « *Fais-moi entendre ta voix*[b]. » Et *la voix* que désire *entendre* le Christ, la voici : de même qu'elle l'a cru homme véritable, quand il était crucifié, lorsqu'elle est venue *habiter dans les jardins*[c], c'est-à-dire dans l'assemblée des fidèles, que de même elle le croie Dieu véritable dans la majesté du Père, lorsqu'elle aura été amenée pour le renier devant le tribunal du persécuteur, au moment où le diable qui parle par la bouche du persécuteur lui dit : « As-tu la prétention de mourir pour le nom de celui qui n'a pu se sauver lui-même lorsqu'il était crucifié par les Juifs[d] ? » C'est dans cet affrontement qu'elle est invitée à *faire entendre sa voix*[e] en ces termes : « Sans doute il est mort en raison de la faiblesse[f] de la chair qu'il avait assumée — afin que le diable ne pût se plaindre d'avoir été vaincu par la force et non par la raison[3], et qu'il fût vaincu par la chair qu'il avait vaincue en Adam —, mais il est vivant à jamais avec le Père, en raison de la puissance du Père[g]. »

Son Bien-Aimé a fui le péché... **83.** En disant : « *Fuis, mon bien-aimé* », elle a *fait entendre sa voix*, celle que le Christ désire *entendre*. Par là, elle confesse qu'il est le seul sur terre, le seul

---

Léon, *Tr.* 21, 1 (*CCL* 138, p. 85, l. 13-14 : *SC* 22 *bis*, p. 68) : *ut...*
diabolus per ipsam (generis humani naturam) quam uicerat uinceretur.

nem quidem uerum, | sed inenarrabili ordine natum — et
solum aduenam et pere|grinum [a] repertum, qui omnimodo,
1245 solus sordidam conuersatio|nem hominum *fugiens*, solus
super praedictos *montes aromatum* | ascendens, caeli et ter-
rae dominator efficeretur. Solum eum | ostendit exteriora
et interiora peccata *fugisse*; solum eum *fugiti|uum* terrae in
medio nationis prauae et peruersae [b], qui caeli re|*fugam*
1250 diabolum religaret [c] — sicut ipse dixerat per prophe|tam :
Torcular calcaui solus, et de gentibus non est uir mecum [d] ;
et per alium prophetam : *Considerabam*, inquit, *ad dexte-
ram et | uidebam, et non erat qui cognosceret me. Periit fuga a
me, et non | est qui requirat animam meam* [e]. |

84. Et hic tantus, cui lux, aethera et omnia elementa
1255 inser|uiunt, ut nos humilitatem doceret, quae de terris caeno-
que peccati | ad caelum et perpetuam laetitiam subli-
mat, quasi peregrinus et | aduena [a] qui a nullo nisi sola
matre cognosceretur, in terris | conuersatus cum homini-
bus [b] fuisse docetur. Nam si Ioseph ui|rum matris, qui
1260 propter custodiam Virginis nomen patris sorti|tus est,
interroges, in tantum se testatur nescire unde genus | san-
guinis trahat hic qui *fugere* commonetur, ut, cum eum in |
utero Virginis praesensisset, nisi ab angelo fuisset edoctus,
di|mittere et prolongare eam in secreto mentis tractabat [c]. |

85. Sola ergo mater, nullo teste masculo, nouit genus,
1265 Gabri|hele angelo exponente eam Spiritu maritatam [a].

---

83 a. Cf. Ps. 38,13; Lc 24,18   b. Phil. 2,15   c. Cf. Apoc.
20,2   d. Is. 63,3   e. Ps. 141,5
84 a. Cf. Ps. 38,13   b. Cf. Bar. 3,38   c. Cf. Matth. 1,19-20
85 a. Cf. Lc 1,35

---

1. Au mot *solus*, sept fois répété à propos du caractère unique du
Christ et de sa mission (l. 1241-1247), répond le mot *sola*, deux fois
répété au sujet de sa Mère, seule à connaître le mystère de sa
conception (l. 1257.1264).
2. Seul passage relatif à Joseph, époux de Marie et « père » en tant

parmi tous les hommes − car il est véritablement homme,
mais né de manière ineffable −, le seul qui se soit trouvé
étranger et pèlerin[a], absolument le seul qui, en *fuyant*
la conduite sordide des hommes, le seul qui, en *montant*
au-dessus de ces montagnes des aromates, pût devenir le
souverain du ciel et de la terre. Elle montre qu'il est le
seul à *avoir fui* les péchés visibles ou cachés, qu'il est
le seul, au milieu d'une nation dévoyée et pervertie[b],
capable, lui qui *a fui* la terre, de ligoter le diable[c] qui
a fui le ciel. Il avait dit lui-même par le prophète :
« Seul j'ai foulé le pressoir, et pas un homme venu des
nations n'est avec moi[d] », et par un autre prophète : « Je
regardais à ma droite et je voyais, et il n'y avait personne
qui me connût. Il n'y a plus de *fuite* pour moi, et il n'y
a personne qui se soucie de ma vie[e]. »

84. Lui si grand, à qui la lumière,
... *passant sur terre*
comme un étranger, les cieux et tous les éléments obéis-
connu seulement sent, nous savons qu'il a, pour nous
de sa mère apprendre l'humilité − qui de la terre
et de la boue du péché nous élève
jusqu'au ciel et à la joie perpétuelle −, vécu sur terre
parmi les hommes[b] comme un pèlerin et un étranger[a],
et il n'y avait personne qui le connût sinon sa mère
seule[1]. Car si tu interroges Joseph, l'époux de sa mère,
qui a reçu le nom de père en tant que protecteur de la
Vierge, il témoigne ignorer à tel point de quel sang tirait
son origine celui qui est invité à *fuir*, que, lorsqu'il eut
d'avance reconnu sa présence dans le sein de la Vierge,
il projetait dans le secret de son cœur, si l'ange ne l'avait
instruit, de la renvoyer et de l'éloigner[c2].

85. Seule donc sa mère, sans aucun homme pour
témoin, connaît son origine lorsque l'ange Gabriel lui
expose qu'elle a été prise pour épouse par l'Esprit[a]. Et

que gardien de la Vierge. Apponius reste très proche du texte évangélique (*Matth.* 1,19-20).

Quae, si ordinem | conceptionis discutias, quibus membro-
rum officiis tam mirabile | susceperit semen — de quo
Esaias propheta ait : *Nisi Dominus | Sabaoth reliquisset
nobis semen, ut Sodoma facti fuissemus* [b] —, | respondebit
secundum prophetam Dauid : *Os meum aperui et | adtraxi
Spiritum, quia,* deferente angelo, *mandata eius
deside|raui* [c] ; et hoc solum scio, me inuisibilem suscepisse
et uisibilem | edidisse quem nullus alter mortalium cognos-
ceret uenientem ; | qui *fugiendo* mundum, totum mundum
acquireret genitori. Qui | uere, ut peregrinus despectusque
et ignotus omnino in sua | prouincia, morti addictus frus-
tra ; et in hominibus, qui tantum | nefas uindicet non est,
sicut ipse praedixerat, ut retro iam | diximus, per Dauid :
*Considerabam ad dexteram et uidebam, et | non erat qui
cognosceret me. Periit,* inquit, *fuga a me, et non est | qui
requirat animam meam* [d]. |

86. Non fuit utique qui eum cognosceret, eo quod solus
homo | nouus [a] nouo ordine de intacto utero inter ueteres
homines appa|ruit mundo. Periit, inquit, *fuga,* quando
fugiendi iam nullus est | locus, ubi secundum humanitatem

BM

---

85 b. Is. 1,19; Rom. 9,29   c. Ps. 118,131   d. Ps. 141,5
86 a. Cf. Éph. 4,24

---

1. *Os meum aperui* : HARNACK note, à propos de la théologie de
l'incarnation chez Apponius : « Christus ist von Maria durch den Mund
empfangen worden » (*Lehrbuch der Dogmengesch.,* 4ᵉ éd., II, p. 361,
n. 3), et plus loin : « Sur l'acte de la conception également, on se
laisse aller à des représentations très osées : selon Zénon de Vérone,
Marie a conçu ' par l'oreille ', ' durchs Ohr ' (cette représentation était
très répandue) ; selon Apponius, c'est par la bouche, ' durch den
Mund ' » (p. 476, n. 3). — C'est lire bien superficiellement des textes
chargés de sens spirituel. Celui de ZÉNON (*Tract.* I, 3, 10,19 : *CCL*
22, p. 28) dit : « ... puisque, par sa persuasion, le diable avait envahi
Ève par l'oreille *(per aurem),* ... c'est par l'oreille que le Christ entre
en Marie... » : tout le passage développe ce parallèle symbolique, à
propos de la « vraie circoncision ». L'éditeur de Zénon rapproche ce
passage d'un autre, tout théologique, de GAUDENCE DE BRESCIA (*Tract.*
13, 5 : *CSEL,* 68, p. 116) et d'une strophe de l'hymne, plus tardive :

si tu cherches à savoir le mode de la conception, quelle
partie de son corps lui a servi pour recevoir cette semence
si admirable dont le prophète Isaïe déclare : « Si le
Seigneur Sabaoth ne nous avait laissé une semence, nous
serions devenus comme Sodome[b] » —, elle répondra, en
citant le prophète David : « J'ai ouvert ma bouche, et
j'ai attiré l'Esprit[1], car j'ai désiré ses commandements[c]
qu'apportait l'ange. Tout ce que je sais, c'est que j'ai
accueilli, invisible, et que j'ai mis au monde, visible,
celui que nul autre mortel ne connaissait à sa venue ;
celui qui, en *fuyant* le monde, devait acquérir le monde
entier à son Père. » Oui, il serait comme un étranger,
méprisé et totalement ignoré dans son propre pays, condamné à mort sans raison. Et il n'est personne parmi
les hommes pour punir un tel forfait, comme il l'avait
lui-même prédit par la bouche de David, nous l'avons
déjà dit plus haut[2] : « Je regardais à ma droite et je
voyais, et il n'y avait personne qui me connût. Il n'y a
plus de *fuite* pour moi, et il n'y a personne qui se soucie
de ma vie[d]. »

Lui qui n'a pas fui sa passion, il a fui aux cieux, d'où il reviendra dans la gloire

86. Vraiment, il n'y avait personne
qui le connût, parce que seul il est
apparu au monde, homme nouveau[a],
d'une manière nouvelle[3], d'un sein
intact, parmi les hommes vieillis. Il
n'y a plus de *fuite*, dit-il, puisqu'il
n'y a plus de possibilité de *fuir*, lorsque selon son

Quem terra, pontus, sidera... (MGH, Auct. antiq., 4, p. 385 : 3ᵉ strophe
non retenue par la liturgie). — On le voit, il est question chez ZÉNON
de la conception accomplie grâce à la foi de Marie accueillant la
parole de l'ange : *per aurem* (GAUDENCE dit de même : *[Christus] per
maternas illapsus aures*). — Apponius s'exprime différemment, et peut-
être est-il le seul à parler de la « bouche » de Marie plutôt que de
son « oreille ». C'est qu'il lui prête, avec tact, les mots mêmes du
Ps. 118, 131 : *Os aperui...* : cette attitude de Marie est toute de désir,
d'accueil et d'obéissance au message de l'ange.

2. l. 1251-1253.

3. *homo nouus nouo ordine* : cf. note à VII, 530.

in manibus impiorum tene|tur. Quantum autem ad illam
1285 potentiam maiestatis quam coae|ternam possidet Patri, ad
caelos utique caro per supradictam | ascensionis *fugam*
migrauit, ubi cherubin, ubi sedes et potesta|tes, ubi domi-
nationes et throni [b] consistunt, quos sponsa iam cum | eo
unum corpus effecta, scientia eius repleta, *montes aroma-*
tum | intellegitur appellasse : unde iustus ultor criminum et
1290 pius re|munerator iustorum exspectatur uenire in gloria
Dei Patris [c]. |

<EPILOGVS>

87. Ipso itaque Spiritu sancto duce, qui haec ore Salo-
monis | scribenda dictauit, quali potuimus cursu, hispido et
agresti | sermone, peruenimus ad finem Cantici huius, et
nequaquam de | scientia, quae procul est a carneo et uitiis
1295 seruienti corde, | gloriantes ; sed Domini nostri Iesu Christi
magnificetur benignis|sima largitas, si quid dignum sibi
suisque cultoribus ad animae | aedificationem dignatus est
per nos eloqui. Qui, ad confunden|dam sapientiam huius
mundi [a] in Balaam, bruto etiam animali | uocem concessit
1300 humanam [b], et per illitteratos [c] uenturum se in | carne et
uenisse toti mundo ostendit. Nihil enim officit rusticitas |
linguae ubi ipse loquitur qui os fecit et linguam [d]. |

---

86 b. Cf. Col. 1,16   c. Cf. Matth. 16,27
87 a. Cf. I Cor. 3,19   b. Cf. Nombr. 22,28   c. Act. 4,13
d. Cf. Ex. 4,11

---

1. Cf. Prol., l. 21.
2. *nihil enim officit rusticitas linguae ubi ipse loquitur qui os fecit*
et linguam. Noter l'originalité et la plénitude de la formule.

humanité il est prisonnier entre les mains des impies. Mais eu égard à la puissance de la majesté qu'il possède coéternellement avec le Père, c'est bien dans les cieux que sa chair a émigré par *la fuite* dont nous avons parlé, celle de l'ascension : les cieux où chérubins, où sièges et puissances, où dominations et trônes[b] résident, eux que l'épouse, maintenant devenue un seul corps avec lui et remplie de sa science, a appelés « *montagnes des aromates* ». C'est de là que, juste vengeur des crimes et bienveillant rémunérateur des justes, il viendra, nous l'attendons, dans la gloire de Dieu le Père[c].

ÉPILOGUE

Au terme du Cantique...

87. Voici donc que sous la conduite de l'Esprit saint lui-même, qui par la bouche de Salomon a dicté ce texte pour qu'il fût écrit, nous sommes parvenus, en progressant comme nous le pouvions, dans notre langage raboteux et rustique[1], au terme de ce Cantique, et cela sans nullement nous glorifier d'une science qui est bien éloignée d'un cœur charnel et asservi aux vices. Gloire soit rendue plutôt à la libéralité toute bienveillante de notre Seigneur Jésus Christ, s'il a daigné mettre en notre bouche quelque chose qui soit digne de lui et qui puisse édifier l'âme de ses fidèles ! Il a bien, pour confondre la sagesse de ce monde[a] en la personne de Balaam, donné voix humaine même à un animal sans raison[b]. Et c'est par des hommes sans culture[c] qu'il a révélé au monde entier qu'il devait venir et qu'il est venu dans la chair. En effet la rusticité du langage ne saurait nuire là où parle celui-là même qui a créé la bouche et la langue[d2].

88. Qui nos iubeat de tam profundo pelago illaesos et
sine ⏐ offensionis naeuo euadere, et pretiosas rore oreque
conceptas ⏐ gemmas leuare, ut refertur de partu cochlea-
1305 rum. Quae pauperes ⏐ qui hoc carmen amatorium opinabantur ad diuitiarum culmen ⏐ subliment : ad eorum scilicet
collegium iungere qui possunt ⏐ uidere hunc esse librum qui
prophetae Hiezechieli intus et foris ⏐ scriptus deuorandus
porrigitur. Qui in ore dulcis est comedenti^a, ⏐ dum sola
1310 cantilena eius intenditur, sed deuoratus, id est intel⏐lectus,
amaricat uentrem^b : dum potuerint interiorem eius sen-
⏐sum in mentis arcano includere per compunctionem lacri-
ma⏐rum. Tunc salutifera amaritudine replet uentrem, cum
intellegi⏐tur in eo quam gloriosa facta sit anima hominis a
magno artifice ⏐ Deo, et quam detestabiliter corporeis sor-
1315 dibus et innumeris ⏐ criminibus inquinatur ; et quanta sit
benignitas eius qui sibi ⏐ eam, post tantarum culparum
molem, *amicam, sponsam* uel ⏐ *sororem*^c dignatur efficere.
Et quanto culpabilis et crudelior fue⏐rit, conuersa ad Deum

---

88 a. Cf. Éz. 2,9 ; 3,3   b. Cf. Apoc. 10,9   c. Cant. 5,2

---

1. *naeuus... offensionis* : expression relevée chez saint Ambroise, *De
Off.*, I, 18, 74 (éd. Testart, I, p. 132) par Blaise, *Dict.*

2. Cf. Pline, *Hist. Nat.*, 9, 107 : « Lorsque la saison de la fécondation
les a stimulées (les coquilles perlières), elles s'ouvrent par une sorte
de bâillement, et se remplissent, dit-on, d'une rosée fécondante ; après
gestation, elles mettent bas ; le fruit que les coquillages engendrent
sont des perles... » (trad. E. de Saint-Denis, *Coll. des Univ. de France*,
p. 71 ; autres références, p. 131). − Noter ici l'allitération : *rore
oreque conceptas.*

3. *carmen amatorium opinabantur* : telle est l'opinion rejetée au
livre I, 38-39. Le *Cantique* chante pourtant *quasi amatoria Verbi Dei
et animae* (II, 293). − *amatorium (canticum)* est en effet pris habituellement au sens profane et péjoratif, alors que chez un saint Augustin
amatoria cantica, ou simplement *amatoria* (comme ici chez Apponius),
a une consonnance religieuse, qu'il s'agisse des chants d'amour dans
le désir de la patrie céleste (*Conf.*, XII, 16, 23 : *CCL* 27, p. 227,
l. 9 ; *In Ps. 64*, 3 : *CCL* 39, p. 825, l. 27 ; *In Ps. 66*, 6 : *ibid.*, p. 863,
l. 16) ou de références précises au *Cantique des Cantiques* (*Sermo
Denis* 12 : *Misc. Aug.*, I, p. 52, l. 7-9 = *PL* 146, 853 A : *leguntur ibi*

88. Puissions-nous, sur son ordre, émerger sans dommage et sans défaut choquant [1] d'un océan si profond, et en remonter des perles précieuses conçues de la rosée et des lèvres, comme on le raconte de leur naissance à partir des huîtres [2]. Puissent ces perles élever au comble de la richesse les pauvres qui voyaient dans ce Cantique un poème amoureux [3], c'est-à-dire les réunir à la communauté de ceux qui sont capables de reconnaître en ce Cantique le livre écrit à l'intérieur et à l'extérieur présenté au prophète Ézéchiel pour qu'il le dévore [a]. Il est doux dans la bouche pour qui le mange, lorsqu'on s'attache à sa seule cantilène. Mais il remplit le ventre d'amertume, une fois dévoré [b], c'est-à-dire compris, lorsque, grâce aux larmes de la componction, on a pu en recueillir le sens profond dans le secret de son cœur. Il remplit le ventre d'une amertume salutaire quand on y reconnaît combien glorieuse a été créée par Dieu, le grand artisan, l'âme de l'homme [4]; combien odieusement elle se souille par les impuretés du corps et les crimes innombrables; combien grande est la bienveillance de celui qui, après l'accumulation de tant de fautes, daigne faire d'elle une *amie*, une *épouse*, une *sœur* [c]. Et autant elle a été coupable et bien cruelle, autant une fois

... apparaissent la noblesse de l'âme et la tendresse de Dieu

---

sancta amatoria, sponsus et sponsa, Christus et ecclesia; Sermo 46 : CCL 41, p. 560, l. 883-885 : Nouimus cantica canticorum, sancta cantica, amatoria cantica, sancti amoris, sanctae caritatis, sanctae dulcedinis; In Ps. 143, 18 : CCL 40, p. 2086, l. 57 : Videte amatoria sancta cantica; uidete Cantica canticorum, nuptiarum caelestium Christi et ecclesiae).

4. Cf. I, 17-18 : quam magnus creatus sit homo a magno artifice Deo, qui tanto amore eius ditetur. La gloire et la grandeur de l'Artisan divin sont reflétées par l'homme qu'il a créé et qu'il aime. On est proche de l'apostrophe familière à saint LÉON : Agnosce, o Christiane, dignitatem tuam... (Tr. 21, 3 : CCL 138, p. 88, l.70; Tr. 27, 6 : ibid., p. 137, l. 121; Tr. 94,2 : CCL 138 A, p. 579, l. 39-40; Tr. 95, 7 : ibid., p. 588, l. 138).

per paenitentiam, tanto clementi adfectu | eam suscepit ad
se reuertentem. |

1320   **89.** Quod cum omnibus quidem scripturae locis signe-
tur, ta|men in hoc Cantico luce clarius demonstratur. Vbi
non minis | terrendo, sicut in aliis, sed mira blanditie
omnes gentes de | cauernis errorum ad lumen suae notitiae
uocat. Et ut ostenderet | se pro omnium hominum salute
1325   omnium naturam adsumptu|rum, diuersarum gentium ple-
bem pro loco uel causa *amicam,* | *sponsam, sororem, colum-
bam* et *immaculatam*[a] appellat; et unam|quamque ani-
mam, prout uiderit dignam, coniunctam sibi quasi |
reginam in singulis deliciarum *introducit*[b] et collocat locis.
De | quibus, uelut unum corpus quinque motibus sensi-
1330   busque quibus | uniuersa opera aguntur, ita in hoc Cantico
figurauit quinquies | sub *sponsae* imagine, mutando perso-
nas, extra illas *sexaginta* | *reginas,* et *octoginta concubinas,*
et *adulescentulas quarum nume|rus non est* uel *filias,* et illam
unicam matri suae quae se *murum* | dixit, et eam quae
ubera non habet[c]. |

1335   **90.** Quas quinque personas quinque opinor intellegi lin-
guas : | id est hebraea, quae omnium linguarum prima est ;
de qua | primum Ecclesia in aduentu Christi est congre-
gata ; ad quam | primum euangelium hebraea lingua editur
per Mattheum apos|tolum, — graeca, de qua etiam pri-

---

89 a. Cant. 5,2   b. Cant. 2,4   c. Cant. 6,7-8 ; 8,8-10

---

1. Sur ce contraste entre le caractère aimable du *Cantique* et la
sévérité des autres écritures cf. note à II, 291-293.

2. Le salut était promis à chaque peuple et à chaque âme, dans
le Christ qui devait prendre leur nature à tous. Et si c'est une seule
et même Église que le Christ appelait d'avance dans le *Cantique* sous
les titres d'amie, d'épouse, etc., la mise en scène a fait revêtir
successivement à cette unique amie et épouse cinq personnages,
correspondant aux cinq étapes de la conversion de l'humanité. Ce sont
ces cinq personnages que, dans sa récapitulation finale, Apponius
évoque en les assimilant aux cinq langues principales parlées dans le
monde. — A travers le déroulement du *Cantique,* il a montré d'abord

convertie à Dieu par la pénitence, il l'accueille avec
clémence et amour lorsqu'elle revient à lui.

89. Sans doute, cette réalité est signifiée en tous les
passages de l'écriture; dans ce Cantique pourtant elle est
exposée plus clairement que le jour. Ici, ce n'est pas
avec des menaces terrifiantes, comme ailleurs, mais avec
une merveilleuse tendresse[1], que Dieu appelle toutes les
nations à quitter les cavernes de l'erreur pour la lumière
de sa connaissance. Et pour montrer qu'il prendra, pour
le salut de tous les hommes, la nature d'eux tous, il
donne à la foule des diverses nations, suivant le lieu ou
l'occasion, les noms d'*amie*, d'*épouse*, de *sœur*, de *colombe*
et d'*immaculée*[a], et chacune des âmes, dans la mesure
où il la voit digne, *il l'introduit*[b] et l'établit comme reine
en un lieu de délices approprié, après se l'être unie.
Ainsi, à leur sujet, sous la même image de *l'épouse* −
de même qu'un corps unique possède cinq opérations des
sens par lesquelles s'accomplissent toutes ses activités −, il
a donné dans ce Cantique cinq figures, en variant les
personnages[2] −, sans compter les *soixante reines*, et les
quatre-vingts concubines, et les *adolescentes sans nombre*,
ou les *filles*, et celle qui est *unique pour sa mère* et qui
s'est déclarée un *mur*, et celle qui *n'a pas encore de seins.*

**Aux cinq figures
de l'Épouse
répondent
les cinq principales
langues...**

90. En ces cinq personnages, il
faut, à mon avis, reconnaître cinq
langues : l'hébreu, qui est la première
de toutes les langues, langue de ceux
dont a été en premier lieu rassemblée
l'Église à la venue du Christ; à eux
est adressé par l'apôtre Mathieu le premier évangile, écrit

---

la conversion des Hébreux : l'Église primitive; puis celle des grecs
païens; puis celle des savants orgueilleux, représentés par l'Égypte;
puis celle de Rome, la « fille du prince »; enfin, celle des « tribus
d'Éphraïm » revenant de Syrie, ou d'Assyrie (les deux pays et leurs
langues sont pris l'un pour l'autre). − Cf. Introd., p. 43.

1340 mum post hebraeam adiutores | apostolorum Marcus et
Lucas euangelistae exstitisse probantur; | — aegyptia, in
qua non ignarus Marcus, apostolorum discipulus, | doctor
directus ab eis refertur; quae exempla magistri nuncus|que
florere in sanctam religionem probantur; — latina, quae
auxo|nia a ueteribus dicta est ab Auxono rege; quae, prin-
1345 cipe aposto|lorum magistro et praesule Petro, doctrinae
monilibus exornata ᵃ, | Christi consortio sociatur; cui opi-
namur dictum : *Quam pulchri | sunt gressus tui in calcea-
mentis tuis, filia principis* ᵇ ; — quinta | uero assyria, id est
syra, in qua captiua ducta est et cum ea | lingua, meritum
1350 religionis eius dicendo, unum corpus effecta est | plebs illa,
decem tribus, regnum Ephraim ᶜ; quae intellegitur *de* |
deserto, ubi Christus non colebatur, et de spinosa conuersa-
tione | hominum adducta a Verbo Dei ᵈ sanctimoniorum
<*in*> amoenitate | collocata *hortorum* ᵉ. |

91. Post has uero linguas, uel extra, quaecumque
1355 sub caelo | sunt aliae, conuersae ad Christum
his quasi membra corpori | inseruntur. Quae omnes,
unum Deum omnipotentem credentes, | unum

---

90 a. Cf. Is. 61,10   b. Cant. 7,1   c. Cf. IV Rois 17,1-6
d. Cant. 8,5   e. Cant. 8,13

---

1. « Matthieu publia chez les Hébreux, dans leur propre langue,
une forme écrite d'évangile » (Irénée, *Adu. Haer.*, III, 1, 1 : *SC* 211,
p. 22). « Matthieu prêcha d'abord aux Hébreux; ... il livra à l'écriture,
dans sa langue maternelle, son évangile... » (Eusèbe, *Hist. ecclés.*, III,
24, 6; cf. III, 39, 16 : témoignage de Papias : *SC* 31, p. 130 et 157).
2. « On dit que ce Marc fut, le premier, envoyé en Égypte, qu'il y
prêcha l'évangile qu'il avait composé et qu'il établit des églises d'abord
à Alexandrie même » (Eusèbe, *Hist. ecclés.*, II, 16, 1 : *SC* 31, p. 71).
— Noter le jugement très favorable porté par Apponius sur l'église
égyptienne de son temps. Ne s'expliquerait-il pas mieux avant la
« rupture d'une amitié traditionnelle et constante entre le siège de
Pierre et celui de saint Marc » qui « devait, après saint Cyrille († 433),
engendrer de lamentables conséquences pour la catholicité tout entière »
(J. Labourt, dans Jérôme, *Lettres*, t. 4, p. 187). Déjà l'évêque Théophile
d'Alexandrie, condamné par le pape Innocent Ier en 404, était mort

en hébreu[1] ; — le grec, langue de ceux dont, tout de suite après ceux parlant l'hébreu, sont sortis les collaborateurs des apôtres, les évangélistes Marc et Luc ; — l'égyptien, que Marc, disciple des apôtres, n'ignorait pas, langue de ceux à qui, dit-on, il fut envoyé par eux comme docteur ; aujourd'hui encore les exemples de ce maître fleurissent en la sainte religion[2] ; — le latin, que les anciens ont appelé l'ausonien, du nom du roi Ausone[3], langue de l'Église qui, avec pour maître et prélat le prince des apôtres, Pierre, et toute parée des colliers[a] de son enseignement, est en société et communion avec le Christ : c'est à elle, selon nous, qu'il a été dit : « Que tes pieds sont beaux dans tes sandales, fille du prince[b] ! » ; — la cinquième est l'assyrien, autrement dit le syrien, langue du pays où fut emmenée captive cette nation des dix tribus, le royaume d'Éphraïm[c] : en proclamant dans cette langue la valeur de sa religion, elle est devenue un seul corps avec ce pays ; en elle il faut reconnaître la nation qui a été amenée par le Verbe de Dieu *hors du désert*[d], où l'on n'adorait pas le Christ, et hors de la vie épineuse des hommes, pour être établie *dans les plaisants jardins*[e] de la sainteté.

91. Après ces langues, ou en dehors d'elles, toutes les autres qui sont sous le ciel, une fois converties au Christ, sont greffées sur elles comme des membres sur un corps. Toutes, croyant en un seul Dieu tout-puissant, proclamant un seul rédempteur, le

... unifiées
dans le même
langage de la foi

en 412 sans être réconcilié avec Rome. — Apponius ne fait pas d'allusion précise au monachisme égyptien.

3. *Auxonia*, ou mieux *Ausonia* ; *Auxonius*, ou mieux *Ausonius* ou *Auson* : voir *TLL* II, 1537, 78 ; 1540, 23-32. — Dans les extraits de Festus, transmis par Paulus (*De significatione uerborum*, éd. Lindsay, p. 16), il est dit : « *Ausoniam appellauit Auson, Ulixis et Calypsus filius.* » Ce n'est que chez Servius qu'Auson est appelé « roi » : *a rege Ausone* (*Aen.*, III, 477). — Sur l'apostolat de Pierre à Rome, cf. Eusèbe, *Hist. ecclés.*, II, 14,6 (*SC* 31, p. 70).

redemptorem Christum Dei Filium confitentes, unum | Spi-
ritum sanctum ex utroque procedentem suscipientes,
unum | corpus Ecclesiae faciunt, uelut quinque, ut
1360 diximus, sensibus | compaginatum. De quibus quinque lin-
guis per Esaiam prophe|tam opinor euidentissime in mys-
terio prophetatum quod una | lingua futura erat, unam
fidem tenendo in laudibus unius crea|toris sui exsultans,
cum de eius uaticinaretur aduentu, dicendo : | *Erunt*,
inquit, *in die illa* — cum disruperit Dominus uinculum
1365 | populi sui — *quinque ciuitates in terra Aegypti loquentes
lingua | Chanaan, et ciuitas Solis uocabitur una*[a]. |

92. Aegyptus uidelicet «obscuritas» uel «caligo» inter-
pretatur : | quod totus mundus ante incarnationem Christi
fuisse beatus Iohan|nes euangelista perdocuit, cum dicit de
1370 eo : *Lux in tenebris lucet, et | tenebrae eam non comprehende-
runt*[a] ; et : *Vt illuminaret*, inquit | Zacharias, *his qui in
tenebris et in umbra mortis sedent*[b] ; et ipse | saluator : *Ego
sum lux mundi*[c], ait. Chanaan autem interpretatur | «candens
poculum»; et quem alium possumus intellegere «can|dens
poculum», nisi illum qui post ascensionem Domini,
1375 adhuc | frigidioribus fide apostolis, primum a Patre
Filioque porrectus | probatur, Spiritum sanctum, de quo
dicitur in Actibus apostolo|rum : *Sedit super singulos uelut
ignis*[d]? Quos ita repleuit | omnium gentium linguis unam
Dei unius laudem loquentes, ut | etiam ab ignorantibus
1380 ebrii putarentur[e]. Quem <hauriendo> po|culum, istae
quinque praedictae ciuitates uno ore loquuntur uel | lingua

---

91 a. Is. 19,18
92 a. Jn 1,5   b. Lc 1,79   c. Jn 8,12   d. Act. 2,3
e. Cf. Act. 2,13

---

1. Paula a visité « les cinq villes d'Égypte qui parlent la langue de
Chanaan » : Jérôme, *Ep.* 108, 14.

2. Cf. I, 659 *(« tenebrae »)*.

3. *candens poculum* : cette étymologie n'est donnée que par Apponius (cf. *TLL, Onomasticon*, II, 371, 78). Elle provient de la transcription
fautive de l'étymologie de *« Philistim »* : *« Filistim : cadentes seu ruina*

Christ, Fils de Dieu, recevant un seul Esprit saint qui procède de l'un et de l'autre, constituent l'unique corps de l'Église, comme unifié, nous l'avons dit, par cinq sens. Je pense que c'est à propos de ces cinq langues qu'il a été, de façon très claire, prophétisé en figure par le prophète Isaïe qu'il n'y aurait plus qu'une seule langue, qui, en gardant une foi unique, exulterait dans les louanges de son unique créateur. C'était lorsqu'il annonçait la venue du Christ en disant : « Il y aura en ce jour » − le jour où le Seigneur brisera les chaînes de son peuple − « cinq cités dans la terre d'Égypte à parler la langue de Chanaan [1], et l'une aura pour nom : Cité du soleil [a] ».

92. « Égypte », on le sait, signifie « obscurité » ou « ténèbres » [2] : ce que fut le monde entier avant l'incarnation du Christ, selon l'enseignement du bienheureux Jean l'évangéliste, quand il dit de lui : « La lumière luit dans les ténèbres, et les ténèbres ne l'ont pas arrêtée [a] » ; et Zacharie dit : « Pour illuminer ceux qui sont assis dans les ténèbres et l'ombre de la mort [b] » ; et le sauveur lui-même déclare : « Je suis la lumière du monde [c]. » « Chanaan » signifie « breuvage brûlant [3]. » En qui d'autre pouvons-nous reconnaître un « breuvage brûlant », sinon en celui qui, après l'ascension du Seigneur, fut versé pour la première fois par le Père et le Fils aux apôtres, dont la foi était encore bien froide, l'Esprit saint, dont il est dit dans les Actes des apôtres : « Il reposa sur chacun comme un feu [d]. » Il les remplit tellement, eux qui publiaient la louange unique du Dieu unique dans les langues de toutes les nations, que ceux qui n'étaient pas au courant pensaient même qu'ils étaient ivres [e]. L'ayant pris comme breuvage, les cinq cités en question publient d'une seule bouche et en une seule langue les

poculi » : Jérôme, *Hebr. Nom.*, 6, 12. − Origène écrit : « *Philistiim, id est cadentes populi* » (*Hom. sur l'Exode*, VI, 8 : SC 321, p. 188). Wutz, *Onom. sacra*, p. 87, conjecture qu'Apponius a utilisé une liste de noms de peuples où les deux noms voisinaient. Voir aussi Thiel, *Grundlagen*, p. 40.

una magnalia Dei[f] omnipotentis, *quia Dominus noster |
Iesus Christus,* sicut probat magister gentium Paulus, *in
gloria | est Dei Patris*[g]; et *nemo potest dicere : Dominum
Iesum Christum, | nisi in Spiritu sancto*[h]. |

1385 **93.** Nam «ciuitatem Solis»[a] uocari unam ipsam
hebraeam intel|legitur linguam, cuius principium regni
Hierusalem, ubi sedes, | ubi templum sanctuarii et caeri-
moniarum, ubi regnum Iuda | unde Christus Sol iustitiae[b]
ortus est ; quae etiam Heliopoleos | prius est nuncupata,
1390 quod est «ciuitas Solis». De qua lux porrec|ta est in toto
tenebroso corpore mundi. De qua sanitatis medici|na dif-
fusa est in omnibus membris Ecclesiae. De quo sole | pro-
pheta praedixit : *Orietur uobis,* inquit, *qui timetis Domi-
num, | sol iustitiae, et sanitas in pennis eius; et exsilietis
sicut uituli de | armento, et conculcabitis inimicos uestros,*
1395 *cum facti fuerint ut | puluis sub pedibus uestris*[c]. |

94. Haec est ergo congregatio timentium Dominum,
quae est | Ecclesia quam diximus Antichristi temporibus *de*
praedicto *de|serto* adduci per Verbum Dei[a] Christum
Dominum nostrum, *in | hortis*[b] fidei sanctimoniaeque col-
1400 locata. Agnoscens Christum ue|rum hominem uere omnem
peccati contagionem continendo | *fugisse,* et ita eum inter
immundos et sordidos immaculatum | mansisse, sicut sol non
potest sordibus inquinari cum in antris | stercoreis radios por-
rigit, et per Verbum Deum gerentem se | *super* praedic-
1405 tos *montes aromatum*[c] eleuatum, ubi sunt multae | fragran-   B'
tissimae mansiones[d], et <cum> ad omnem ueritatem

---

92 f. Cf. Act. 2,11   g. Phil. 2,11   h. I Cor. 12,3
93 a. Cf. Is. 19,18   b. Mal. 4,2   c. Mal. 4,2-3
94 a. Cf. Cant. 8,5   b. Cf. Cant. 8,13   c. Cf. Cant. 8,14
d. Cf. Jn 14,2

---

1. Nulle part on ne trouve le nom d'*Heliopolis* appliqué à Jérusalem.
Apponius joue sur le nom d'*Aelia* (ou *Helia*) *Capitolina* donné par
Hadrien à la colonie qu'il y établit. Sur *Aelia,* voir le témoignage de
Jérôme et d'autres dans *TLL,* I, 964, 81-965, 13.
2. Cf. XI, 363 ; XII, 16.

merveilles du Dieu[f] tout-puissant, « que notre Seigneur Jésus Christ », comme l'affirme Paul, le docteur des nations, « est dans la gloire de Dieu le Père[g] », et que « personne ne peut dire : Jésus Christ est Seigneur, sinon dans l'Esprit saint[h] ».

93. Quant à la « Cité du Soleil[a] », il faut voir sous ce nom la langue unique, celle même des Hébreux. La capitale de leur royaume est Jérusalem ; là en est le trône ; là se trouve le temple, le lieu saint de leur culte ; là, la royauté de Juda, d'où est issu le Christ, le Soleil de justice[b]. Cette ville a aussi reçu autrefois le nom d'Héliopolis, c'est-à-dire « cité du Soleil[1] ». C'est d'elle que la lumière s'est diffusée sur tout le corps du monde plongé dans les ténèbres. C'est d'elle que le remède qui rend la santé s'est répandu sur tous les membres de l'Église. De ce soleil, le prophète a prédit : « Pour vous qui craignez le Seigneur se lèvera le Soleil de justice, et la santé est dans ses rayons ; et vous bondirez comme de jeunes taureaux au milieu du troupeau, et vous piétinerez vos ennemis, lorsqu'ils seront devenus comme de la poussière sous vos pieds[c]. »

94. La voilà donc, la communauté de ceux qui craignent le Seigneur. C'est cette Église qui, nous l'avons dit[2], au temps de l'Antichrist, est conduite *hors du désert* par le Verbe de Dieu[a], le Christ notre Seigneur, et établie *dans les jardins*[b] de la foi et de la sainteté. Maintenant qu'elle reconnaît que le Christ, homme véritable, a véritablement, par la maîtrise de soi, *fui* toute contagion du péché, qu'ainsi au milieu des hommes impurs et souillés il est resté immaculé — de même que le soleil, lorsqu'il darde ses rayons dans des cavernes fangeuses, ne peut être sali par leurs souillures — et qu'il a été élevé par le Verbe Dieu qui le portait *au-dessus de ces montagnes des aromates*[c], là où il y a de nombreuses demeures[d] tout embaumées ; maintenant

L'Église établie dans la foi et la sainteté...

signis | fallacibus probauerit cognoscendo Antichristum
uere diabolum — | quem, male persuasa a patribus, Chris-
tum redemptorem suae | salutis opinabatur —, hortatur
nunc Christum Dominum, regem | suum credendo confiten-
doque, *fugere super montes aromatum* ᵉ. |

1410 **95.** Sciens enim se de exsilio huius mundi et de captiui-
tate | diaboli ᵃ crudelissima non aliter posse exire, nisi in
eius ascensio|nis *fugerit fugam* ; sciens enim in eius incarna-
tione se ad aeter|nam patriam paradisum, *ad regnum cae-
lorum in eius ascensione, | reuocari, hortatur ut acceleret
1415 perpetuae *laetitiae dies* ᵇ, in quo | eum facie ad faciem ᶜ
perfruatur ; ubi miram eius deitatem et | totum patriis
splendoribus plenum intendat, regnantem cum | Patre et
Spiritu sancto in saecula saeculorum. Amen.

IN CANTICO CANTICORVM SALOMONIS
EXPLICIVNT LIBRI NVMERO XII FELICITER

94 e. Cf. Cant. 8,14
95 a. Cf. II Tim. 2,26   b. Cant. 3,11   c. I Cor. 13,12

1. « en son incarnation..., en son ascension... ». Par l'incarnation, le
paradis nous est rendu. Cf. V, 623 : *ut, adsumendo hominem, paradisum
redderet, quem homini tulerat hostis* ; VII, 656 : *(Christus) in cuius
aduentu coepit reparari paradisi hortus.* Mieux encore, par elle nous
sommes replacés dans le paradis. Cf. I, 52-54 : *Vbi (in Verbi
incarnatione)... humana progenies... expulsa paradiso redditur* ; XII,
424 : *Christus Dominus noster... hominem antiquae patriae paradiso
reddidit.* Mais c'est grâce à l'ascension que la chair peut pénétrer dans
le ciel : « Il est descendu des montagnes des cieux... afin qu'il élevât

que, parvenue à la vérité totale en reconnaissant l'Antichrist à ses prodiges fallacieux, elle a eu la preuve qu'il
est vraiment le diable — lui que, mal instruite par ses
pères, elle pensait être le Christ, son rédempteur et son
sauveur —, elle exhorte le Christ Seigneur, en le croyant
et le proclamant son roi, à *fuir au-dessus des montagnes
des aromates* [a].

95. Sachant en effet qu'elle ne
peut sortir autrement de l'exil de ce
monde et de la captivité très cruelle
du diable [a] à moins qu'il ne *fuie de
la fuite* de son ascension ; sachant en effet qu'elle est
rappelée, en son incarnation, à l'éternelle patrie, au
paradis, et en son ascension [1] au royaume des cieux, elle
supplie que vienne au plus vite le *jour de la joie* [b]
perpétuelle, où elle pourra jouir de lui face à face, où
elle pourra contempler son admirable divinité et le voir
tout entier plein des splendeurs paternelles, régnant avec
le Père et le saint Esprit pour les siècles des siècles. Amen.

*... aspire au jour
de la joie
perpétuelle*

ICI S'ACHÈVENT HEUREUSEMENT
LES DOUZE LIVRES
SUR LE CANTIQUE DES CANTIQUES DE SALOMON.

jusqu'au ciel la chair immaculée qu'il avait assumée, en triomphant
par elle » (XII, 1149). Aussi l'épouse, « devenue un seul corps avec
lui » (XII, 1287), « sait qu'elle ne peut sortir... de l'exil de ce monde...
à moins qu'il ne fuie de la fuite de son ascension » (XII, 1411).

L'ANTICHRIST

(Cf. XI, 336)

Il va souvent être question de l'Antichrist, déjà nommé en
II, 604 et VIII, 315. − Pour Apponius, tout ce qui est dit
dans le nouveau testament sur l'Antichrist (*I Jn*, 2,18.22), sur
les pseudo-Christs (*Matth.* 24,24; *Mc* 13,22), sur « l'Homme de
l'impiété, le Fils de la perdition » qui se dresse contre Dieu
au dernier jour (*II Thess.* 2,3-4), s'applique au diable en
personne, « le grand dragon, l'antique serpent, celui qu'on
nomme diable et Satan, le séducteur du monde entier » (*Apoc.*,
12,9). C'est lui qui s'efforce de séduire aujourd'hui les disciples
du Christ et qui déchaînera contre eux la grande tribulation.
− Dès à présent l'Antichrist agit par ses ministres, fauteurs des
vices et des crimes (II, 604-605); il est le « trompeur » qui se
fait passer pour le rédempteur du monde (VIII, 314-315).
Caché durant l'histoire, il manifestera ouvertement sa présence
au dernier jour : XI, 363 (cf. *Matth.* 24,15; *Mc* 13,14); XII,
16.1397. Alors il se déchaînera (*debacchante Antichristo* : XII,
610). Alors les hommes trompés reconnaîtront « que l'Antichrist
qu'ils croyaient être le Christ, leur rédempteur et sauveur, était
vraiment le diable » (XII, 1406-1408; cf. 626-627). Ce sera le
dies adlocutionis, « où la présence de l'Antichrist se sera ouvertement manifestée et où le peuple chrétien sera interpellé par
l'Antichrist et ses ministres » pour savoir s'il choisit le reniement
du Christ ou la mort (XII, 531-535). − Ensuite, pour un temps,
l'Antichrist ennemi sera détruit, ou du moins « enchaîné » (XII,
1072), comme l'Apocalypse le dit de Satan (*Apoc.* 20,2). L'Église
sera alors en paix, « reposant dans les jardins » (il est notable

qu'Apponius évite de mentionner les « 1000 ans » de *Apoc.* 20,
2.7, alors qu'ailleurs il se montre si intéressé par le nombre
1000). – Enfin, « le prince de ce monde sera tiré de l'enfer »
(XII, 1109-1110), autrement dit : « Satan sera relâché de sa
prison » (*Apoc.* 20,7) ; et c'est alors que « tel un lion en furie,
il bondira pour dévaster ces jardins » (XII, 1110-1111). –
L'identification de l'Antichrist avec le diable est ici évidente :
c'est « l'Antichrist » qui est enchaîné, et c'est « le prince de ce
monde » qui ensuite est relâché.

PAIX ROMAINE ET ÉPIPHANIE
(Cf. XII, 798-812)

A propos de la paix romaine et chrétienne, telle que la met en relief Apponius, se posent plusieurs questions :

– que penser de la coïncidence entre une proclamation de paix universelle par l'empereur Auguste et la naissance du Christ ?

– quel événement Apponius désigne-t-il lorsqu'il parle d'« Épiphanie » ?

– quelle valeur accorder à sa référence à Tite-Live ?

Apponius qui, en X, 65, avait déjà noté qu'à l'*apparitio* du Christ avaient cessé « les guerres cruelles entre les nations » (cf. Introd., p. 48-49 et 117), revient à ce thème en XII, 798-812. Ici, il fait coïncider historiquement l'établissement de la paix universelle par Auguste et l'apparition du Christ, dont l'âme a été « faite... comme celle qui retrouve la paix ».

Ce passage appelle un rapprochement avec les synchronismes – d'ailleurs forcés – qu'établit Paul Orose dans plusieurs passages des livres VI et VII de ses *Historiae aduersus paganos*, écrites en 416-417 (éd. C. Zangenmeister, *CSEL* 5, 1882 ; cf. F. Paschoud, art. « Orose », *Dict. encycl. du Christian. ancien*, II, p. 1841-1843, renvoyant à une étude plus complète ; R. Schilling, « Ce que le christianisme doit à la Rome antique », *R. des Ét. lat.*, 62, 1984, p. 305). Pour Orose, c'est le 8 des ides de janvier (6 janvier), *quo nos Epiphania, hoc est apparitionem siue manifestationem Dominici sacramenti, obseruamus*, qu'Auguste,

l'an 725 de Rome (27 av. J.C), rentrant d'Orient en triomphe,
ferma pour la première fois les portes du temple de Janus (VI,
20, p. 418). Et c'est en 752, année de la naissance du Christ,
qu'il les ferma définitivement, *ab oriente in occidentem, a
septentrione in meridiem ac per totum Oceani circulum cunctis
gentibus una pace compositis* (VI, 22, p. 426-427 ; cf. VII, 3,
p. 437-438). Ainsi, Orose souligne deux coïncidences chronologi-
ques entre proclamation de la paix par Auguste et « apparition »
du Christ : l'une concernant le jour (6 janvier), mais non
l'année ; l'autre concernant l'année, sans précision de jour ; il
sait par ailleurs que le Christ est né le 25 décembre (VII,
2, p. 437).

Pour Apponius, la perspective est très simplifiée : sans qu'il
donne de date de jour ni d'année, il voit l'« apparition » ou
Épiphanie du Christ, qui est pour lui sa naissance (cf. ci-
dessous), coïncider avec la proclamation de la paix universelle.
Ce n'est pas là la seule différence entre les deux auteurs,
puisque Orose, qui énumère plusieurs fois les régions pacifiées
par Auguste, ne parle pas de la *Brittania insula*, seule nommée
par Apponius, et qu'il ne se réfère pas à Tite-Live. En revanche,
on relève quelques similitudes entre les expressions d'Apponius
et celles d'Orose : l'emploi d'*Epiphania*, traduit par *apparitio*
(mais Orose donne aussi *manifestatio*) ; la mention des *publica,
etiam ciuilia... bella sopita* (App., XII, 798-800) à côté de :
sopitis... omnibus bellis ciuilibus (Orose, VI, 20, 1) ; la citation
du *Gloria in excelsis* angélique, *clamantibus angelis in eius ortu*
(App., XII, 785), à côté de : *in eius ortu... exultantes angeli
cecinerunt* (Orose, VI, 22, 5).

S'il n'y a pas dépendance entre les deux textes, de forme
très différente, ils se situent visiblement dans une tradition
commune. On remarque d'ailleurs qu'Apponius, pas plus
qu'Orose, n'a exploité deux autres thèmes « impériaux » parfois
appliqués à la Nativité du Christ : celui de l'*aduentus Augusti*,
réception solennelle de l'empereur dans une cité, rapproché de
l'*aduentus Christi* lors de sa naissance ; celui du *dies natalis*
de l'empereur, objet d'un brillant cérémonial, rapproché du
dies natalis du Christ. Les deux thèmes se rencontrent dans
la prédication de Maxime de Turin, cité par P. Dufraigne,
Aduentus Augusti, Aduentus Christi (« Coll. des Ét. augustin. »,
S. Antiq., 141, 1994), p. 334-336 : le premier en *Sermo 62,
1-3 : CCL 23*, p. 261-263 ; le second en *Sermo 60, 1-2 : ibid.*,

p. 240-242. Celui de l'*aduentus* est développé en détail par le
Sermo 149, 1-2 de « Pierre Chrysologue » (*CCL* 24 B, p. 927-
930), c'est-à-dire par l'ancienne traduction latine d'un discours
de Sévérien de Gabala (lors de sa réconciliation avec Jean
Chrysostome en 401, d'où l'insistance sur le thème de la paix) :
cf. F. Dufraigne, *op. cit.*, p. 337-338 ; M. Aubineau, « Un traité
inédit... de Sévérien de Gabala... » : *Cahiers d'Orientalisme*,
5, p. 14-15.

*
**

D'après tout le contexte, c'est la Nativité du Christ qu'Apponius désigne comme *dies apparitionis*, « *quod Epiphania appella-
tur* ». Et ce terme d'*apparitio* est régulièrement employé par
lui pour parler de l'entrée du Christ dans le monde (I, 172 ;
VII, 322 ; X, 65 ; parfois *ostensio* : IV, 361 ; XII, 870 ; jamais
manifestatio). Qu'en est-il alors du terme grec d'*Epiphania* ?
On sait la complexité des rapports entre Noël et Épiphanie, la
première fête étant d'origine romaine, la seconde d'origine
orientale, mais toutes deux étant célébrées au ve siècle en
Occident comme en Orient, avec des objets et des solennités
différentes. Retenons que le terme d'*apparitio*, à Rome et en
Afrique, s'applique primitivement à la Nativité ; c'est plus tard
qu'il a été employé pour l'Épiphanie, comme y invitait l'équivalence *apparitio - epiphania*. Il semble qu'Apponius souligne
cette équivalence sans faire directement allusion à la fête
proprement dite de l'Épiphanie. − Sur ces questions complexes,
cf. B. Botte, *Les origines de Noël et de l'Épiphanie*, Louvain
1932, p. 30 et 54 ; surtout, Chr. Mohrmann, *Études sur le latin
des chrétiens*, I, Rome 1961, p. 245-275, spécialement p. 264-
267 ; également, Th. E. Mommsen, « Aponius and Orosius on
the significance of the Epiphany », dans *Late classical and
mediaeval studies in honor of A.M. Friend Jr.*, Princeton 1955,
p. 96-111, résumé par *Année philologique*, XXVII, 1956, p. 11.

*
**

L'intéressante référence que fait Apponius à Tite-Live *(Liuius)*
a souvent attiré l'attention des historiens de la littérature. Voir
le long commentaire qu'en fait P. Jal, dans : *Tite-Live, Histoire
romaine*, t. 33 *(Coll. des Univ. de France*, Paris 1979), *fragm.*
65, p. 232 et 295-300. Plus récemment : Fr. Witek, « Aponius »,
Reall. für Ant. u. Christent., Suppl. 4 (1986), 512-514. Ces
auteurs n'excluent pas qu'il y ait, dans l'affirmation d'Apponius
sur la proclamation de la paix par Auguste, la réminiscence
d'un fait qu'aurait rapporté Tite-Live dans un livre maintenant
perdu (L. 136 ou 137) ; mais en ce cas il ne s'agissait sûrement
pas d'un retour d'Auguste rentrant de Bretagne (ni d'un 6 janvier). Tout au plus, la propagande augustéenne avait-elle si
bien insisté sur l'intérêt pris par l'empereur à la Bretagne, que
« les contemporains d'Apponius n'étaient sans doute pas loin
de croire que celui-ci avait effectivement débarqué dans la
grande île » (Jal, *ibid.*, p. 298). En tout cas, Orose, au début
du ve siècle, n'ignorait pas l'affirmation de Suétone, selon
laquelle, lorsque Claude monta une expédition contre la Bretagne en 42, « personne ne l'avait attaquée depuis le divin Jules
(César) » *(Vie des douze Césars*, V, 17 ; cf. Tacite, *Vie d'Agricola*,
13). Orose *(Historiae*, VII, 6, 9) cite expressément Suétone ;
Bède, à son tour, a transcrit Orose *(Historia eccles. gentis
Anglorum*, I, 3). — L'affirmation d'Apponius et la référence
qu'il donne apparaissent ainsi comme isolées et inconsistantes.
Elles ne s'appuient bien certainement que sur des « on-dit ».

Notes critiques du tome III

(Corrections apportées au texte de *CCL* 19
pour les livres IX-XII)

Livre IX

l. 154 Les mots *et sic docuerint* sont donnés par *R* et ont été reproduits par Mai et par Bottino-Martini. Ils ont été omis dans *CCL* 19, d'accord avec *S* (qui donne à la place : *ad*), mais il y a lieu de les rétablir, comme l'a fait H. König dans sa traduction, p. 166 (et n. 24).

l. 456 Le mot *Deus*, omis par erreur dans *CCL* 19, a été rétabli ici.

l. 505 Dans *CCL* 19 a été donnée la leçon *dignus fructus*, qui n'est qu'une correction introduite par l'édition Bottino-Martini, contre le témoignage unanime des mss *(S, R, J, B)*, qui donnent le nominatif neutre *dignum fructum*. Or ce neutre *fructum* se retrouve, bien attesté, en IV, 382 (cf. note à ce passage) et en XII, 874 : *fructum fidei quod...* Il a donc été rétabli ici.

l. 522 L'ablatif *in eo* donné par les mss *S* et *R* et l'édition Bottino-Martini a été rétabli au lieu de la conjecture inutile de *CCL* 19 : *in eum*. Ablatif et accusatif sont souvent employés indifféremment après un verbe de mouvement : cf. *CCL* 19, Introd., p. lxii.

l. 527 *culpa*, donné par *CCL* 19, d'après *S*, a été corrigé en *culpam*, avec *R* (et l'édition Bottino-Martini).

Livre X

l. 108 Dans *CCL* 19, il avait paru nécessaire d'ajouter, après *commutantur*, le mot *desiderium* (cf. Note critique, *CCL* 19, p. 475-476). En réalité, on doit admettre que ce mot est sous-entendu ici. Il a été supprimé.

l. 111 Le texte des mss, maintenu par *CCL* 19 à la l. 111 : *actus si diutino*, a été corrigé ici par conjecture en *actu si diutino*. Voir note à la ligne 111.

l. 132 *porrigitur*, donné dans *CCL* 19, d'après *S* et *Rb* a été corrigé en *porrigit*, d'après *J* et *B*.

l. 134 Le texte donné en *CCL* 19, l. 134, a été modifié ici. En effet la reprise, à une ligne de distance, de *per Hiezechielem*, propre à *S*, considérée d'abord comme une faute de copiste, s'avère nécessaire pour assurer le balancement de la phrase.

l. 276 Le texte de *CCL* 19 a été modifié ici : *pretiosa (S)* au lieu de *praecisa (R)*. La référence à *Ps.* 115,15 : *Pretiosa in conspectu Domini mors sanctorum eius* est en effet évidente. C'est sa mort précieuse qui rend l'âme précieuse. D'ailleurs, la même affirmation est reprise à la fin du paragraphe : « devenus, par leur mort précieuse, une matière précieuse aux yeux du Seigneur » (l. 280-281).

l. 493 *intentos* a été conjecturé ici au lieu de *intenta*, donné par *CCL* 19 d'après les mss et l'édition Bottino-Martini. C'est bien avec *gressus* que doit s'accorder ce participe d'après le contexte.

Livre XII

l. 27 Il n'a pas paru nécessaire de maintenir, après *nixa*, l'addition de <*est*> qui figure dans *CCL* 19.

l. 523 Le texte édité dans *CCL* 19, p. 283 : *imputribilium materiam tabularum*, où les terminaisons -*ium* et -*am* étaient des conjectures, a été modifié ici, sur la suggestion de P. Hamblenne (*Scriptorium*, 43, 1989, p. 318) : *tabulas* a été conjecturé au lieu de *tabularum* (tous les mss), mais *imputribili* (leçon de *S*) et *materia* (leçon de *S J B*) ont été maintenus. Il paraît en effet plus normal que Dieu prépare les « plaques » plutôt que leur « matière ».

l. 545 *uoluntati* est conjecturé ici, de préférence à *uoluntatis* (*CCL* 19, qui suivait les mss) ; le mot est en effet parallèle à *illi... pugnanti, ... stanti* (543-544). − C'est la volonté bonne qui reçoit, pour la renforcer, « les paroles de sagesse », ce qu'Apponius reprend, l. 570 : « ... les secours placés sur le mur de la bonne volonté » ; également, l. 601 : les dons que sont les bonnes actions et la gloire du martyre sont « construits sur la volonté de l'âme ».

l. 876 Le parallélisme avec le texte XII, 1019-1921 : *ab aeriis uolucribus, immundis spiritibus, uel bestiis saeuissimis, persecutoribus haereticisque*, invite à conjecturer ici entre les mots *bestiis* et *uolucribus* un *vel* (qui a pu tomber devant *vol-*). Cf. la leçon de *J* (XII, 184) et de *B* (XII, 327) : *uolucribus uel bestiis*. − *Volucres* fait allusion à *Matth.* XIII, 4 et parallèles.

l. 1075 Le texte de *CCL* 19 : *fides in qua tribus personis... creditur* a été modifié, par conjecture, en : *fides qua in tribus personis... creditur*. En effet, d'une part, *fides qua creditur* se lit en II, 130 et VII, 659 (*fides in qua*, en IV, 73, et XII, 423, n'a pas le même sens) ; d'autre part, on attend : *(unus)... in tribus personis* comme en X, 203 et XII, 889.

l. 1155-1156 *peracta salutis... mysteria* : telle est bien la leçon des manuscrits *S* et *R*. L'édition Bottino-Martini l'a corrigée en *peracto mysterio* ; *CCL* 19, en *per acta... mysteria*, peu satisfaisant pour le sens. En fait, la leçon des manuscrits doit être conservée : il s'agit ici, comme en d'autres passages, d'un accusatif absolu (cf. Introd., p. 32, et Note critique à I, 856, tome I, p. 378, où cet exemple aurait dû figurer).

l. 1377 *super singulos* a été substitué à *supra singulos eorum* (*CCL* 19 = *Vg*) : en effet, *supra* (leçon de Bottino-Martini) n'est donné que par *R*, contre *S* et *J*, et d'autre part *eorum* ne figure que dans *J*.

l. 1413 *ad regnum caelorum* : *ad,* donné par *R* (et Bottino-Martini), a finalement été préféré à *et,* donné par *S* et adopté par *CCL* 19 : les deux *ad* répondent mieux aux deux compléments : *in eius incarnatione, in eius ascensione.*

CORRECTIONS APPORTÉES
AU TEXTE DE *CCL* 19 POUR LES LIVRES IX-XII)

LIVRE IX

au lieu de :

§ 15 l. 154	: et sic docuerint alios	ad alios
37 l. 456	: ad nos Deus	ad nos
42 l. 505	: dignum fructum	dignus fructus
44 l. 522	: conglobata in eo	conglobata in eum
45 l. 527	: nisi culpam	nisi culpa
47 l. 572	: seruitutem	seruitatem *(coquille)*

LIVRE X

§ 9 l. 108	: De quo	desiderium. De quo
l. 111	: actu	actus
11 l. 132	: porrigit	porrigitur
l. 134	: notatur − cum per Eze-chihelem dicitur	notatur, cum dicitur
21 l. 276	: apparet pretiosa	apparet praecisa
38 l. 493	: perspexit intentos	perspexit intenta

LIVRE XI

§ 5 l. 79	: quos	suos *(coquille)*

LIVRE XII

§ 2 l. 27	: nixa	nixa <est>
35 l. 522	: imputribili materia tabulas	imputribilibus -am -arum
37 l. 545	: bonae uoluntati	bonae uoluntatis
59 l. 876	: <uel> uolucribus	uolucribus
72 l. 1075	: qua in tribus (cf. 60,887)	in qua tribus
77 l. 1155	: peracta salutis... mysteria	per acta s. mysteria.
92 l. 1377	: super singulos	supra singulos eorum
95 l. 1413	: ad regnum	et regnum

I. – INDEX SCRIPTURAIRE

(Références données aux livres et aux paragraphes. L'astérisque indique une simple allusion. Des compléments et corrections ont été apportés à l'Index de *CCL* 19, p. 481-522.)

II.– INDEX DES NOMS PROPRES

figurant dans le texte latin

(Références données aux livres et aux lignes. Des corrections ont été apportées à l'Index de *CCL* 19, p. 529-533.)

Aaron III, 142.143; VI, 104.149.292.296; VII, 426; X, 364

Abbacuc I, 248; II, 507.543; IV, 153; VII, 672

Abel VIII, 776

Abraham I, 5.727.728.877; V, 652.653.662.664; VII, 360; VIII, 466.777; IX, 549; XII, 339.435.841

Absalon IX, 35

Actus apostolorum III, 215; V, 349.376; VII, 277; IX, 661; XI, 300; XII, 1376

Adam I, 13.96.269.323.361.649; II, 334; IV, 382; V, 515; VII, 658 *(bis)*.732; VIII, 481. 484.927; IX, 441; XII, 768. 858.1239

Aegyptii III, 574; VII, 161; VIII, 540.549

aegyptius I, 650; XII, 1341

Aegyptus I, 648.656.659.817; II, 306; IV, 317.318; V, 378.380. 451; 318; V, 378.380.451;

377.476; XI, 191.243; VII, 285; VIII, 248.549; IX, 451. 500; X, 376.377.476; XI, 191.243.244; XII, 848.1365. 1367

Aethiopes I, 688; IX, 585

Aethiopia I, 690

aethiopicus I, 109

Agar I, 729

Alexander VIII, 131

Allophyli I, 725

Amana VII, 44.46.84.88.113.143. 206.

Aminadab IX, 430.526.547.563

Amorreus I, 145.163; X, 302; XII, 484.485

Ananias X, 330

Anna *(mère de Samuel)* I, 244

Anna *(prophétesse)* IX, 577

Antichristus II, 604; VIII, 315; XI, 363; XII, 16.453.532 (bis). 610.626. 1072.1397.1406

Antiochia III, 215; V, 368; IX, 225

III - INDEX DES AUTEURS CITÉS

Auteurs anciens et médiévaux cités ou mentionnés
dans l'Introduction et les notes

(Références données aux tomes et aux pages. Les chiffres en italique
indiquent les références plus importantes. Un index moins complet, mais
donnant les références aux œuvres de chaque auteur, figure dans *CCL*
19, p. 523-528.)

IV. – INDEX DES MOTS ET THÈMES COMMENTÉS

mots et thèmes faisant l'objet d'un développement
dans l'Introduction ou les notes

(Références données aux tomes et aux pages. Les chiffres en italique
indiquent les références les plus importantes. Un dépouillement complet
du vocabulaire d'Apponius est donné par les *Instrumenta Lexicologica
Latina*, fasc. 36.)

V. — INDEX DES MOTS RARES

(Références données aux *livres* et aux *lignes*. — Les mots marqués d'un * sont d'un emploi unique ou très rare. — Les références soulignées comportent des notes)

VI. – INDEX DES CORRECTIONS APPORTÉES
AU TEXTE DE *CCL* 19 POUR LES LIVRES I-XII

Livre II

§ 3 l. 42	: eligentes	potius eligentes
5 l. 87	: ea quae operata est bona postposita	eis quae operata est bonis postpositis
9 l. 176	: foris aulam	foris caulam
23 l. 445	: de aula fidei	de caula fidei
25 l. 494	: per Moysen	per Salomonem
31 l. 616	: similia apostolis	similia in apostolis

Livre III

§ 1 l. 9-10	: castitatis candore et uere-cundiae rubore	castitatis rubore et vere-cundiae candore
5 l. 86	: de quibus	de qua
6 l. 94	: recubantem	recumbentem
8 l. 124	: cum Patre unum	cum Patre unus
11 l. 185	: suscepta, cum	suscepta <et> cum
22 l. 365	: egressus	egressus est.
30 l. 509	: inter quos	inter quod *(coquille)*
32 l. 548	: Quo utique	Quod utique
34 l. 585	: demonstrantur	demonstratur
36 l. 620	: desiderata requie inuenta	desideratam requiem in-uentam

Livre IV

§ 11 l. 135	: per hanc figuram	per haec figurata
28 l. 338	: ex uno stirpe	ex una stirpe
41 l. 524	: lanceae ictibus	lanceae ictus

Livre V

§ 1 l. 4	: ei	et
2 l. 15	: Quanta... gaudia potita fuerit	Quanto... gaudio potita fuerit
5 l. 78	: die tertia celebrandae	die tertia celebrandam
10 l. 138	: non respondit ei	non respondet ei
14 l. 198	: testimonio prophetarum	prophetarum testimonio
24 l. 350	: in quietem	in quiete
33 l. 496	: [milia]	milia
37 l. 575	: quod	qui
47 l. 712	: pendit	pendet

LIVRE XI

§ 5 l. 79   : quos   suos *(coquille)*

LIVRE XII

§ 2 l. 27	: nixa	nixa \<est\>
35 l. 522	: imputribili materia tabulas	imputribilibus -am -arum
37 l. 545	: bonae uoluntati	bonae uoluntatis
59 l. 876	: \<uel\> uolucribus	uolucribus
72 l. 1075	: qua in tribus (cf. 60,887)	in qua tribus
77 l. 1155	: peracta salutis... mysteria	per acta s. mysteria.
92 l. 1377	: super singulos	supra singulos eorum
95 l. 1413	: ad regnum	et regnum

ERRATA DU TOME I

p. 22, note 1, lire : « all'*Expositio* di Bede ed alle *Enar-rationes...* »

p. 97, ligne 18, lire : « qu'elle a reçu par nature ».

p. 143, ligne 15, lire : « connue »

p. 194, note 1, lire : « *Et nunc flecto genua cordis...*

p. 217, ligne 21, lire : « comme une vraie vigne »

p. 219, ligne 7, lire : « pour la profanation »

p. 249, ligne 21, lire : « celui de sa doctrine »

p. 355, ligne 10, lire : « il n'y a pas de doute »

p. 383, ligne 7, lire : « les livres I-VI »

ERRATA DU TOME II

p. 101, ligne 5, lire : « parfum de suavité »

p. 103, ligne 15, lire : « Je vous ai fiancés »

p. 115, ligne 11, lire : « Goûtez et voyez »

TABLE DES MATIÈRES

TOME III

SOURCES CHRÉTIENNES

Fondateur : † *H. de Lubac, s.j.*
† *J. Daniélou, s.j.*
† *C. Mondésert, s.j.*
Directeur : D. Bertrand, s.j.
Directeur de la collection : J.-N. Guinot

Dans la liste qui suit, dite « liste alphabétique », tous les ouvrages sont rangés par noms d'auteur ancien, les numéros précisant pour chacun l'ordre de parution depuis le début de la collection. Pour une information plus complète, on peut se procurer deux autres listes au secrétariat de « Sources chrétiennes » — 29, Rue du Plat, 69002 Lyon (France) — Tél. : 04 72 77 73 50 :
1. la « liste numérique », qui présente les volumes et leurs auteurs actuels d'après les dates de publication ; elle indique les réimpressions et les ouvrages momentanément épuisés ou dont la réédition est préparée.
2. la « liste thématique », qui présente les volumes d'après les centres d'intérêt et les genres littéraires : exégèse, dogme, histoire, correspondance, apologétique, etc.

LISTE ALPHABÉTIQUE (1-430)

SOUS PRESSE

BERNARD DE CLAIRVAUX, **Sermons sur le Cantique.** Tome 2. R. Fassetta, P. Verdeyen.
EUDOCIE, **Centons homériques.** A.-L. Rey.
GRÉGOIRE LE GRAND, **Commentaire sur le Premier Livre des Rois.** Tome 3. A. de Vogüé.
JEAN CHRYSOSTOME, **Sermons sur la Genèse.** L. Brottier.
MARC LE MOINE, **Traités.** Tome I. G. M. de Durand (†).

PROCHAINES PUBLICATIONS

BARSANUPHE et JEAN DE GAZA, **Correspondance.** Volume II. P. de Angelis-Noah, F. Neyt,
    L. Regnault.
BERNARD DE CLAIRVAUX, **Lettres.** Tome 2. M. Duchet-Suchaux, H. Rochais.
CYRILLE D'ALEXANDRIE, **Lettres festales.** Tome 3. M.-O. Boulnois, B. Meunier.
ÉVAGRE LE PONTIQUE, **Sur les pensées.** P. Géhin, A. et C. Guillaumont.
GALAND DE REIGNY, **Petit livre des proverbes.** A. Grélois.
La Doctrine des douze apôtres. W. Rordorf, A. Tuilier (2ᵉ édition).
SULPICE SÉVÈRE, **Chroniques.** G. Housset.

RÉIMPRESSIONS PRÉVUES EN 1998

5 bis.	DIADOQUE DE PHOTICÉ, **Œuvres spirituelles.** É. des Places.
10 bis.	IGNACE D'ANTIOCHE, **Lettres et Martyre de Polycarpe de Smyrne.** P.-T. Camelot.
11 bis.	HIPPOLYTE DE ROME, **La Tradition apostolique.** B. Botte.
26 bis.	BASILE DE CÉSARÉE, **Homélies sur l'Hexaéméron.** S. Giet.
35.	TERTULLIEN, **Traité sur le baptême.** R.-F. Refoulé, M. Drouzy.
61.	GUILLAUME DE SAINT-THIERRY, **Traité de la contemplation de Dieu.** J. Hourlier.
63.	RICHARD DE SAINT-VICTOR, **La Trinité.** G. Salet.
80.	JEAN DAMASCÈNE, **Homélies sur la Nativité et la Dormition.** P. Voulet.
82.	GUILLAUME DE SAINT-THIERRY, **Exposé sur le Cantique des Cantiques.** J.-M. Déchanet.
87.	ORIGÈNE, **Homélies sur saint Luc.** H. Crouzel, F. Fournier, P. Périchon.
208.	GRÉGOIRE DE NAZIANZE, **Lettres théologiques.** P. Gallay, M. Jourjon.
310.	TERTULLIEN, **De la patience.** J.-C. Fredouille.

Également aux Éditions du Cerf :

LES ŒUVRES DE PHILON D'ALEXANDRIE

publiées sous la direction de

R. ARNALDEZ, C. MONDÉSERT, J. POUILLOUX

Texte original et traduction française

1. **Introduction générale, De opificio mundi.** R. Arnaldez.
2. **Legum allegoriae.** C. Mondésert.
3. **De cherubim.** J. Gorez.
4. **De sacrificiis Abelis et Caini.** A. Méasson.
5. **Quod deterius potiori insidiari soleat.** I. Feuer.
6. **De posteritate Caini.** R. Arnaldez.
7-8. **De gigantibus. Quod Deus sit immutabilis.** A. Mosès.
9. **De agricultura.** J. Pouilloux.
10. **De plantatione.** J. Pouilloux.
11-12. **De ebrietate. De sobrietate.** J. Gorez.
13. **De confusione linguarum.** J.-G. Kahn.
14. **De migratione Abrahami.** J. Cazeaux.
15. **Quis rerum divinarum heres sit.** M. Harl.
16. **De congressu eruditionis gratia.** M. Alexandre.
17. **De fuga et inventione.** E. Starobinski-Safran.
18. **De mutatione nominum.** R. Arnaldez.
19. **De somniis.** P. Savinel.
20. **De Abrahamo.** J. Gorez.
21. **De Iosepho.** J. Laporte.
22. **De vita Mosis.** R. Arnaldez, C. Mondésert, J. Pouilloux, P.Savinel.
23. **De Decalogo.** V. Nikiprowetzky.
24. **De specialibus legibus.** Livres I-II. S. Daniel.
25. **De specialibus legibus.** Livres III-IV. A. Mosès.
26. **De virtutibus.** R. Arnaldez, A.-M. Vérilhac, M.-R.Servel, P.Delobre.
27. **De praemiis et poenis. De exsecrationibus.** A. Beckaert.
28. **Quod omnis probus liber sit.** M. Petit.
29. **De vita contemplativa.** F. Daumas, P. Miquel.
30. **De aeternitate mundi.** R. Arnaldez, J. Pouilloux.
31. **In Flaccum.** A. Pelletier.
32. **Legatio ad Caium.** A. Pelletier.
33. **Quaestiones in Genesim et in Exodum. Fragmenta graeca.** F.Petit.
34A. **Quaestiones in Genesim, I-II** (e vers. armen.). Ch. Mercier.
34B. **Quaestiones in Genesim, III-IV** (e vers. armen.) Ch. Mercier, F. Petit.
34C. **Quaestiones in Exodum, I-II** (e vers. armen.) A. Terian.
35. **De Providentia, I-II.** M. Hadas-Lebel.
36. **Alexander** *vel* **De animalibus** (e vers. armen.) A. Terian.

LAVAUZELLE GRAPHIC
IMPRIMERIE A. BONTEMPS
87350 PANAZOL (FRANCE)
Éditeur n° 10741 - Imprimeur : 7096042-97
Dépôt légal : Février 1998